D0571440

Laisse-moi te posséder

Beth
KERY

Laisse-moi te posséder

Traduit de l'anglais (États-Unis)
par Célia Chazel

Titre original
BECAUSE YOU ARE MINE

Éditeur original
The Berkley Publishing Group, published by the Penguin Group (USA) Inc., New York

J'adresse ma profonde gratitude à Leis Pederson,
Laura Bradford, Mahlet, Amelia,
ainsi qu'à mon mari.
Je n'aurais pas pu mener à bien ce roman sans vous.
Merci également à tous les lecteurs
qui m'encouragent depuis des années.
C'est d'abord à vous que je dois ma carrière.

PARTIE I

PARCE QUE TU M'AS TENTÉ

1

Quand Ian Stiple pénétra dans la salle du luxueux restaurant [illegible] les yeux vers lui, comme [illegible] convives présents. Les [illegible] à travers la foule, elle remarqua un homme de grande taille, vêtu d'un impeccable costume sur mesure. Il était en train de retirer ses gardes [illegible] révélant un corps [illegible] et [illegible]. Elle le [illegible], et son regard s'attarda sur l'élégant manteau noir drapé autour de son bras. [illegible] qu'on puisse attendre d'un homme d'affaires issu d'une branche [illegible] de la famille royale britannique. Un des [illegible] qui l'accompagnaient tendit la main pour prendre son manteau, mais il déclina la proposition d'un [illegible] de tête.

1

Quand Ian Noble pénétra dans la salle du luxueux bar-restaurant, Francesca tourna aussitôt les yeux vers lui, comme la plupart des convives présents. Les battements de son cœur s'accélérèrent. À travers la foule, elle distingua un homme de grande taille, vêtu d'un impeccable costume sur mesure. Il était en train de retirer son pardessus, révélant un corps mince et svelte. Elle le reconnut instantanément, et son regard s'attarda sur l'élégant manteau noir drapé autour de son bras. Elle songea soudain que si le manteau était parfait, le costume ne lui correspondait pas du tout. Un jean aurait bien mieux convenu ! Francesca dut reconnaître que cette réflexion n'avait aucun sens. Pour commencer, le costume lui allait à merveille et, en plus, elle avait lu dans un récent article du magazine *GQ* que Noble était connu pour faire fructifier presque à lui tout seul les tailleurs de luxe de l'avenue Savile Row, à Londres. C'était sans doute le moins qu'on puisse attendre d'un homme d'affaires issu d'une branche mineure de la famille royale britannique. Un des messieurs qui l'accompagnaient tendit la main pour prendre son manteau, mais il déclina la proposition d'un mouvement de tête.

Apparemment, l'énigmatique M. Noble ne prévoyait pas de s'attarder plus que le strict minimum au cocktail organisé en l'honneur de Francesca.

— C'est M. Noble... Il va être ravi de te rencontrer, il adore ton travail ! fit Lin Soong.

Francesca perçut une subtile nuance d'orgueil dans la voix de la jeune femme, comme si Ian Noble n'était pas son employeur mais son amant.

— Il a l'air d'avoir bien plus important à faire que de me rencontrer, rétorqua Francesca en souriant.

Elle sirota une gorgée d'eau gazeuse tout en regardant Noble mener une conversation téléphonique laconique au téléphone. Deux hommes restaient postés près de lui, et il tenait toujours son pardessus plié au creux de son bras, prêt à décamper aussi vite que possible. Au pli subtil de ses lèvres, Francesca devina qu'il était irrité. Étrangement, en voyant cette expression très humaine sur son visage, elle se détendit un peu. Elle n'en avait pas touché un mot à ses colocataires – qui la connaissaient plutôt pour son caractère téméraire et bien trempé – mais la perspective de rencontrer Ian Noble générait en elle une drôle d'angoisse.

Le cours des conversations reprit, mais l'énergie qui emplissait la pièce s'était d'une certaine façon amplifiée depuis l'arrivée de Noble. De manière surprenante, cet homme qui se démarquait par son élégance et sa distinction semblait fasciner une génération de porteurs de tee-shirts accros à la technologie. Il faisait tellement années 1930 ! Elle avait lu quelque part que Noble avait gagné son premier milliard en créant quelques années plus tôt une société d'information en ligne, qu'il avait ensuite revendue en bourse, récupérant ainsi treize milliards supplémentaires, investis à leur tour dans une gigantesque et florissante société de vente par Internet.

Apparemment, tout ce qu'il touchait se transformait en or. Pourquoi ? Parce qu'il était Ian Noble. Il pouvait faire absolument tout ce qui lui plaisait. À cette pensée, les lèvres de Francesca esquissèrent un sourire amusé. C'était d'une certaine façon plus facile de songer à lui comme à un être arrogant et déplaisant. D'accord, il était son mécène. Mais comme beaucoup d'artistes au fil des époques, Francesca nourrissait une certaine défiance à l'égard de son pourvoyeur de fonds. Malheureusement, tous les artistes affamés avaient besoin d'un Ian Noble.

— Je vais juste le prévenir que tu es là. Comme je te l'ai dit, il est fasciné par ta peinture. Il t'a choisie sans hésiter parmi les trois finalistes, reprit Lin.

Celle-ci faisait référence au concours artistique que Francesca avait remporté, dont le lauréat se voyait confier la mission prestigieuse de peindre la pièce maîtresse du hall d'accueil du nouveau gratte-ciel construit par Noble à Chicago. Où ils se trouvaient en ce moment même. Le cocktail en l'honneur de Francesca se tenait dans un restaurant baptisé *Fusion,* un établissement branché et hors de prix situé à l'intérieur de la tour détenue par Noble. Plus important encore, du point de vue de Francesca, la commande était accompagnée d'une dotation de cent mille dollars, dont elle aurait grandement besoin en tant qu'étudiante en master des Beaux-Arts.

Lin fit apparaître comme par magie une jeune femme afro-américaine du nom de Zoe Charon pour converser avec Francesca durant son absence.

— Je suis ravie de vous rencontrer, fit Zoe qui afficha un sourire de rêve tout en serrant la main de Francesca. Toutes mes félicitations pour votre prix. Rendez-vous compte : je passerai devant votre tableau chaque fois que j'irai travailler !

En comparant ses vêtements avec ceux de Zoe, Francesca fut prise d'un malaise diffus qui lui était de plus en plus familier. Lin, Zoe et quasiment tous les convives présents dans la salle arboraient des tenues d'un raffinement extrême, à la pointe de la mode. Comment avait-elle pu croire que son look « bohème chic » conviendrait pour une réception de Ian Noble ? Comment avait-elle pu croire, d'ailleurs, que sa conception du bohème chic avait quoi que ce soit de chic ?

Elle apprit que Zoe était assistante de direction pour Noble Enterprises, dans un département du nom d'Imagetronics. *Qu'est-ce que c'est que ce truc ?* se demanda distraitement Francesca tout en faisant montre d'un intérêt poli, le regard de nouveau attiré par l'entrée du restaurant.

Le visage de Noble s'adoucit légèrement quand Lin s'approcha pour lui parler. Quelques secondes plus tard, une expression d'indifférence ennuyée apparut sur ses traits. Il secoua la tête et jeta un coup d'œil à sa montre. Il n'avait visiblement aucune envie de se prêter au rituel de l'entrevue avec l'un des nombreux bénéficiaires de ses œuvres philanthropiques. Pas plus que Francesca n'avait envie de le rencontrer. Cette réception en son honneur ne représentait pour elle qu'une des obligations rébarbatives dont elle devait s'acquitter en tant que lauréate du prix.

Elle se tourna vers Zoe et lui adressa un large sourire, déterminée à profiter de la fête maintenant que son angoisse idiote de rencontrer son bienfaiteur n'avait plus lieu d'être.

— Alors, qu'est-ce qu'il a de si spécial, Ian Noble ?

Zoe sourcilla devant cette question téméraire et jeta un bref regard en direction du bar où se tenait Noble.

— De si spécial ? Pour résumer, c'est un dieu.

Francesca eut un sourire narquois.

— Au moins, vous ne risquez pas de le sous-estimer.

Zoe éclata de rire et Francesca l'imita. Durant un bref moment, elles furent simplement deux jeunes femmes en train de pouffer devant l'homme le plus séduisant de la soirée. Ce que Noble était sans conteste, Francesca devait bien se l'avouer. Pas seulement *de la soirée*, en fait. C'était l'homme le plus attirant qu'elle ait jamais croisé de sa vie.

Elle cessa brusquement de rire en voyant une expression inquiète apparaître sur le visage de Zoe. Elle se retourna et surprit le regard de Noble fixé sur elle. Une chaleur lourde et diffuse se répandit au creux de son ventre. Elle n'eut pas même le temps de reprendre ses esprits qu'il s'avançait déjà vers elle en traversant la salle, abandonnant une Lin étonnée dans son sillage.

Francesca fut prise d'une envie ridicule de s'enfuir en courant.

— Oh... Il vient vers nous... Lin a dû lui dire qui vous étiez, lâcha Zoe qui semblait aussi abasourdie et surprise que Francesca.

Malgré tout, Zoe était bien plus habituée qu'elle aux codes du savoir-vivre en société. Avant que Noble n'ait eu le temps de les rejoindre, toute trace de babillage juvénile avait déjà disparu de son visage, remplacé par l'expression d'une belle jeune femme réservée.

— Bonsoir, monsieur Noble.

Il avait des yeux d'un bleu cobalt. Ils se détachèrent de Francesca durant une fraction de seconde et elle dut lutter pour accorder un peu d'air à ses poumons pendant ce bref répit.

— Zoe, c'est bien ça ? demanda-t-il.

Zoe ne parvint pas à dissimuler sa fierté en voyant que Noble connaissait son prénom.

— Oui, monsieur. Je travaille chez Imagetronics. Puis-je vous présenter Francesca Arno, l'artiste que vous avez désignée comme lauréate du concours *Far Sight* ?

Il lui tendit la main.

— Enchanté de vous rencontrer, mademoiselle Arno.

Francesca hocha simplement la tête en guise de réponse. Elle était incapable de parler. Son cerveau était temporairement submergé par la vision de cet homme, la chaleur rassurante de sa main, l'accent britannique qui transparaissait dans sa voix grave. Sa peau semblait pâle par contraste avec ses cheveux courts et sombres coiffés avec style et son costume gris. *Un ange ténébreux.* L'image s'imposa malgré elle à son esprit.

— Les mots me manquent pour vous exprimer à quel point votre travail m'impressionne.

Pas de sourire. Pas de douceur sans sa voix, bien qu'on puisse y déceler une petite pointe de curiosité.

Francesca avala péniblement sa salive.

— Merci.

Il relâcha lentement sa main et sa peau glissa contre la sienne. Il n'ajouta rien et se contenta durant quelques atroces secondes de la jauger. Elle essaya de reprendre ses esprits et redressa les épaules.

— Je suis très heureuse d'avoir l'occasion de vous remercier en personne. Cela signifie bien plus pour moi que je ne saurais le dire, dit-elle d'un ton guindé en détachant excessivement les syllabes.

Noble eut un haussement d'épaules imperceptible et sa main esquissa un geste négligent.

— Vous l'avez mérité. (Il soutint son regard.) Ou du moins, vous allez le mériter.

Elle sentit son pouls s'emballer à la lisière de sa gorge et pria pour qu'il n'ait rien remarqué.

— Je l'ai mérité, oui. Mais vous m'en avez donné l'opportunité. C'est pour *cela* que j'essaie de vous remercier. Je n'aurais sans doute pas eu les moyens financiers de me payer ma deuxième année de master si vous ne m'aviez pas donné cette chance.

Il plissa les paupières. Dans un angle de son champ de vision, Francesca vit Zoe se raidir. Elle lui lança un coup d'œil inquiet. S'était-elle montrée trop franche ?

— Ma grand-mère me reprochait souvent de ne pas savoir accueillir la gratitude, dit-il d'une voix plus calme... plus chaleureuse. Vous avez raison de me le rappeler. Et je suis très heureux de vous avoir donné cette opportunité, mademoiselle Arno. (Il appuya ses propos d'un bref hochement de tête.) Zoe, auriez-vous l'amabilité de transmettre un message à Lin de ma part ? J'ai décidé d'annuler le dîner avec Xander LaGrange, en fin de compte. Demandez-lui, je vous prie, de trouver une autre date.

— Bien entendu, monsieur Noble, répondit Zoe en s'éloignant.

— Voudriez-vous que nous nous installions plus confortablement ? demanda-t-il à Francesca en désignant du menton un divan en cuir circulaire inoccupé.

— Avec plaisir.

Il la laissa se faufiler la première dans l'alcôve. Elle aurait préféré qu'il s'en abstienne : elle se sentait gauche et pataude devant lui. Quand elle fut installée, il se glissa à côté d'elle d'un mouvement fluide et élégant. Francesca lissa d'une main la tunique vaporeuse de la robe vintage baby doll qu'elle avait achetée d'occasion dans une boutique de Wicker Park. Ce début de mois de septembre s'était révélé plus froid que prévu quand elle avait planifié le cocktail, et elle n'avait eu d'autre choix que de revêtir une veste en jean ordinaire par-dessus les fines bretelles de sa robe. Elle comprit tout à coup combien elle devait paraître ridicule, assise à côté de cet homme à la mise impeccable, majestueusement viril.

Elle froissa nerveusement le col de sa robe, et sentit qu'il l'observait. Leurs regards se croisèrent, et elle ne put s'empêcher de relever le menton d'un air de défi. Un léger sourire s'esquissa sur les lèvres de Noble, et Francesca sentit quelque chose se serrer dans son bas-ventre.

— Ainsi, vous êtes en deuxième année de master ?

— Oui. À l'Institut des arts.

— Une excellente école, murmura-t-il.

Il posa les mains sur la table et se laissa aller un peu en arrière sur le divan, qui avait l'air redoutablement confortable. Son corps était svelte, à la fois relaxé et nerveux, et Francesca se dit qu'il ressemblait à un prédateur sur le point de bondir malgré son calme apparent. Ses hanches étaient minces et ses épaules larges, suggérant une imposante musculature dissimulée sous la chemise blanche amidonnée.

— Si je me souviens bien de votre dossier, vous étudiez à la fois les beaux-arts et l'architecture à l'université de Northwestern ?

— Oui, souffla Francesca.

Son regard se posa sur les mains de Noble. C'étaient des mains élégantes, mais également larges, calleuses et d'apparence habile. Cette vision la troubla sans qu'elle comprenne pourquoi. Elle ne pouvait s'empêcher d'imaginer la sensation qu'elle éprouverait au contact de ces mains sur sa peau… enserrées autour de sa taille…

— Pourquoi ?

Elle s'arracha à ses pensées totalement inappropriées et releva les yeux vers lui.

— Pourquoi j'ai choisi d'étudier à la fois l'architecture et les beaux-arts ?

Il hocha la tête.

— L'architecture, pour faire plaisir à mes parents, et les beaux-arts, pour me faire plaisir à moi, répondit-elle, surprise elle-même par l'honnêteté de sa réponse. Elle avait pour habitude de faire preuve d'un dédain mêlé de froideur quand on lui posait cette question. Pourquoi aurait-elle dû choisir entre ses talents ?

— Mes parents sont tous les deux architectes, poursuivit-elle, et me voir continuer dans cette voie était le rêve de leur vie.

— Alors, vous leur avez accordé la moitié d'un rêve. Vous avez travaillé pour obtenir la qualification d'architecte, mais vous ne prévoyez pas d'en faire votre métier.

— Je peux toujours être architecte.

— Et je m'en réjouis pour vous.

Il releva la tête tandis qu'un homme séduisant coiffé de dreadlocks, dont les yeux gris clair contrastaient avec la peau sombre, s'approchait de leur table. Noble lui serra la main.

— Lucien, comment vont les affaires ?

— Ça marche du tonnerre, répondit ce dernier en dévisageant Francesca avec intérêt.

— Mademoiselle Arno, je vous présente Lucien Lenault. Il est le manager de *Fusion* et le chef le plus illustre d'Europe. Je l'ai chipé au restaurant le plus couru de Paris.

Lucien leva les yeux au ciel d'un air amusé – Ian venait de dresser un portrait très élogieux de sa personne –, et adressa un large sourire à Francesca.

— J'espère qu'on pourra bientôt en dire autant de *Fusion* à Chicago. Mademoiselle Arno, je suis ravi de faire votre connaissance. Que puis-je vous offrir ? ajouta-t-il avec une voix teintée d'un délicieux accent français.

Noble la regarda, attendant sa réponse. Le dessin de ses lèvres, inhabituellement pleines pour un homme aussi robuste et viril, frappait Francesca par la sensualité mêlée de fermeté qu'il évoquait.

Une forme de sauvagerie.

D'où cette pensée complètement incongrue pouvait bien lui venir ?

— Rien de spécial, répondit-elle enfin en essayant de dominer les battements assourdissants de son cœur.

— Et plus spécifiquement ? s'enquit Lucien en lorgnant ostensiblement son verre à moitié vide.

— Juste ce que je bois d'habitude : de l'eau gazeuse avec du citron.

— Vous devriez être en train de célébrer votre succès, mademoiselle Arno, intervint Noble.

Était-ce son accent qui déclenchait une vague de frissons sur la nuque de Francesca quand il prononçait son nom ? Il avait quelque chose de très singulier, se dit-elle. Un accent indéniablement anglais mais teinté d'un petit quelque chose qui émergeait de temps en temps entre les syllabes ; quelque chose qu'elle était incapable d'identifier.

— Apporte-nous une bouteille de Roederer brut, fit Noble à Lucien qui sourit en retour, esquissa un léger salut et s'éclipsa.

Francesca se sentit de plus en plus confuse. Pourquoi prenait-il la peine de passer autant de temps avec elle ? Il ne commandait sûrement pas du champagne pour tous les bénéficiaires de sa générosité. Noble reprit :

— Comme je vous le disais avant l'arrivée de Lucien, je suis heureux que vous ayez également une formation d'architecte. Vos talents et vos connaissances dans ce domaine sont sans aucun doute ce qui donne à votre art autant de précision, de profondeur et de style. Le tableau que vous avez soumis pour le concours était spectaculaire. Vous avez saisi exactement l'esprit que je désirais pour l'atmosphère de mon hall d'accueil.

Le regard de Francesca erra sur son costume immaculé. D'une certaine façon, l'amour qu'il professait pour les lignes pures ne la surprenait pas. Effectivement, son travail artistique était souvent inspiré par la passion qu'elle nourrissait pour la forme et la structure – et pourtant, cette précision ne constituait pas le centre de son art. Loin de là.

— Je suis contente que ça vous plaise, dit-elle d'un ton qu'elle espérait aussi neutre que possible.

L'ombre d'un sourire apparut sur les lèvres de Noble.

— Vous ne me dites pas tout. N'êtes-vous pas heureuse d'avoir su me plaire ?

Ces paroles la laissèrent bouche bée. Elle étouffa les mots qui menaçaient de jaillir de sa bouche. *Je ne peins pour le plaisir de personne, sauf de moi-même.* Elle s'était contrôlée juste à temps. Qu'est-ce qui clochait donc, chez elle ? Cet homme allait lui permettre de changer sa vie.

— Je vous l'ai déjà dit, je suis enchantée d'avoir remporté le concours. C'est très excitant.

— Ah, murmura-t-il tandis que Lucien revenait avec une bouteille de champagne dans un seau à glace.

Noble ne jeta pas même un regard à ce dernier pendant qu'il ouvrait la bouteille, mais continua à scruter Francesca comme s'il avait devant lui un sujet d'étude particulièrement intéressant.

— Mais vous réjouir d'avoir gagné ce prix n'est pas la même chose que de vous réjouir de m'avoir plu *à moi*.

— Non, ce n'est pas ce que je voulais dire..., balbutia-t-elle en regardant Lucien ôter le bouchon avec un *pop* étouffé.

Elle lança à Noble un regard perplexe. De quoi parlait-il, bon sang ? Et pourquoi, bien qu'elle n'eût rien à répondre à cela, sa question la troublait-elle autant ?

— Je suis ravie que vous ayez apprécié ma peinture. Vraiment ravie.

Noble ne répondit rien et se contenta de la contempler d'un air détaché tandis que Lucien versait le liquide pétillant dans des flûtes à champagne. L'homme d'affaires hocha la tête et remercia Lucien à voix basse avant que ce dernier ne s'éloigne. Francesca souleva son verre pendant que Noble s'emparait du sien.

— Toutes mes félicitations.

Elle parvint à se composer un sourire tandis que leurs flûtes s'entrechoquaient avec un son cristallin. Elle n'avait jamais goûté à quelque chose de ce genre ; le champagne était sec et glacé, et distillait une sensation délicieuse sur sa langue et à travers sa gorge. Elle jeta à Noble un regard en biais. Comment pouvait-il se montrer si insensible à la tension qui emplissait l'air, alors qu'elle-même en suffoquait presque ?

— Je suppose qu'en tant que membre de la famille royale, vous ne pouvez pas vraiment vous faire servir par une barmaid, fit-elle en priant pour que sa voix n'ait pas tremblé.

— Je vous demande pardon ?

— Oh, je voulais juste dire... (Elle se maudit intérieurement.) Je suis aussi serveuse – ça aide à payer les factures pendant que je termine mes études, ajouta-t-elle, saisie d'un début d'affolement.

Il paraissait soudain si froid et si intimidant ! Elle porta sa flûte à ses lèvres et aspira une trop grande gorgée de liquide glacé. Elle appréhendait déjà de devoir expliquer à Davie comment elle s'était autosabordée. Cela ne ferait sans doute qu'exaspérer une fois encore son meilleur ami, même si ses deux autres colocataires, Caden et Justin, seraient surtout pliés de rire quand elle leur raconterait sa piteuse débâcle dans la bonne société.

Si seulement Ian Noble n'était pas si séduisant. Séduisant à un point que c'en était dérangeant.

— Veuillez m'excuser, marmonna-t-elle. Je n'aurais pas dû dire ça. C'est juste que… j'ai lu que vos grands-parents appartenaient à une branche mineure de la famille royale britannique - un comte et une comtesse, rien de moins.

— Et vous vous demandiez si je me vexerais de voir mon verre rempli par une simple serveuse, c'est bien cela ?

L'amusement n'adoucissait pas réellement ses traits, il les rendait juste plus fascinants encore. Francesca soupira et se détendit un peu. Elle n'avait pas réussi à l'offenser *totalement*.

— J'ai fait une grande partie de mes études aux États-Unis, reprit-il. Je me considère d'abord et avant tout comme un Américain. Et je vous assure que la seule raison pour laquelle Lucien est venu nous servir en personne, c'est qu'il le voulait. Nous sommes partenaires d'escrime en plus d'être amis. La tradition aristocrate anglaise de se faire servir par des hommes n'existe plus que dans les romans, mademoiselle Arno. Et même si elle était encore pratiquée, je doute qu'elle s'applique à un rejeton bâtard. Je suis désolé de vous décevoir sur ce point.

Les joues de Francesca étaient en feu. Apprendrait-elle un jour à tenir sa langue ? Pourquoi lui disait-il qu'il était un enfant illégitime ? Elle n'avait jamais lu cela nulle part.

— Où travaillez-vous en tant que serveuse ? demanda-t-il sans paraître s'apercevoir de la couleur écarlate de ses joues.

— Au *High Jinks*, à Bucktown.

— Je n'en ai jamais entendu parler.

— Ça ne me surprend pas vraiment, marmonna-t-elle à mi-voix avant d'avaler une autre gorgée de champagne.

Elle plissa les paupières, surprise par son rire grave et rocailleux, puis rouvrit grands les yeux, surprenant l'expression de son visage. Il avait l'air enchanté. Le cœur de Francesca se mit à battre plus vite. Ian Noble était en permanence extraordinaire à contempler, mais quand il souriait, il devenait difficile pour une femme de garder son sang-froid.

— Accepteriez-vous de m'accompagner… le temps d'une petite balade dans le quartier ? J'aimerais vous montrer quelque chose de très important.

Elle était en train de porter la flûte à ses lèvres mais se figea sur place. Que pouvait-il bien avoir en tête ?

— C'est en relation directe avec ma commande, fit-il d'une voix soudain crispée, autoritaire. J'aimerais vous montrer le sujet que je voudrais vous voir peindre.

Une bouffée de colère perça sous la surprise de Francesca, et elle redressa le menton.

— Je suis censée peindre ce que vous voulez que je peigne ?

— Oui, répondit-il sans hésiter.

Elle reposa la flûte qui toucha la table avec un petit tintement, faisant trembler le liquide ambré à l'intérieur. Noble avait parlé d'une voix inflexible. Finalement, il était aussi arrogant qu'elle se l'était imaginé. Comme elle s'y était attendue, ce prix allait se transformer en un véritable cauchemar. Il la fixa droit dans les yeux sans ciller, les narines frémissantes, et elle soutint son regard.

— Je vous suggère de venir voir la vue en question avant de prendre ombrage de cette demande, mademoiselle Arno.

— Francesca.

Un éclair traversa les yeux bleus de Noble. Durant une fraction de seconde, la jeune femme regretta la sécheresse de son ton. Mais il finit par hocher la tête.

— D'accord pour Francesca, fit-il doucement. À condition que vous m'appeliez Ian.

Elle lutta intérieurement pour faire abstraction des papillonnements dans son ventre. *Ne te laisse pas avoir,* se morigéna-t-elle. Il représentait l'archétype même du patron autoritaire qui essaierait de lui dicter ses volontés et étoufferait du même coup ses intuitions créatrices. C'était encore pire que ce qu'elle avait imaginé.

Sans ajouter un mot, elle se glissa hors de l'alcôve et se dirigea vers la sortie du restaurant. Consciente, à travers toutes les fibres de son être, que Ian Noble lui avait emboîté le pas.

*

* *

Il prononça à peine quelques mots quand ils quittèrent *Fusion* et la mena jusqu'à une allée qui bordait le fleuve Chicago et le bas du boulevard Wacker Drive.

— Où allons-nous ? finit-elle par demander après une minute ou deux.

— À ma résidence privée.

Les sandales à hauts talons de Francesca tanguaient dangereusement sur la chaussée, et elle s'arrêta un instant.

— On va chez vous ?

Il se tut et lui rendit son regard. Son manteau noir flottait autour de ses cuisses visiblement musclées, soulevé par le vent du lac Michigan.

— Oui, on va *chez moi,* fit-il d'une voix moqueuse et faussement solennelle.

Elle fronça les sourcils. Il se payait clairement sa tête. *Ça me fait tellement plaisir de vous servir de divertissement, monsieur Noble.* Il inspira profondément et fixa la direction du lac Michigan, de toute évidence exaspéré par ses jérémiades.

— Je comprends que ça vous mette mal à l'aise mais je vous donne ma parole que c'est purement professionnel. Il s'agit du tableau. La vue que je veux que vous peigniez vient de l'immeuble où je vis. Vous n'allez quand même pas vous imaginer que je pourrais vous faire du mal d'une quelconque façon ? Tous les clients nous ont vus sortir ensemble de ce restaurant.

Ça, il n'avait pas besoin de le lui rappeler. Elle avait eu l'impression qu'une cinquantaine d'yeux étaient fixés sur eux lorsqu'ils étaient sortis de la salle.

Elle lui jeta un discret regard en biais quand ils reprirent leur marche. Les cheveux noirs de Noble, ébouriffés par le vent, lui semblèrent soudain étrangement familiers. Elle cligna les yeux, et la sensation de déjà-vu s'évanouit.

— Vous êtes en train de me dire que je suis censée travailler dans votre appartement ?

— Il est très grand, rétorqua-t-il sèchement. Si vous n'avez pas envie de me voir, vous n'y serez nullement obligée.

Francesca fixa les ongles vernis de ses pieds, essayant de lui dissimuler son visage. Elle ne voulait pas qu'il devine que des images totalement inconvenantes venaient d'apparaître dans son esprit. Des images de Ian sortant de la douche, de son corps nu et humide, portant une simple serviette drapée autour des hanches, comme seule barrière à la vision de sa nudité.

— Ce n'est pas très orthodoxe.

— Je ne suis pas très porté sur l'orthodoxie, répliqua-t-il avec brusquerie. Vous le comprendrez quand vous verrez la vue.

Il habitait au 340 East Archer, un immeuble ancien construit durant les années 1920 dans le style Renaissance italienne, dont elle connaissait déjà la façade pour l'avoir étudiée avec admiration durant ses cours d'architecture. Ça lui allait bien, d'une certaine façon, cette tour en brique sombre, austère. Elle ne fut pas spécialement surprise d'apprendre que sa résidence occupait la totalité des deux étages supérieurs.

La porte de l'ascenseur privé s'ouvrit sans un bruit, et, lui tendant la main, il l'invita à entrer la première.

Elle pénétra alors dans un endroit magique.

Le luxe des tissus et du mobilier était évident, mais malgré cette somptuosité, le vestibule parvenait à exprimer une atmosphère accueillante – un accueil austère, certes, mais un accueil tout de même. Elle jeta un bref coup d'œil à son reflet dans le miroir ancien. Sa longue chevelure aux reflets roux était complètement décoiffée par le vent, et ses joues étaient teintées de rose. Elle aurait aimé croire que cette couleur était due à la froideur du vent, mais craignait qu'elle soit bien davantage liée à la présence de Ian Noble.

Puis elle vit les œuvres d'art et oublia tout le reste. Elle traversa une large antichambre en forme de galerie, en contemplant bouche bée les tableaux qui se succédaient. Certains d'entre eux lui étaient familiers, des chefs-d'œuvre qu'elle avait l'occasion de voir de près pour la première fois.

Elle s'arrêta devant une statuette reposant sur un piédestal, une superbe réplique inspirée de l'art grec antique.

— J'ai toujours aimé l'Aphrodite d'Argos, murmura-t-elle en détaillant méticuleusement la finesse exquise des traits du visage et la courbe gracieuse du buste dénudé, sculpté dans l'albâtre le plus pur.

— C'est vrai ? demanda-t-il d'un ton sincère.

Elle hocha la tête, submergée par l'émerveillement, et poursuivit sa marche.

— J'en ai fait l'acquisition il y a quelques mois. Les enchères ont été rudes.

Elle s'arracha à grand-peine de son état de ravissement extatique.

— J'adore Sorenburg, fit-elle.

Elle faisait référence à l'artiste qui avait réalisé le tableau devant lequel elle se tenait. Elle se tourna vers Noble et fut frappée par un fait : cela faisait maintenant plusieurs minutes qu'elle avançait comme une somnambule dans son appartement sans y avoir été invitée, et il avait permis cette intrusion sans faire aucun commentaire. Elle se trouvait maintenant dans une sorte de petit salon décoré avec des étoffes outrageusement riches de jaune, de bleu pâle et de brun foncé.

— Je sais. Vous l'avez mentionné dans votre lettre de motivation pour le concours.

— Je n'arrive pas à croire que vous appréciiez l'expressionnisme.

— Qu'est-ce qui vous surprend tant ?

Au son grave de sa voix, Francesca fut parcoure par une vague de frissons dans la nuque. Elle releva les yeux vers lui. Le tableau dont elle parlait était accroché au-dessus d'un épais tapis de velours. Noble se tenait plus près d'elle qu'elle ne l'avait cru, perdue qu'elle était dans sa contemplation.

— C'est que... vous avez choisi mon tableau, murmura-t-elle faiblement, le regard attiré par son corps.

Elle avala péniblement sa salive. Il avait déboutonné sa redingote. Une odeur piquante et musquée de savon s'infiltra à travers ses narines. Une sensation de chaleur lourde l'envahissait tout entière.

— Vous semblez tellement aimer... *commander*, tenta-t-elle d'expliquer d'une voix à peine plus forte qu'un murmure.

— Vous avez raison. (Elle crut voir une ombre traverser son visage.) J'ai la négligence et le désordre en horreur. Mais Sorenburg, ce n'est pas seulement ça, dit-il en jetant un regard au tableau. Il s'agit de fabriquer du sens à partir du chaos. Vous n'êtes pas d'accord ?

Francesca demeura interdite tandis qu'il contemplait son profil. Elle n'avait jamais entendu une description aussi juste et succincte du travail de Sorenburg.

— Si, bien sûr, répondit-elle lentement.

Il lui adressa un petit sourire. Ses lèvres pleines représentaient sans doute le trait physique le plus fascinant chez lui, si l'on faisait abstraction de ses yeux. Et de sa mâchoire pleine d'assurance. Et de son corps splendide...

— Dois-je en croire mes oreilles ? murmura-t-il doucement. Est-ce bien une nuance de respect que je perçois dans votre voix, Francesca ?

Elle se retourna vers le tableau de Sorenburg, le regard perdu dans le vague, la poitrine oppressée.

— Vous méritez du respect dans ce domaine. Vos goûts en matière d'art sont irréprochables.

— Merci. Il se trouve que je suis d'accord avec vous.

Elle risqua un coup d'œil de côté. Il la contemplait de ses yeux d'ange ténébreux.

— Laissez-moi prendre votre veste, fit-il en lui tendant la main.

— Non.

Les joues de Francesca devinrent brûlantes quand elle se rendit compte du ton brusque qu'elle avait employé. Un élan de lucidité vint briser le charme qui s'était jusqu'alors opéré. La main de Ian Noble était toujours tendue.

— Je vais vous la prendre.

Elle ouvrit la bouche pour protester mais se ravisa devant son regard ombrageux et ses sourcils légèrement froncés. Il reprit :

— Une femme doit faire oublier ses vêtements, Francesca. Pas l'inverse. C'est la première leçon que je vous enseignerai.

Elle lui lança un bref regard exaspéré avant de s'extraire de sa veste en jean. L'air lui sembla frais sur ses épaules nues, mais le regard de Ian la brûlait. Elle se redressa.

— Vous parlez comme si vous aviez l'intention de me donner d'autres leçons, marmonna-t-elle en lui tendant sa veste.

— Je le ferai peut-être. Suivez-moi.

Il suspendit le vêtement avant de la mener à travers la galerie jusqu'à un couloir plus étroit qui bifurquait à angle droit, éclairé seulement par des appliques en forme de chandeliers. Il ouvrit l'une des nombreuses portes qui se dressaient devant eux et invita Francesca à entrer. Elle s'attendait à ce que Ian lui montre une autre pièce emplie de merveilles, mais fut étonnée de découvrir un espace étroit en enfilade, bordé sur l'un des côtés par un alignement de hautes fenêtres qui couvraient intégralement la surface du sol au plafond. Noble n'alluma pas la lumière. Ce n'était pas nécessaire. La pièce était éclairée par la lueur des buildings et les reflets qu'ils projetaient sur le fleuve noir.

Francesca s'avança vers les fenêtres sans rien dire. Noble vint se poster à son côté.

— Ils sont vivants... les gratte-ciel... certains plus que d'autres, lâcha-t-elle d'une voix rauque au bout d'un moment. (Elle lança à Ian un regard contrit et fut récompensée par un sourire. Une vague d'embarras la submergea.) Je veux dire, ils ont l'air vivants. C'est ce que je me suis toujours dit. Ils ont chacun une âme. La nuit, en particulier... Je peux le sentir.

— Je sais que vous en êtes capable. C'est pour ça que je vous ai choisie.

— Pas à cause des lignes parfaitement droites de ma composition et de la précision de mes reproductions ? demanda-t-elle d'un ton hésitant.

— Non. À cause de cela.

Il l'observa sourire avec une expression indéchiffrable sur le visage. Un plaisir inattendu envahit Francesca. Il comprenait *réellement* son art, au bout du compte. Et... elle lui avait donné ce qu'il désirait voir.

Elle contempla l'incroyable panorama.

— Je crois que je vois ce que vous voulez dire, reprit-elle d'une voix plus assurée. Ça fait plus d'un an et demi que je n'ai pas suivi de cours d'architecture, et j'ai été si occupée par mes études d'art que je n'ai pas pris le temps de lire la presse, sinon j'aurais compris... Et pourtant... J'ai honte de ne pas avoir saisi plus tôt, fit-elle en regardant les deux tours les plus imposantes qui bordaient le fleuve sombre pailleté d'or.

Elle secoua la tête, émerveillée, et reprit :

— Vous avez conçu le siège de Noble Enterprises comme une image moderne et épurée de l'architecture classique de Chicago. C'est comme une version contemporaine du Sandusky. Une vision brillante.

Elle faisait référence à l'écho que les gratte-ciel de Noble Enterprises renvoyaient du Building Sandusky, un chef-d'œuvre d'architecture gothique. D'une certaine façon, les bâtiments élancés étaient semblables à Ian – une réminiscence audacieuse, fière, élégante et moderne de quelque ancêtre gothique. Cette pensée la fit sourire.

— La plupart des gens ne s'en rendent pas compte avant que je les emmène ici.

— C'est un coup de génie, Ian, dit-elle d'une voix vibrante. (Elle se tourna vers lui d'un air interrogateur et aperçut le scintillement reflété par les lumières des gratte-ciel dans ses prunelles. Elle poursuivit :) Pourquoi ne l'avez-vous pas revendiqué devant la presse ?

— Parce que je n'ai pas fait ça pour les journalistes. Je l'ai fait pour mon propre plaisir, comme j'en ai l'habitude pour la plupart des choses.

Elle se sentit piégée par son regard et ne trouva rien à répondre. Cette façon de voir n'était-elle pas particulièrement égoïste ? Mais pourquoi, alors, ces mots faisaient-ils naître une telle chaleur au creux de ses cuisses ?

— Je suis cependant ravi que ça vous plaise, poursuivit-il. J'ai quelque chose d'autre à vous montrer.

— Vraiment ? souffla-t-elle.

Il hocha très légèrement la tête. Elle le suivit, soulagée qu'il ne puisse distinguer ses joues empourprées. Il la conduisit jusqu'à une pièce aux murs presque entièrement recouverts de bibliothèques en bois sombre. Ian s'arrêta sur le seuil, attendant sa réaction tandis qu'elle découvrait l'endroit. Francesca s'immobilisa finalement, aimantée par le tableau qui surplombait la cheminée. Puis elle s'avança vers le cadre comme en état de transe, avec l'attitude qu'elle adoptait parfois quand elle se concentrait sur ses propres créations.

— Vous l'avez acheté chez Feinstein ? murmura-t-elle en faisant référence à l'un de ses colocataires – Davie Feinstein, qui était propriétaire d'une galerie d'art à Wicker Park.

La toile que Francesca contemplait avait été l'une de ses premières œuvres, que son ami avait vendue. Elle avait insisté pour en faire don à la galerie en tant que participation à sa part du loyer durant un an et demi, du temps où elle était complètement fauchée.

— Oui, répondit Ian.

Elle devina aux vibrations de sa voix qu'il se tenait juste derrière son épaule gauche.

— Davie ne m'avait jamais dit…

— J'ai demandé à Lin de l'acheter pour moi. La galerie n'a probablement pas eu connaissance du nom du véritable acquéreur.

Elle avala sa salive pour chasser le nœud qui s'était formé dans sa gorge. Le tableau représentait un homme solitaire qui descendait une allée du Lincoln Park dans la pénombre des premières lueurs de l'aube, le dos tourné. Les gratte-ciel qui l'entouraient semblaient le regarder de haut avec une réserve distante, aussi indifférents à la souffrance humaine que le personnage semblait l'être à la sienne propre. Son manteau ouvert flottait derrière lui, et il voûtait les épaules face au vent, les mains profondément enfoncées dans ses poches. Toutes les lignes de son corps irradiaient la puissance, la grâce et la solitude endurcie par la force et la résolution.

Elle adorait ce tableau. Le donner à la galerie lui avait fendu le cœur mais il fallait bien qu'elle paie son loyer.

— *Le Chat qui marche tout seul,* récita Ian d'une voix grave dans son dos.

Elle rit doucement en l'entendant prononcer le titre qu'elle avait donné à la peinture.

— « Je suis le Chat qui marche tout seul, et pour moi tous les endroits se valent... » Je l'ai peint pendant ma deuxième année aux Beaux-Arts. Je suivais parallèlement des cours de littérature, et on était en train d'étudier Kipling. Cette phrase me semblait adaptée, d'une certaine manière...

Elle laissa traîner sa voix en fixant la silhouette solitaire du tableau, mais son attention était entièrement concentrée sur la présence de Ian derrière elle. Elle lui jeta un regard par-dessus son épaule et sourit. Elle s'aperçut alors avec embarras que des larmes brûlantes avaient envahi ses yeux. Ses narines frémirent légèrement, et elle se détourna brusquement pour s'essuyer les joues. Voir ce tableau mis à l'honneur dans un tel lieu touchait quelque chose de très profond en elle.

— Je crois que je ferais mieux d'y aller.

Son cœur se mit à tambouriner à ses tympans. Un lourd silence s'abattit sur eux.

— C'est peut-être mieux, admit-il enfin.

Elle se tourna vers lui et laissa échapper un soupir de soulagement – ou peut-être de regret – en voyant sa haute silhouette quitter la pièce. Elle lui emboîta le pas et bredouilla des remerciements quand il lui rendit sa veste dans l'entrée. Elle voulut la prendre, mais il protesta. Avalant sa salive, elle lui tourna le dos et le laissa la lui remettre. Les doigts de Noble frôlèrent sa peau au niveau des épaules, et un frisson la parcourut quand il passa la main sous ses longs cheveux, effleurant sa nuque. Il tira doucement sa chevelure hors du vêtement pour la lisser. Elle ne put s'empêcher de tressaillir et soupçonna qu'il l'ait senti.

— Une couleur tellement rare..., murmura-t-il en lui caressant les cheveux.

Le corps entier de Francesca frémit.

— Je peux demander à mon chauffeur Jacob de vous ramener chez vous, reprit-il enfin.

— Non.

Elle se sentait stupide de ne pas s'être retournée pour lui parler. Elle était incapable de bouger, comme paralysée, tout son corps en alerte.

— Un ami doit passer me prendre dans un petit moment, ajouta-t-elle.

— Accepterez-vous de venir peindre ici ?

Sa voix grave résonna à quelques centimètres à peine de son oreille droite. Elle regardait devant elle, les yeux perdus dans le vague.

— Oui.

— J'aimerais que vous commenciez lundi. Je demanderai à Lin de vous fournir un passe d'entrée et le code de l'ascenseur. Tout le matériel sera prêt quand vous arriverez.

— Je ne pourrai pas venir tous les jours. J'ai des cours – surtout le matin – et je travaille comme serveuse de dix-neuf heures à la fermeture du bar plusieurs jours par semaine.

— Passez quand vous pouvez. Tout ce qui importe, c'est que vous veniez.

— Oui, très bien, articula-t-elle péniblement en forçant le nœud dans sa gorge.

Il n'avait pas retiré ses mains de son dos. Pouvait-il sentir les battements affolés de son cœur ?

Il fallait qu'elle sorte d'ici. *Tout de suite.* Elle n'avait plus le moindre contrôle sur la situation.

Elle avança en vacillant jusqu'à l'ascenseur et appuya précipitamment sur le bouton du panneau de contrôle. Si elle avait cru qu'il essaierait de la toucher à nouveau, elle s'était trompée. La porte de l'ascenseur ultramoderne s'ouvrit enfin.

— Francesca ? fit-il alors qu'elle se ruait à l'intérieur.

— Oui ?

Elle se tourna vers lui.

Il avait croisé les mains derrière lui et cette position faisait bâiller la veste de son costume, révélant les contours de son torse mince moulé par la chemise, de ses hanches étroites entourées par une ceinture à boucle d'argent et… de tout ce qui se trouvait au-dessous.

— Maintenant que vous disposez d'une certaine sécurité financière, je préférerais que vous ne partiez plus en expédition dans les rues de Chicago aux premières heures du jour pour trouver des sujets d'inspiration. On ne sait jamais qui on peut rencontrer. C'est dangereux.

Francesca en resta sans voix. Ian avança de quelques pas, appuya sur un des boutons du panneau, et les portes de l'ascenseur se refermèrent. La dernière chose qu'elle vit de Noble fut l'éclat scintillant de son regard bleu au milieu de son visage impassible.

C'était *lui* qu'elle avait peint quatre ans plus tôt. C'était ce qu'il avait essayé de lui faire comprendre : il savait qu'elle l'avait observé en train d'arpenter les rues sombres et désertes aux dernières heures de la nuit pendant que les habitants de la ville sommeillaient dans la chaleur de leurs lits douillets. Elle ne connaissait pas l'identité de son sujet, pas plus sans doute qu'il n'avait pris conscience qu'on l'observait jusqu'à voir le tableau. Mais cela ne faisait plus aucun doute désormais.

Ian Noble était le Chat qui marche tout seul.

Et il avait tenu à ce qu'elle le sache.

2

Ian réussit à chasser Francesca de son esprit pendant dix jours complets. Il partit en voyage à New York pour un séjour de deux nuits et finalisa l'acquisition d'un logiciel qui lui permettrait de développer un nouveau réseau en ligne combinant des fonctionnalités sociales et un concept de jeu entièrement nouveau. Il se rendit comme tous les mois à sa résidence londonienne. Quand il se trouvait à Chicago, les réunions et le travail l'occupaient au bureau jusqu'à minuit passé. Lorsqu'il regagnait son appartement, l'intérieur était sombre et silencieux.

Il n'était pas tout à fait juste de dire qu'il avait réussi à oublier Francesca, cependant. *Ni tout à fait honnête,* s'avoua-t-il rudement, le mercredi après-midi suivant, dans la cabine d'ascenseur qui remontait vers son appartement. La conscience qu'elle était présente dans la résidence s'emparait parfois de lui sans prévenir, en de brefs et puissants éclairs, et imprégnait sa perception de tous les détails de la vie quotidienne. Mme Hanson, sa gouvernante, le tenait innocemment au courant, lors de ses vantardises habituelles, sur la bonne marche de la maison. Il s'était réjoui d'apprendre que la vieille dame anglaise s'était prise d'amitié pour Francesca, l'invitant parfois à partager un thé dans la cuisine, et que la jeune femme semblait de plus en plus à son aise. Avant de se demander en quoi ça avait la moindre espèce d'importance. Tout ce qu'il voulait, c'était un tableau, et elle n'avait certainement pas à se plaindre de ses conditions de travail.

Un jour, il se dit qu'il se montrait impoli en ignorant la jeune femme. L'éviter était aussi une façon de lui donner de l'importance et de faire bien trop grand cas d'une situation anodine. Le soir du deuxième jeudi, il se rendit finalement à l'atelier de Francesca pour lui demander si elle désirait prendre un rafraîchissement avec lui à la cuisine. La porte était entrebâillée, et il entra sans frapper. Pendant quelques secondes, il resta sur le seuil à l'observer à son insu.

Elle se tenait sur une petite estrade, en train de travailler sur le coin supérieur droit de la toile, totalement absorbée par ce qu'elle faisait. Bien qu'il fût certain de n'avoir fait aucun bruit, elle se retourna brusquement vers lui et se figea, le contemplant de ses yeux bruns écarquillés, son pinceau toujours posé sur la toile. Une épaisse mèche brillante s'était échappée de sa pince à cheveux et lui retombait sur la nuque. Des taches de fusain maculaient ses joues lisses, et ses lèvres d'un rose sombre étaient légèrement entrouvertes sous l'effet de la surprise.

Il s'enquit poliment de la progression du tableau en essayant de ne pas laisser son regard s'attarder sur la pulsation du pouls de la jeune femme visible à sa gorge, ou sur la douce courbe de ses seins. Elle avait enlevé son survêtement de travail et portait seulement un léger débardeur. Sa poitrine était plus généreuse qu'il ne l'avait cru au début, formant un contraste érotique avec sa taille, ses hanches étroites et ses longues jambes juvéniles.

Après plusieurs secondes de conversation guindée, il prit la fuite comme le couard qu'il était.

La conscience exacerbée qu'il avait de sa beauté n'avait rien, selon lui, de très naturel. C'était une femme magnifique, après tout. Elle semblait complètement aveugle à sa propre sensualité, et ça le fascinait. Avait-elle grandi dans un trou perdu ? Elle était forcément habituée à voir les hommes s'animer quand elle entrait quelque part, saliver à la vision de ses cheveux soyeux couleur d'or rose, de ses yeux de velours brun, de sa silhouette fine et élancée. Comment pouvait-elle ignorer, à l'âge de vingt-trois ans, le pouvoir que lui conféraient sa peau pâle et sans défaut, ses lèvres d'un rose sombre, son corps souple et agile ?

Il ignorait la réponse à cette question, mais maintenant qu'il l'avait observée de plus près, il était certain que son attitude n'avait rien d'une posture. Elle se mouvait avec la démarche dégingandée d'une adolescente et s'exprimait parfois avec une gaucherie surprenante.

C'était seulement quand elle contemplait sa toile d'un regard hypnotique ou qu'elle fixait l'horizon à la fenêtre, ou encore lorsqu'il l'épiait secrètement alors qu'elle était totalement absorbée par son art, que sa beauté se révélait entièrement.

Une vision fascinante, obsédante, qu'il n'arrivait pas à se sortir de la tête.

Il s'immobilisa en pénétrant dans le vestibule. Elle était là. Aucun son n'émanait des profondeurs de la résidence, mais d'une manière ou d'une autre il savait que Francesca se trouvait dans l'atelier. Était-elle toujours en train de peindre sur l'immense toile ? Il se l'imagina soudain avec une précision parfaite, son superbe visage tendu par la concentration, ses yeux sombres faisant des allers-retours entre son pinceau habile et le panorama. Elle prenait une expression sombre et austère quand elle travaillait, tout entière absorbée par son extraordinaire talent et la grâce singulière dont elle ne semblait pas consciente.

Elle ignorait le magnétisme sexuel qu'elle dégageait. Lui, au contraire, était parfaitement lucide sur son pouvoir de séduction. Mais il savait également à quel point elle était naïve. Il pouvait presque en sentir l'odeur sur sa peau ; son innocence se mêlait à une sensualité inexplorée, générant un parfum capiteux qui lui faisait perdre toute raison.

De la sueur s'accumulait sur sa lèvre supérieure. Il sentit aussitôt son sexe se durcir.

Fronçant les sourcils, il jeta un coup d'œil à sa montre et tira son téléphone portable de sa poche. Il tapota sur quelques boutons et traversa la galerie d'entrée avant de bifurquer vers sa chambre. Heureusement, ses quartiers privés se trouvaient à l'opposé de la pièce où travaillait Francesca. Il fallait qu'il la chasse de son esprit. Une bonne fois pour toutes.

Une voix grésilla au bout du téléphone.

— Ian ? fit Lucien. C'est la folie au restaurant, je n'ai pas eu une minute à moi. On peut se retrouver à dix-sept heures trente dans ta salle d'entraînement ?

— Impeccable. Je t'attends dans quarante minutes. J'espère que tu es prêt à encaisser une dérouillée parce que je suis de méchante humeur.

Ian referma la porte de sa chambre derrière lui et la verrouilla, un sourire aux lèvres.

— Je crois bien que mon épée a soif de sang elle aussi, mon ami, fit Lucien. On verra bien qui de nous deux prendra cette dérouillée.

Ce dernier riait toujours quand Ian raccrocha. Il rangea son porte-documents et sortit du dressing sa tenue d'escrime : un plastron, des jambières et une veste matelassée. Il se dévêtit ensuite et tira une clé de son attaché-case. Ses quartiers privés disposaient de deux grands dressings où personne – pas même Mme Hanson – n'avait le droit d'entrer.

C'était son territoire privé.

Il déverrouilla la porte en bois d'acajou et s'avança, nu, dans une pièce au plafond haut et aux murs recouverts d'étagères et de placards, tous impeccablement rangés. Il ouvrit un tiroir sur sa droite et en sortit les accessoires qu'il cherchait avant de revenir dans la chambre et de les étaler sur le lit.

Il aurait dû se rendre compte plus tôt que son désir inassouvi était sur le point d'atteindre un niveau dangereux. Il pourrait peut-être s'arranger pour faire monter une femme à la résidence le week-end prochain mais, en attendant, il devait absolument émousser le tranchant de ses appétits sexuels.

Il déposa une noisette de lubrifiant dans sa paume. Son érection n'avait pas diminué. Des frissons de plaisir le parcoururent quand il étala le gel froid sur son sexe. Il envisagea de s'allonger sur le lit mais non… c'était mieux debout. Il saisit ensuite la gaine en silicone et l'enfila. Il l'avait fait fabriquer sur mesure, en spécifiant bien que la silicone devait être transparente. Il aimait se voir éjaculer. Ses instructions avaient été suivies à la lettre, excepté un seul ajout : un anneau rose sombre autour de l'orifice principal de l'instrument. Ian avait jugé la modification mineure et n'y avait rien trouvé à redire. Le sex-toy ne représentait pas un substitut sexuel. Ian pouvait avoir autant de jeunes femmes talentueuses et consentantes qu'il le voulait, à n'importe quel moment. Mais au fil des années, il avait appris les vertus de la discrétion. Il avait donc réduit drastiquement sa liste de partenaires pour ne plus garder que deux femmes qui connaissaient parfaitement ses besoins et comprenaient ses exigences.

Le masturbateur avait l'avantage de n'être qu'un objet. Ian ne lui devait rien après qu'il eut assouvi son désir.

Pourtant, cette fois-ci, un frisson d'excitation le parcourut à la vue du gland épais de son sexe en train de pénétrer l'étroit anneau rose. Il fléchit le bras et poussa la gaine autour de son membre durci et enflé jusqu'à trois centimètres environ de sa base. Il imprima à son poignet un mouvement de piston, appréciant à quel point la chaleur de sa chair se communiquait vite au doux fourreau de silicone.

Oh oui... C'était ça dont il avait besoin – un bon orgasme pour se vider complètement. Les muscles de son abdomen, de ses fesses et de ses cuisses se contractèrent pendant que sa main s'activait. Les alvéoles à l'intérieur de la silicone s'ouvraient et se refermaient au rythme de son geste, reproduisant la sensation de succion d'une fellation. Il retirait presque la gaine transparente jusqu'au gland avant de plonger à nouveau son sexe dans les profondeurs chaudes et glissantes du sex-toy, encore et encore.

D'habitude, il fermait les yeux et élaborait un scénario sexuel pendant qu'il se masturbait. Cette fois, cependant, son regard demeura fixé sur son sexe en érection pénétrant l'anneau rose, qu'il imagina être des lèvres roses et pulpeuses. Il vit de grands yeux bruns levés vers lui.

Les lèvres de Francesca. Les yeux de Francesca.

Tu ne peux pas te permettre de séduire une fille innocente. N'as-tu pas retenu la leçon la première fois ?

Ses goûts le portaient vers la domination sexuelle. Un dominant réticent, peut-être, mais un vrai dominant tout de même. Il avait accepté depuis longtemps sa nature, conscient qu'elle correspondait au destin solitaire qu'il s'était choisi. Non qu'il l'eût désiré, mais il était assez sage pour comprendre que c'était inévitable. Son travail le consumait tout entier. Maniaque du contrôle, c'était ce que tout le monde disait de lui : la presse, les gens du monde des affaires... et son ex-femme. Il s'était résigné à leur donner raison et, au fil du temps, la solitude était devenue comme une vieille amie.

Tu n'as pas le droit de soumettre une femme comme Francesca à tes fantaisies sexuelles.

La voix sévère dans sa tête fut noyée par les pulsations sourdes de son cœur et ses propres grognements de plaisir tandis qu'il poursuivait les va-et-vient avec sa main.

Je ferai d'elle un objet de plaisir, je pervertirai ses lèvres douces. Comment réagira-t-elle à l'idée d'être ainsi possédée ? Sera-t-elle effrayée ? Excitée ?

Les deux à la fois ?

Il gémit à cette pensée et tendit davantage le bras, accélérant le mouvement, chaque muscle de son corps bandé au maximum.

Son membre paraissait énorme quand il enfonça jusqu'à la garde l'épais fourreau. Il ne voulait pas jouir ainsi... mais ce qu'il voulait, il ne pouvait l'obtenir, et il devrait donc se contenter de cet expédient.

Même si ce qu'il voulait *vraiment,* c'était lier les mains d'une belle jeune femme aux cheveux d'or cuivré et aux jambes fuselées, lui ordonner de s'agenouiller devant lui et introduire son sexe dans sa bouche étroite et humide... même si ce qu'il voulait *vraiment,* c'était entrevoir la lueur d'excitation dans ses yeux quand il s'abandonnerait enfin et se perdrait en elle.

L'orgasme explosa, ravageur et délicieux. Il hoqueta en se voyant éjaculer à l'extrémité de l'étau transparent, la semence blanche giclant contre les parois de la cavité. Au bout d'un moment, il ferma les yeux et lâcha un long râle, continuant à jouir.

Bon sang, il avait été stupide de ne pas faire ça plus tôt. L'orgasme ne le lâchait pas. Il n'en pouvait plus. Il n'avait pas pour habitude d'ignorer son appétit sexuel, et il ne savait pas ce qui lui avait pris de s'abstenir cette semaine. Une absurdité.

Ça aurait pu l'amener à perdre le contrôle de lui-même, un risque qu'il ne pouvait en aucun cas se permettre de prendre. Les gens qui ne sont pas attentifs à leurs besoins finissent toujours par faire des erreurs, et par se laisser aller à la paresse et au désordre.

Ses muscles devinrent flasques tandis que les dernières vagues de l'orgasme le parcouraient. Le souffle rauque, il retira le sex-toy et enveloppa d'une main son membre nu et hypersensible.

Ce n'était qu'une femme comme les autres.

En était-il si sûr ? Elle l'avait troublé, avec sa peinture. Ça le mettait mal à l'aise, comme une vague démangeaison. Ça lui donnait envie de lui rendre la monnaie de sa pièce... de lui faire payer pour avoir lu dans son esprit, pour avoir vu des choses qu'elle n'aurait pas dû voir grâce à l'incroyable acuité de son talent.

Il *allait* maîtriser ce désir puissant et dangereux. Il se retourna et se dirigea vers la salle de bains pour prendre une douche et se préparer à sa séance d'escrime.

Plus tard, une fois rhabillé, il s'aperçut que son sexe demeurait excessivement sensible et que son érection n'avait pas entièrement disparu. Bon sang...

Il allait faire savoir à Francesca et à Mme Hanson qu'il avait besoin d'intimité ce week-end. Et il allait passer un coup de fil. Pour vaincre cette étrange lubie : il avait clairement besoin d'une femme expérimentée qui savait exactement comment le satisfaire.

*
* *

Lucien n'avait pas menti. Il était effectivement d'humeur bagarreuse. Ian recula sous les assauts agressifs de son ami, contrant ses coups rapides, attendant calmement le moment où il baisserait sa garde. Lucien était son partenaire d'escrime depuis deux ans, et Ian connaissait à présent bien son style et la façon dont il cédait parfois à ses émotions. C'était un combattant extrêmement talentueux et malin, mais il n'avait pas encore pleinement saisi la stratégie de Ian.

Peut-être parce que ce dernier mettait un point d'honneur à maîtriser ses émotions et à réagir par pure logique.

Ce soir-là, Lucien bouillonnait d'énergie, et ses coups étaient plus puissants que d'habitude, mais également plus imprudents. Ian attendit jusqu'à discerner une lueur de triomphe dans le regard de son adversaire. Il devina ce que son partenaire avait en tête et para d'un geste précis le coup destiné à l'achever. Lucien grogna de frustration quand Ian riposta et toucha au but.

— Bordel, on dirait que tu lis dans mes pensées, marmonna Lucien en ôtant son masque, faisant cascader ses longs dreadlocks sur ses épaules.

Ian retira également le sien.

— Tu te sers toujours de ça comme excuse. En fait, c'est purement logique, et tu le sais très bien.

— On remet ça, le défia Lucien en levant son épée, une lueur féroce dans ses yeux gris.

Ian sourit.

— Qui est-elle ? demanda-t-il soudain à son ami.

— Qui est qui ?

Ian lui adressa un regard perçant en ôtant un de ses gants.

— La femme qui fait bouillir ton sang comme celui d'un bouc en rut.

Ça l'intriguait, cette impression de frustration chez Lucien, qui était d'ordinaire si populaire avec les femmes.

L'expression du Français se tendit, et il détourna le regard. Ian, qui ôtait son autre gant, suspendit son geste et fronça les sourcils.

— Qu'est-ce qui ne va pas ?

— J'ai quelque chose à te demander, fit Lucien d'une voix posée.

— Je t'écoute, alors.

Son ami lui lança un regard soucieux.

— Les employés de Noble sont-ils autorisés à avoir des liaisons avec d'autres employés ?

— Ça dépend de leur position. C'est écrit noir sur blanc dans leurs contrats. Les managers et les cadres n'ont pas le droit de sortir avec leurs subordonnés, et s'exposent à un licenciement immédiat s'ils sont pris sur le fait. Les relations entre managers sont hautement découragées, même si elles ne sont pas interdites. Les contrats stipulent très clairement que n'importe quel conflit d'intérêts causé par l'existence d'une relation extraprofessionnelle constitue un motif valable de licenciement. Je pense que tu sais que c'est une mauvaise idée, Lucien. Elle travaille chez *Fusion* ?

— Non.

— À la direction de Noble Enterprises, alors ? demanda Ian tout en retirant son plastron et sa veste, gardant seulement ses jambières et son maillot de corps.

— Pas exactement. Et si le contrat avec Noble était… moins conventionnel ?

Ian lui lança un regard acéré avant de déposer son épée et d'attraper une serviette.

— Moins conventionnel… comme dans une relation entre un manager de restaurant et un cadre du département commercial ? fit-il d'un ton quelque peu ironique.

La bouche de Lucien se fendit d'un sourire amer.

— Il vaudrait peut-être mieux que je te rachète *Fusion* aussi vite que possible. Comme ça, ça ne serait plus un problème pour aucun de nous.

Ils se figèrent de conserve en entendant quelqu'un frapper à la porte de la salle.

— Oui ? lança Ian en fronçant les sourcils avec perplexité.

Mme Hanson n'avait pas pour habitude de le déranger durant ses séances d'entraînement. Il avait besoin de savoir qu'il ne serait pas interrompu pour trouver la concentration intérieure nécessaire à ses passes d'escrime et à sa gymnastique de routine.

Ils écarquillèrent les yeux tous les deux en voyant Francesca entrer dans la pièce. Ses longs cheveux étaient retenus par un nœud lâche à l'arrière de sa nuque, et quelques mèches retombaient sur sa gorge et ses joues. Son visage ne portait pas la moindre trace de maquillage, et elle était simplement vêtue d'un jean moulant, d'un haut de survêtement informe à capuche, et de baskets gris et blanc. Les chaussures n'étaient pas de la plus haute qualité, mais Ian évalua rapidement que c'était sans doute la pièce de son habillement la plus coûteuse. Sous l'encolure de son sweat, il entrevit la mince lanière d'un autre débardeur. L'image de son corps souple, surligné par le fin vêtement, le submergea.

— Francesca. Qu'est-ce que vous faites ici ? demanda-t-il d'un ton involontairement sec en réaction à la vision incontrôlable qui envahissait son esprit.

Elle s'arrêta à quelques dizaines de centimètres du tapis d'entraînement. Ses lèvres étaient pulpeuses, ses froncements de sourcils diaboliquement sexy.

— Lin voudrait vous parler de quelque chose d'urgent. Comme vous ne répondiez pas sur votre téléphone portable, elle a appelé sur le fixe. Mme Hanson était sur le point de partir faire quelques courses pour votre dîner, alors je lui ai dit que j'allais vous transmettre le message.

Ian hocha la tête et utilisa la serviette enroulée autour de sa nuque pour essuyer la sueur qui ruisselait sur son visage.

— Je la rappellerai dès que j'aurai pris ma douche.

— Je vais le lui dire tout de suite, répondit Francesca avant de se diriger vers la sortie.

— Comment ça ? Elle est encore en ligne ?

Francesca opina.

— Il y a un téléphone dans le hall d'entrée, juste devant la salle d'entraînement. Dites-lui que je la rappelle très vite.

— Très bien, fit Francesca.

Elle jeta un bref coup d'œil à Lucien et lui adressa un petit sourire avant de se détourner.

Une vague d'irritation submergea Ian. *Reconnais au moins que ce salaud ne lui a pas aboyé dessus comme tu viens de le faire.*

— Francesca ?

Elle fit volte-face.

— Voudriez-vous bien revenir me voir une fois que vous aurez transmis le message à Lin ? Nous n'avons pas eu l'occasion de discuter beaucoup cette semaine, et j'aimerais me tenir au courant de vos progrès.

Elle sembla hésiter pendant une fraction de seconde. Son regard se posa sur sa poitrine.

— Bien sûr. Je reviens tout de suite, répondit-elle avant de quitter la pièce.

Les portes de la salle d'escrime se refermèrent derrière elle avec un claquement.

Lucien souriait de toutes ses dents quand Ian se retourna vers lui.

— Quand j'ai voyagé dans les États du Sud, ils avaient une expression. « Une longue, très longue gorgée d'eau fraîche... »

Ian perdit un instant sa contenance.

— Laisse tomber, fit-il sèchement.

Lucien semblait perplexe. Ian plissa les paupières, aux prises avec un mélange d'hostilité et de remords. Une idée lui vint soudain à l'esprit, et ses yeux s'étrécirent.

— Attends une seconde... la femme dont tu me parlais, qui travaille pour Noble...

— Ce n'est *pas* Francesca, rétorqua Lucien, une lueur dans les yeux, avant de se détourner et d'ouvrir le réfrigérateur pour attraper une bouteille d'eau. Mais j'ai l'impression que tu ferais mieux de suivre tes propres conseils sur le danger des liaisons au boulot.

— C'est complètement ridicule.

— Ça veut dire que cette splendide créature ne t'intéresse pas ?

Ian tira d'un coup sec la serviette sur sa nuque.

— Ça veut dire que *je* ne suis pas tenu par un contrat d'embauche, répliqua-t-il d'un ton sec qui signifiait clairement que la conversation était close.

— Je crois que je ferais mieux de décamper, fit Lucien d'une voix acerbe. On se voit lundi prochain.

— Lucien...

Le Français se retourna vers lui.

— ... Je suis désolé.

Lucien haussa les épaules.

— Je sais ce que c'est de se sentir sur la corde raide. Ça a tendance à rendre un homme un peu... grincheux.

Ian ne répondit pas et regarda simplement son ami s'en aller. Il songea à l'expression que ce dernier avait utilisée pour parler de Francesca. « Une longue, très longue gorgée d'eau fraîche. » Il avait raison.

Et Ian était comme un homme mourant de soif en plein désert.

Il jeta un regard méfiant vers la porte et aperçut Francesca réapparaître sur le seuil.

*
* *

Francesca vit Lucien lui adresser un signe amical de la main et sortir de la pièce au moment où elle entrait. L'atmosphère de la grande salle ultra-équipée s'épaissit d'un coup ; elle regretta aussitôt le départ du Français quand la porte se referma derrière elle et qu'elle se retrouva seule avec Ian. Elle s'arrêta à la limite du tapis de sol.

— Rapprochez-vous. Vous pouvez marcher sur la piste avec vos baskets.

Elle s'approcha prudemment de lui. Elle n'osait pas le regarder. Son beau visage était impassible, comme d'habitude. Il ressemblait à un dieu du sexe païen avec ses jambières ajustées sur son pantalon blanc et son maillot de corps tout simple. Elle se dit que son tee-shirt était sans doute aussi moulant parce qu'il devait enfiler ses autres pièces d'équipement par-dessus. Le tissu ne laissait que peu de marge à l'imagination, épousant toutes les lignes de son torse mince et musculeux.

De toute évidence, il accordait beaucoup d'importance à ses séances d'entraînement. Son corps était sculpté comme une lame superbe et redoutable.

— La piste ? répéta-t-elle sans comprendre en s'avançant sur le revêtement caoutchouteux.

— Le tapis d'escrime.

— Oh…

Elle jeta un regard curieux à l'épée qui reposait sur une table, essayant d'ignorer les effluves subtils qui émanaient du corps de Ian – une odeur piquante et épicée de savon mêlée à de la sueur.

— Comment allez-vous ? demanda-t-il d'un ton poli et froid qui ne correspondait pas avec la lueur qui brillait dans ses yeux bleus.

Il n'arrêtait pas de la déstabiliser. Comme la fois précédente, le jeudi soir où elle l'avait surpris en train de l'étudier en silence pendant qu'elle peignait. Ses manières étaient presque cérémonieuses mais la façon dont son regard s'attardait sur ses seins coupa le souffle de Francesca. Elle sentit ses tétons se durcir. Elle ne pouvait s'empêcher de repenser à la façon dont ils s'étaient séparés la première fois qu'elle était venue chez lui, au contact des doigts de Ian sur sa nuque quand il lui avait remis sa veste… à la façon dont il évoquait sa peinture.

Était-il flatté ou mécontent qu'elle l'ait choisi comme sujet ? Et avait-il vraiment essayé de lui dire, comme elle en avait eu l'impression, que le titre qu'elle avait choisi pour ce tableau n'était pas aussi anodin qu'elle l'avait cru au début ; qu'il était véritablement un homme qui avançait seul dans sa vie ?

C'est complètement absurde, se morigéna-t-elle en se forçant à soutenir le regard perçant de Ian. Il ne pensait certainement pas à elle autrement qu'à une artiste qui réalisait pour lui une commande.

— J'ai beaucoup de travail mais ça va, merci, lui répondit-elle.

Elle lui fit un rapide récapitulatif de son avancée.

— La toile est prête. J'ai fait mes esquisses. Je pense que je pourrai commencer le véritable travail de peinture la semaine prochaine.

— Vous avez bien tout ce qu'il vous faut ? fit-il en passant devant elle pour ouvrir le réfrigérateur.

Il se déplaçait avec une élégance très masculine. Elle aurait adoré le voir pratiquer l'escrime - de l'agressivité canalisée à travers une technique pleine de grâce.

— Oui. Lin a vraiment fait du bon boulot en achetant mes fournitures. J'ai eu besoin d'un ou deux éléments en plus, mais elle me les a fait parvenir immédiatement lundi dernier. Elle est vraiment très efficace.

— Je suis on ne peut plus d'accord. N'hésitez pas à vous manifester si vous avez besoin de quelque chose.

Il décapsula la bouteille d'eau d'une brusque torsion du poignet. Ses biceps saillaient sous les manches de son tee-shirt et semblaient durs comme la pierre. Quelques veines ressortaient sur ses avant-bras puissants.

— Votre emploi du temps vous convient-il ? L'école, votre travail de serveuse, la peinture... votre vie sociale ?

Le pouls de Francesca se mit à marteler sa gorge. Elle baissa la tête pour qu'il ne le voie pas et fit semblant d'étudier l'une des épées rangées sur le râtelier.

— Je n'ai pas vraiment de vie sociale.

— Pas de petit ami ?

Elle secoua la tête en faisant courir ses doigts sur le pommeau d'une arme.

— Mais vous avez sûrement des amis avec qui vous aimez passer du temps ?

— Oui, fit-elle en levant brièvement les yeux vers lui. Je suis très proche de mes trois colocataires.

— Et que faites-vous toutes les quatre de votre temps libre ?

Elle haussa les épaules et tendit la main vers une autre épée.

— Le temps libre est plutôt un luxe, ces derniers temps, mais j'ai quelques loisirs, rien d'extraordinaire – jouer aux jeux vidéo, sortir dans les bars, traîner en ville, jouer au poker…

— C'est à ce genre d'activités que s'adonnent quatre jeunes filles durant leur temps libre ?

— Mes colocataires sont tous des hommes.

Elle releva les yeux juste à temps pour voir une ombre de contrariété passer sur son visage stoïque. Elle sentit les battements de son cœur s'affoler. Les cheveux courts et presque noirs de Ian étaient luisants de sueur, comme son cou. Elle battit des paupières et détourna le regard.

— Vous vivez avec trois hommes ?

Elle acquiesça.

— Et qu'est-ce que vos parents en disent ? fit-il en lui jetant un coup d'œil par-dessus son épaule.

— Ils détestent ça. Grand bien leur fasse, ce ne sont pas leurs oignons. Caden, Justin et Davie sont super.

Il ouvrit la bouche pour dire quelque chose mais sembla se raviser.

— Ce n'est pas très conventionnel, lâcha-t-il au bout de quelques secondes, d'une voix empruntée qui révélait qu'il avait d'abord eu l'intention de dire autre chose.

— Ce n'est sans doute pas très orthodoxe, je vous l'accorde. Mais ça devrait vous rappeler quelque chose, non ? Vous ne m'avez pas dit quelque chose de semblable l'autre nuit ?

Francesca fixa à nouveau les épées. Cette fois, elle enserra les doigts autour de la garde de l'une d'elles, appréciant le contact du métal dur et froid contre sa paume. Puis elle fit aller sa main de bas en haut sur la lame.

— Arrêtez ça.

Elle releva brusquement la tête et relâcha l'arme comme si le métal était soudain devenu brûlant. Elle le considéra, interloquée. Les narines de Ian tremblaient légèrement, et ses yeux bleus flamboyaient. Il rejeta la tête en arrière et but une rapide gorgée d'eau.

— Vous pratiquez l'escrime ? demanda-t-il d'un ton brusque en reposant la bouteille sur une table.

— Non. Enfin... pas vraiment.

— Qu'est-ce que vous voulez dire ? fit-il en fronçant les sourcils.

— J'ai bien fait un peu d'escrime avec Justin et Caden mais... je n'ai jamais touché une épée de ma vie, dit-elle d'une voix penaude.

L'expression perplexe qu'avait Ian se volatilisa. Il sourit. Francesca songea que c'était comme d'assister à un lever de soleil sur un paysage sombre et majestueux.

— Vous êtes en train de me parler d'un jeu sur Game Station ?

— Oui, admit-elle, un peu sur la défensive.

Il désigna le râtelier d'un hochement du menton.

— Prenez celle du bout.

— Je vous demande pardon ?

— Prenez la dernière épée. C'est Noble Enterprises qui a conçu le logiciel dont vous parlez. Nous l'avons revendu à Shinatzé il y a quelques années. À quel niveau jouiez-vous ?

— Difficile.

— Alors vous devriez comprendre les bases.

Il la regarda droit dans les yeux.

— Prenez cette épée, Francesca.

Il y avait une nuance de défi sans sa voix, et un sourire s'attardait toujours sur ses lèvres pleines. À nouveau, il se moquait d'elle. Francesca souleva l'arme et lui lança un regard noir. Le sourire de Ian s'élargit. Il s'empara d'une autre épée et lui tendit un masque, puis hocha la tête en direction du tapis. Quand ils furent l'un en face de l'autre, son souffle devint rapide et saccadé. Ian fit tinter leurs deux lames l'une contre l'autre.

— En garde, dit-il doucement.

Les yeux de Francesca s'agrandirent de panique.

— Attendez... vous voulez dire qu'on va... *maintenant* ?

— Pourquoi pas ? fit-il en prenant position.

Elle lança un regard nerveux à l'épée qu'elle tenait dans la main, puis au torse non protégé de Ian.

— Elle est destinée à l'entraînement, ajouta-t-il. Vous ne pourriez pas me blesser avec, même si vous le vouliez.

Il se jeta en avant. Elle para d'un geste instinctif. Il avança, et elle recula gauchement, bloquant toujours sa lame. Même à travers le voile de stupeur et de panique qui recouvrait ses yeux, elle ne pouvait s'empêcher d'admirer le jeu de ses muscles, la puissance de son grand corps mince.

— N'ayez pas peur, l'entendit-elle dire alors qu'elle parait désespérément.

Il n'avait pas l'air de produire plus d'effort que s'il lisait le journal.

— Si vous maîtrisez bien les mécanismes du jeu vidéo, votre cerveau connaît d'instinct les mouvements adéquats.

— Qu'est-ce que vous en savez ? laissa-t-elle échapper d'une voix perçante en se jetant de côté pour éviter sa lame.

— Je le sais parce que c'est *moi* qui ai conçu ce programme. Défendez-vous, Francesca, lui lança-t-il au moment même où il plongeait sur elle.

Elle cria et bloqua sa lame à quelques centimètres de son épaule. Il continua à la tourmenter sans pitié, l'acculant à l'extrémité du tapis. Les heurts de leurs épées résonnaient dans toute la pièce.

Il se déplaçait plus vite à présent, et imprimait de plus en plus de force à sa lame. Mais son expression demeurait d'un calme olympien.

— Vous avez découvert votre garde basse, murmura-t-il.

Elle hoqueta quand il la frappa à la hanche droite d'un coup précis. Il l'avait à peine touchée, mais sa chair la cuisait.

— Deuxième assaut.

Elle le suivit jusqu'au centre de la piste. La manière dont il l'avait vaincue froidement et sans effort faisait bouillir son sang dans ses veines. Ils entrechoquèrent leurs épées et elle attaqua, se fendant en avant.

— Ne laissez pas la colère vous faire perdre votre sang-froid.

— Je ne suis pas en colère, mentit-elle à travers sa mâchoire serrée.

— Vous pourriez être une bonne escrimeuse. Vous avez de la tonicité. Vous faites de l'exercice régulièrement ?

Il parlait sur le ton de la conversation tout en continuant à frapper et à parer.

— De la course de fond.

Elle poussa un cri d'effroi aigu quand il lui allongea un coup particulièrement puissant.

— Concentrez-vous.

— J'y arriverais si vous vous taisiez !

Il eut un petit rire, et elle grimaça. Une goutte de sueur coula le long de sa nuque ; elle était obligée de déployer toute son énergie pour bloquer ses attaques. Il feinta, et elle tomba dans le panneau. De nouveau, il frappa sa hanche droite.

— Si vous ne protégez pas cette octave[1], vous allez finir avec les fesses à vif.

Les joues de Francesca étaient brûlantes. Elle résista à l'envie de passer une main sur son postérieur encore échauffé par le dernier coup de Ian. Elle se redressa et se força à respirer plus lentement. Le regard de Ian était fixé sur son épaule. Elle se rendit compte qu'une bretelle de son soutien-gorge avait glissé pendant l'assaut, et elle la remit en place.

— On recommence, fit-elle aussi calmement que possible.

Il hocha la tête poliment.

Elle rassembla ses esprits et lui fit face au centre de la piste. Elle savait qu'elle se montrait stupide ; elle le savait pertinemment. Noble était non seulement un escrimeur d'exception mais aussi un homme en excellente condition physique. Elle ne pouvait pas le vaincre. Et pourtant, elle ne parvenait pas à dominer son esprit de compétition. Elle essaya de se souvenir des mouvements du jeu.

— En garde, annonça-t-elle.

Leurs lames s'entrechoquèrent.

Cette fois, elle le laissa avancer, en protégeant soigneusement tous ses quadrants. Mais c'était peine perdue : il était trop fort et trop rapide. Plus il s'approchait et plus il empêchait Francesca d'attaquer. Elle para avec fougue, luttant pour le contenir.

---

1. Terme d'escrime pour désigner une zone de garde. (*N.d.T.*)

Son excitation s'accrut alors qu'il se rapprochait plus près encore. Elle se défendit de toutes ses forces mais ils savaient tous deux qu'il allait vaincre.

— Stop ! cria-t-elle frustrée quand il l'accula à la limite de la piste.

— Vous déclarez forfait.

La lame de Ian frappa celle de la jeune femme si durement qu'elle en perdit presque l'équilibre. Elle parvint de justesse à bloquer son coup suivant.

— Non.

— Alors *réfléchissez*, fit-il d'un ton cassant.

Elle tenta désespérément de suivre ses instructions. Elle n'avait pas la place de se fendre, elle allongea donc le bras pour le forcer à reculer.

— Très bien vu, murmura-t-il.

La lame de Noble transperça l'air si rapidement que Francesca n'entrevit qu'un mouvement flou. Elle ne sentit même pas le contact du métal sur sa peau. Elle cessa de se défendre et baissa la tête, sonnée. Il avait tranché net la bretelle de son débardeur.

— Vous aviez dit que les épées étaient inoffensives ! s'exclama-t-elle d'une voix tremblante.

— J'ai dit que la vôtre l'était.

D'une petite torsion du poignet, il envoya valser son épée à travers les airs. Elle atterrit avec un son mat sur le tapis. Il retira son masque. Elle le fixa, estomaquée. À cet instant, il avait l'air tellement effrayant qu'elle dut se retenir de partir en courant.

— Ne baissez jamais votre garde, Francesca. *Jamais*. La prochaine fois que vous le ferez, je vous punirai.

Il repoussa son arme de côté et s'avança brusquement vers elle. D'un geste, il ôta le masque de Francesca et le jeta sur le tapis. Il empoigna d'une main l'arrière de sa nuque, lui saisit le menton de l'autre, et s'empara de ses lèvres.

Au début, Francesca se raidit de surprise. Puis l'odeur de Ian la submergea. Il inclina sa tête vers l'arrière et força ses lèvres avec avidité. Il plongea la langue en avant, explorant la bouche de Francesca. La possédant.

Une chaleur humide apparut au creux de son ventre. Elle n'avait jamais rien connu d'aussi intense, et son corps réagissait pleinement à cette expérience. Ian la serra plus fort, accentuant la pression de son corps contre le sien. Il était si brûlant. Si dur. *Oh, mon Dieu, ayez pitié de moi...* Comment avait-elle pu penser qu'elle le laissait indifférent ? Elle sentait une bosse saillante à travers le tissu de son pantalon... C'était comme d'être brutalement entraînée dans une fournaise de désir sans espoir d'en sortir.

Elle gémit sous son baiser. Les lèvres de Ian épousaient les siennes et les caressaient divinement, les maintenant entrouvertes pour laisser le champ libre à sa langue conquérante. Elle colla sa langue contre la sienne et lui rendit son baiser comme elle lui avait rendu ses coups. Il grogna, la serra à l'en étouffer, et les yeux de Francesca s'affolèrent quand elle perçut la plénitude de son érection. Son sexe était énorme et dur. Celui de Francesca se resserra comme un fourreau étroit, et ses pensées volèrent en éclats. Il l'obligea à reculer, et elle se plia à sa volonté, à peine consciente de ce qu'elle faisait. Il ne cessa pas une seconde de l'embrasser durant les quelques mètres qu'il lui fit parcourir.

L'air s'échappa de ses poumons, se communiquant à la bouche inquisitrice de Ian quand il la cloua contre le mur. Il s'appuya contre elle, comprimant son corps entre deux surfaces aussi dures que la pierre. Elle arqua instinctivement son buste contre le sien, sentant les courbes de ses muscles bien dessinés, collant son bassin contre sa monumentale érection.

Dans un souffle rauque, il arracha sa bouche à la sienne et, sans même lui laisser le temps de deviner ses intentions, il fit glisser son débardeur du côté de la bretelle coupée. Ses longs doigts parcoururent la poitrine de Francesca et s'infiltrèrent sous le bonnet de son soutien-gorge, repoussant le tissu et dévoilant l'un de ses mamelons. Sa main puissante enserrait maintenant son sein dans son entier, le soulevant, le pétrissant… l'exhibant. Une ardente lueur de désir brillait dans ses prunelles, fixées sur sa chair nue. Il frotta son membre dur contre son bas-ventre, et elle gémit, les narines frémissantes, la tête baissée.

Elle laissa échapper un hoquet de surprise quand la bouche de Ian s'empara de son téton. Il le mordilla sans ménagement, lui faisant presque mal, et elle sentit une certaine moiteur entre ses cuisses. Elle cria. Oh, Seigneur, que lui arrivait-il ? Son vagin lui semblait incroyablement étroit, pulsant, implorant d'être empli. Peut-être Ian entendit-il son cri, car il cessa de tourmenter son sein pour l'agacer gentiment de sa langue chaude et experte. Avant de recommencer à lui mordiller le téton.

Son désir conquérant électrisait le corps de Francesca. Il lui causait un peu de douleur et beaucoup de plaisir, mais ce qui l'excitait le plus était cette avidité implacable. Elle mourait d'envie de l'attiser… de la satisfaire. Elle se cambra contre lui et gémit encore. Jamais un homme n'avait osé l'embrasser si rudement ou la toucher avec autant d'habileté et de brutalité mêlées.

Comment aurait-elle pu deviner à quel point elle aimerait ça ?

Il pétrit à nouveau son sein entre ses doigts et le fit rouler dans sa paume tout en continuant à mordiller la pointe durcie. Un gémissement rauque jaillit de la gorge de Francesca. Il lui souleva la tête, et elle hoqueta en sentant sa bouche abandonner brusquement sa poitrine. Il la dévisagea de ses yeux de braise avec une expression impassible. Elle le sentit aux prises avec une incroyable tension intérieure, une guerre contre lui-même. *Est-ce qu'il va me repousser ?* songea-t-elle soudain. *Est-ce qu'il veut réellement de moi ?*

Il bougea brusquement sa main libre et plongea les doigts vers l'entrejambe de Francesca, englobant son sexe à travers le tissu de son jean. Il pressa. Elle gémit faiblement.

— Non…, murmura-t-il dans un râle, comme s'il se répondait à lui-même.

Sa tête sombre s'approcha de nouveau de la poitrine de la jeune femme.

— … Je prendrai ce qui est à moi.

PARTIE II

PARCE QUE JE N'AI PU RÉSISTER

3

Dès le départ, Francesca avait eu l'intuition que fréquenter Ian Noble n'était pas une bonne idée. Elle avait compris que la situation lui échappait complètement chaque fois qu'il la regardait avec cette lueur énigmatique dans ses yeux bleu cobalt. Ne l'avait-il pas lui-même avertie, subtilement d'ailleurs, qu'il était un homme dangereux ?

À présent, elle en avait la preuve : près de quatre-vingt-dix kilos de muscles en train de la plaquer contre un mur. Il la dévorait comme si elle représentait son dernier repas.

Il étendit la paume sous la courbe de son sein, offrant la chair de Francesca à sa bouche conquérante, et joua de nouveau avec son téton en une douce morsure. Francesca hoqueta, et l'arrière de sa tête cogna contre le mur ; une nouvelle vague d'excitation assaillit son entrejambe. Les doigts de Ian pressaient le creux de son ventre, soulageant et accroissant son désir.

— Ian..., murmura-t-elle faiblement.

Il releva la tête de quelques centimètres pour contempler sa poitrine. Le téton, humide de salive, avait rougi et pointait effrontément, raidi par les mordillements et les suçotements de sa langue experte. Elle sentit le corps de Ian se crisper, son sexe en érection appuyé contre son bas-ventre. Il laissa échapper un grognement de satisfaction.

— Il faudrait être un putain de robot pour ne pas désirer ça, fit-il d'une voix rauque et farouche.

Elle geignit d'affolement et de ravissement. L'expression légèrement perdue qui flottait sur le visage de Ian et son regard perçant la troublaient profondément. Qui était *réellement* cet homme ? Elle détestait le combat intérieur qu'il semblait mener contre lui-même. Elle passa la main à l'arrière de sa nuque et fourragea dans ses cheveux. Ils étaient aussi soyeux et épais qu'elle se l'était imaginé. Un instant, les yeux de Ian trouvèrent les siens, et elle guida sa tête vers ses seins.

— Tout va bien, Ian.

Ses narines frémirent.

— Non, tout ne va *pas* bien. Vous ne savez pas ce que vous dites.

— Je sais ce que je ressens, chuchota-t-elle. Ça ne suffit pas ?

Il ferma brièvement les yeux, et elle sentit soudain la tension l'abandonner tandis qu'il s'emparait à nouveau de ses lèvres, lui fléchissant les hanches, collant son érection contre sa peau douce et accueillante. Elle se cramponna à son cou et s'abandonna totalement à lui. À travers un épais brouillard de désir, elle entendit des bruits de pas se rapprocher.

— Oh… Toutes mes excuses.

Les bruits de pas s'interrompirent.

Ian releva la tête et son regard transperça Francesca. Il déplaça légèrement son corps, s'assurant que les seins nus de la jeune femme soient dissimulés, et remit en place son débardeur.

— *Qu'est-ce que c'est*[1] ? rugit-il d'une voix rauque.

Francesca essaya de regarder par-dessus son épaule, déroutée par cette question prononcée en français, langue qu'elle ne parlait pas.

— *Je suis désolé.* Ton téléphone portable n'arrêtait pas de sonner dans le vestiaire. Je ne sais pas ce que Lin veut te dire, mais ça a l'air vraiment urgent.

Elle reconnut l'accent français de Lucien. Sa voix sonnait de manière étouffée, comme s'il parlait en leur tournant le dos. Ian baissa de nouveau les yeux vers elle, et elle comprit aussitôt qu'une distance s'était installée entre eux. Son corps était toujours pressé contre le sien, dur et excité, mais elle eut l'impression que quelque chose venait de se fermer en lui.

— J'aurais dû la rappeler plus tôt. Je me suis montré négligent, fit Ian sans cesser de scruter Francesca.

Les bruits de pas reprirent, et elle entendit un claquement de porte. Il s'arracha à elle.

— Ian ? demanda-t-elle faiblement.

Elle se sentait bizarre, comme si ses muscles avaient oublié leur fonction première, comme si le poids et la force du corps de Ian avaient été les seules choses qui la maintenaient debout. Elle plaqua brutalement sa paume contre le mur pour se ressaisir. Ian tendit le bras vers elle et lui agrippa fermement le coude. Il la dévisagea.

— Francesca ? Vous allez bien ? fit-il d'une voix rugueuse.

Elle cligna les yeux et hocha la tête. Il avait l'air presque en colère.

— Je suis désolé, reprit-il. Ça n'aurait pas dû arriver. Je me suis laissé aller.

1. En français dans le texte. (*N.d.T.*)

— Oh…, répondit-elle d'un ton stupide, l'esprit vide. Ça veut dire que ça n'arrivera plus ?

L'expression de Ian s'adoucit. *Qu'est-ce qu'il lui prend, bon sang ?* s'interrogea-t-elle désespérément.

— Vous ne m'avez pas dit. Les hommes avec qui vous vivez… Vous couchez avec l'un d'entre eux ? Avec tous ?

Le visage de Francesca se décomposa.

— Hein ? Qu'est-ce qui vous prend de me demander ça ? Bien sûr que non, je ne couche pas avec eux ! Ce sont mes colocataires. Des amis !

Le regard étréci de Ian descendit vers sa poitrine.

— Et vous pensez que je vais avaler ça ? Trois hommes vivant sous le même toit que vous sans qu'il y ait rien d'autre qu'une relation amicale ?

Malgré l'hébétude qui l'enveloppait, Francesca fut prise d'une bouffée de colère. Puis la fureur la submergea totalement. Essayait-il délibérément de l'insulter ? Si c'était le cas, il avait réussi. Quel salaud imbu de lui-même… Comment osait-il lui dire une telle chose après ce qu'il venait de faire ?

(Après ce qu'elle lui avait *permis* de faire.)

Elle s'écarta du mur et s'arrêta à quelques centimètres de lui.

— Vous m'avez posé la question, et je vous ai dit la vérité. Je me fiche de ce que vous croyez. Ma vie sexuelle ne vous regarde pas.

Elle se détourna et commença à s'éloigner.

— Francesca.

Elle s'immobilisa mais ne se retourna pas. Un sentiment d'humiliation commençait à se mêler à son irritation. Si à cet instant même elle regardait son superbe visage plein de suffisance, elle risquait d'exploser.

— Je vous ai juste demandé ça parce que j'essaie de comprendre quel… quel degré d'expérience vous avez.

Elle fit volte-face et le fixa, estomaquée.

— C'est ça qui compte pour vous ? *L'expérience ?*

Elle pria pour que la douleur qu'elle ressentait ne transparaisse pas dans sa voix.

— Oui.

Pas de douceur. Pas de compromis. Seulement oui. *Vous ne jouez pas dans la même division que moi, Francesca. Vous n'êtes qu'une stupide gamine maladroite tout juste bonne à me distraire.*

L'expression de Ian se durcit, et il détourna le regard.

— Je ne suis pas ce que vous croyez. Je ne suis pas un homme bien, ajouta-t-il comme si ça expliquait tout.

— Non, fit-elle avec plus de calme qu'elle n'en éprouvait. Vous n'êtes pas un homme bien. Et même si les lèche-bottes qui vous entourent ne vous l'ont jamais dit, vous n'avez aucune raison d'en être fier, Ian.

Cette fois, il ne tenta pas de la retenir quand elle se rua hors de la salle.

*
* *

Francesca s'assit à la table de la cuisine et contempla pensivement le toast beurré de Davie.

— Qu'est-ce qui te met d'aussi mauvaise humeur ? Remarque, ce n'est pas comme si tu rayonnais de joie de vivre depuis hier. Tu es toujours patraque ? l'interrogea son ami.

Il faisant référence au fait qu'elle était rentrée directement à la maison la veille après ses cours, au lieu d'aller peindre chez Noble.

— Non. Ça va, fit Francesca avec un sourire rassurant que Davie n'eut pas l'air de trouver très crédible.

Au début, elle n'avait éprouvé qu'ébahissement et colère après ce que Ian avait dit – et fait – deux jours plus tôt, mais son ressentiment s'était mué en inquiétude au fil des heures. Ce qui s'était produit mettait-il en péril sa précieuse dotation ? Était-ce son manque d'« expérience » qui la rendait moins intéressante à ses yeux et faisait qu'il se permettait de la traiter ainsi ? Et s'il mettait fin à leur accord et qu'elle se retrouvait sans aucun moyen de payer ses frais de scolarité ? Elle n'était pas à strictement parler une employée de Noble Enterprise, après tout. Elle n'avait aucun contrat, seulement son accord de mécénat. Et Ian n'était-il pas réputé pour se comporter en tyran ?

Elle était si anxieuse et perdue au sujet des conséquences que ce baiser pourrait avoir qu'elle ne s'était pas sentie capable de retourner peindre à l'appartement la veille.

Davie déposa un toast dans l'assiette de Francesca et fit glisser un pot de confiture sur la surface de la table.

— Merci, marmonna-t-elle en levant mollement son couteau.

— Mange, lui intima Davie. Tu te sentiras mieux.

Davie était une sorte d'hybride entre un grand frère, un ami et une mère poule pour les trois autres colocataires. Il avait au minimum cinq ans d'écart avec chacun d'entre eux, et les avait rencontrés à l'université de Northwestern alors qu'il passait son diplôme de gestion. Il y avait d'abord fait la connaissance de Justin et Caden, qui suivaient le même cursus, puis intégré leur cercle d'amis auquel Francesca appartenait déjà. Davie était également historien de l'art. De retour sur les bancs de la fac, il étudiait les rudiments nécessaires au développement de sa galerie en plusieurs établissements, ce qui l'avait immédiatement rapproché de Francesca. Quand Justin, Caden et

Davie avaient obtenu leur master, et Francesca, sa licence, Davie leur avait proposé de les accueillir chez lui, dans le centre-ville de Chicago – une maison de cinq chambres et quatre salles de bains dans le quartier de Wicker Park, héritée de ses parents et à présent bien trop grande pour lui. De plus, Francesca savait que Davie avait besoin de leur compagnie. Son ami était sujet à de fréquentes périodes de blues, et vivre entouré de ses trois colocataires l'aidait à surmonter ses tendances mélancoliques. Les parents de Davie l'avaient rejeté lorsque, adolescent, il leur avait avoué son homosexualité. Alors qu'il était sur le point de se réconcilier avec eux, un terrible accident de hors-bord les avait emportés trois ans plus tôt, sur les côtes mexicaines. Un drame qui semblait emplir Davie de détresse et de soulagement.

Le jeune homme cherchait désespérément l'amour, mais sa vie sentimentale s'était révélée jusque-là à peu près aussi décevante que celle de Francesca. Ils se confiaient mutuellement leurs malheurs et profitaient du baume de l'amitié chaque fois qu'une de leurs histoires sans passion s'achevait dans l'amertume et la tristesse.

Les quatre colocataires étaient tous bons amis, mais Francesca et Davie étaient les plus proches par leurs goûts et leur tempérament, tandis que Justin et Caden partageaient les obsessions communes d'un grand nombre de jeunes mâles hétérosexuels au milieu de la vingtaine – une carrière lucrative, du bon temps et du sexe régulier avec des filles sexy.

— C'était Noble au téléphone ? l'interrogea Davie en jetant un regard entendu au portable de Francesca posé sur la table.

Bon sang... Il avait remarqué que le dernier appel qu'elle avait reçu l'avait mise dans tous ses états.

— Non.

Davie lui adressa un regard moqueur, et elle soupira.

Elle n'avait pas révélé ce qui s'était passé dans la salle d'entraînement de Noble à Caden et à Justin qui, en dignes jeunes diplômés d'écoles de commerce qu'ils étaient, travaillant dans la banque et la finance, ne cessaient de la harceler de questions sur le célèbre homme d'affaires. Elle ne pouvait pas décemment leur raconter que leur idole, si inaccessible qu'il fût, l'avait plaquée contre un mur, embrassée et caressée à l'en faire défaillir. Elle n'en avait pas non plus parlé à Davie, ce qui prouvait à quel point elle nageait dans la plus grande confusion.

— C'était Lin Soong. La bonne à tout faire de Noble.

Elle mordit dans sa tartine.

— Et ?

Elle mâcha et déglutit.

— Elle appelait pour me dire qu'il avait décidé de me faire signer un contrat pour le tableau. Il me paie la totalité de la somme d'avance. Elle m'assure que les termes du contrat sont très généreux et stipulent que Noble ne peut en aucune circonstance revenir sur cette dotation. Même si je ne l'achevais pas, la somme me serait versée.

La mâchoire de Davie se décrocha, et son toast lui glissa des doigts. Avec ses cheveux brun foncé qui lui retombaient sur le front et sa mine chiffonnée du matin, il paraissait plus proche des dix-huit ans que des vingt-huit.

— Pourquoi tu réagis comme si tu venais d'apprendre la mort de quelqu'un, alors ? C'est une bonne nouvelle, non, que Noble te garantisse ta rémunération quoi qu'il arrive ?

Francesca reposa sa tartine. Son appétit s'était évanoui quand elle avait compris les implications de ce que Lin lui avait exposé de sa voix professionnelle et chaleureuse.

— Il faut toujours qu'il mette tout le monde à sa botte, fit-elle amèrement.

— Bon sang, de quoi est-ce que tu parles, Cesca ? Si ce contrat correspond bien à ce que t'a dit son assistante, ça représente une carte blanche de la part de Noble. Tu peux même ne jamais y retourner et toucher ton argent.

Elle reposa son assiette dans l'évier.

— Tout à fait, marmonna-t-elle le dos tourné. Et Ian Noble sait parfaitement que me proposer ça est la seule chose qui lui garantira que je reviendrai et que je terminerai ce projet.

Davie repoussa sa chaise en arrière pour la regarder bien en face.

— Je n'y comprends rien. Tu es en train de me dire que tu songeais *vraiment* à ne pas finir ce tableau ?

Alors qu'elle réfléchissait à sa réponse, Justin Maker entra d'un pas traînant dans la cuisine, vêtu en tout et pour tout d'un jogging, son torse nu luisant dans la lumière du matin, ses yeux verts bouffis par le manque de sommeil.

— Café, grogna-t-il d'une voix rocailleuse en attrapant une tasse dans le placard.

Francesca lança à Davie un regard implorant et désolé, espérant qu'il comprendrait qu'elle ne poursuive pas la discussion.

— Tu as fait la fermeture du *McGill's* avec Caden hier soir ? fit-elle d'une voix sarcastique en se référant à leur bar de quartier favori.

Elle tendit le pot de crème à son ami.

— Non. On est rentrés à une heure. Mais devine qui vient jouer au *McGill's* samedi soir ? lança-t-il en prenant la crème. Les Run Around. On ne peut pas rater ça ! Et on enchaînera sur une nuit de poker !

— Je ne crois pas. J'ai un exposé important à présenter lundi, et je ne sais pas comment vous faites pour vous lever aussi tôt en vous couchant aussi tard, Caden et toi.

Elle se dirigea vers le seuil.

— Allez, Cesca ! Ce sera marrant. Ça fait un bout de temps qu'on n'est pas sortis tous les quatre, intervint Davie.

Cela la surprit. Comme Francesca, Davie ne faisait pratiquement plus de nuits blanches depuis qu'ils avaient quitté Northwestern. Les sourcils arqués, il semblait vouloir lui dire qu'une incursion dans le monde extérieur lui changerait les idées.

— Je vais y réfléchir, répondit-elle avant de quitter la cuisine.

Elle n'en fit absolument rien. Son esprit était déjà consumé par la pensée de ce qu'elle dirait à Ian Noble quand elle le reverrait.

*

* *

Malheureusement, il n'était pas là quand elle se présenta à la résidence cet après-midi-là – non qu'elle se fût réellement attendue à le voir ; il ne se montrait quasiment jamais avant le soir. Incapable de décider quelle attitude elle devrait adopter devant lui et quelle réponse lui donner au sujet du contrat – sans même parler de son avenir en général – elle se rendit dans son atelier.

Cinq minutes plus tard, elle était en train de peindre fiévreusement. Ian n'avait pas à décider pour elle. Même elle n'avait rien décidé. C'était le tableau qui avait décidé tout seul. Elle l'avait dans le sang, et il *fallait* qu'elle le termine.

Elle se perdit dans son travail pendant plusieurs heures et émergea enfin de sa transe quand le soleil commença à sombrer derrière les gratte-ciel.

Mme Hanson était occupée à verser quelque chose dans un saladier quand Francesca pénétra dans la cuisine d'un pas hésitant, en quête d'un verre d'eau. Cette pièce correspondait en tout point à l'image qu'elle se faisait d'une cuisine dans un manoir anglais – immense, renfermant tous les ingrédients possibles et imaginables, mais accueillante à sa façon. Elle aimait s'asseoir ici et bavarder avec Mme Hanson.

— Vous étiez tellement silencieuse que je ne me suis même pas aperçue de votre présence ! s'exclama la vieille dame avec chaleur.

— J'étais concentrée sur mon travail.

Elle tendit la main vers la poignée de l'énorme réfrigérateur en inox. Mme Hanson avait insisté dès le premier jour pour que Francesca fasse comme chez elle. La première fois qu'elle avait ouvert le frigo, elle avait poussé une exclamation de surprise en voyant un étage entier occupé par des bouteilles d'eau gazeuse bien fraîches et une assiette en porcelaine garnie de rondelles de citron protégées par une couche de cellophane.

— Ian m'a dit que l'eau gazeuse au citron était votre boisson favorite. J'espère que ça vous conviendra, avait ajouté la gouvernante d'une voix anxieuse.

Depuis, chaque fois qu'elle ouvrait le frigo, Francesca ressentait une sensation de chaleur. La même que la première fois, lorsqu'elle avait compris que Ian avait mémorisé ses goûts et s'était assuré qu'elle disposerait de tout le confort possible pendant qu'elle peignait.

Pathétique, se morigéna-t-elle en ouvrant une bouteille.

— Souhaitez-vous rester pour dîner ? l'interrogea Mme Hanson. Ian ne viendra pas réclamer le sien avant un moment, mais je peux vous préparer quelque chose sur le pouce.

— Non, je n'ai pas vraiment faim. Merci beaucoup.

Elle hésita un instant, mais finit par poser la question qui lui brûlait les lèvres :

— Alors Ian est en ville ? Il rentrera ce soir ?

— Oui, c'est ce qu'il m'a dit ce matin. D'habitude, il dîne à huit heures et demie pile, que ce soit à l'appartement ou au bureau. C'est un homme qui apprécie la routine. Il a toujours été comme ça, depuis tout petit déjà.

La gouvernante l'observa.

— Pourquoi ne pas vous asseoir et me tenir compagnie un petit moment ? Vous êtes toute pâle. Vous travaillez trop dur. J'ai mis de l'eau à bouillir, je vais nous faire du thé.

— D'accord, opina Francesca en s'affaissant sur l'un des tabourets qui jouxtaient le bar.

Elle se sentait soudain morte de fatigue, à présent que l'adrénaline de son élan créatif l'avait quittée. Qui plus est, elle n'avait pas très bien dormi les deux nuits précédentes.

— Comment était Ian, quand il était enfant ? ne put-elle s'empêcher de demander.

— Oh... une vieille âme comme je n'en ai jamais vu dans d'aussi jeunes yeux, fit la gouvernante avec un sourire triste. Sérieux. Extraordinairement intelligent. Un peu timide. Mais une fois que vous le connaissiez, c'était le plus gentil et le plus loyal des enfants.

Francesca essaya de se représenter un jeune Ian timide aux cheveux sombres, et son cœur se serra à l'image qui naquit dans son esprit.

— Vous n'avez pas l'air dans votre assiette, fit Mme Hanson tout en continuant à s'affairer.

Cette dernière versa l'eau bouillante dans deux tasses avant de garnir une assiette d'argent de différents éléments : deux petits pains au lait, une cuillère d'argent finement ouvragée et un couteau assorti, deux serviettes de table blanches, un pot de crème du Devonshire et de la confiture présentée dans d'exquis petits bols de porcelaine. On ne faisait jamais les choses autrement qu'en grand chez Ian Noble, même pour une conversation informelle à la table de la cuisine.

— Vous n'êtes pas satisfaite de votre tableau ?

— J'en suis très contente, en fait. Merci, murmura Francesca tandis que la vieille dame déposait une tasse et une soucoupe devant elle. Le travail avance bien. Vous devriez venir voir, un de ces jours.

— Ce serait avec grand plaisir. Voulez-vous un pain au lait ? Ils sont particulièrement bons, aujourd'hui. Rien ne vaut un petit pain au lait avec de la crème et de la confiture pour vous guérir de la mauvaise humeur.

Francesca rit et secoua la tête.

— Ma mère ferait une crise cardiaque si elle vous entendait dire ça.

— Pourquoi donc ? demanda la gouvernante en écarquillant ses yeux bleu clair et en cessant de recouvrir les viennoiseries de crème.

— Parce que vous m'encouragez à apaiser mes émotions avec de la nourriture, voilà pourquoi. Mes parents, assistés d'un bataillon de psys, ont tout fait depuis que j'ai sept ans pour m'extirper le démon de la boulimie du cerveau.

Devant l'expression interloquée de la vieille dame, elle ajouta :

— J'étais plutôt grosse, quand j'étais petite.

— Je ne l'aurais jamais imaginé ! Vous êtes fine comme une brindille !

Francesca haussa les épaules.

— Quand j'ai quitté la maison, mon problème de poids a été résolu en un ou deux ans. C'est à cette époque que j'ai commencé à faire de l'endurance ; je suppose que ça a aidé. Mais j'ai tendance à penser que me retrouver loin du regard critique de mes parents a été le véritable élément déclencheur.

La gouvernante eut un murmure d'approbation.

— Une fois que votre surpoids n'a plus représenté une sorte de pouvoir sur vos parents, toute cette graisse est devenue inutile ?

La jeune femme sourit de toutes ses dents.

— Madame Hanson, vous avez raté une belle carrière de psychologue.

La vieille dame éclata de rire.

— De quelle utilité aurais-je été alors pour Ian ou lord Stratham ?

Francesca cessa un instant de siroter son thé.

— Lord Stratham ?

— Le grand-père de Ian ; James Noble, le comte de Stratham. J'ai travaillé pour lord et lady Stratham pendant trente-trois ans avant de venir ici, en Amérique, pour me mettre au service de Ian. C'était il y a huit ans.

— Le grand-père de Ian..., murmura la jeune femme d'un air pensif. Qui doit hériter de son titre ?

— Oh, un parent du nom de Gerard Sinoit, le neveu de lord Stratham.

— Ce n'est pas Ian ?

Mme Hanson soupira et reposa son pain au lait.

— Ian est l'héritier de la fortune de lord Stratham, mais non de son titre.

Francesca était perplexe. Les coutumes anglaises étaient si étranges...

— Ian descend-il de lord Stratham par son père ou par sa mère ?

Une ombre traversa le visage de la vieille femme.

— Par sa mère. Helen était l'unique enfant du comte et de la comtesse.

— Est-ce qu'elle est...

Par politesse, Francesca laissa sa phrase en suspens, et Mme Hanson hocha tristement la tête.

— Oui, elle est morte. C'est arrivé quand elle était très jeune. Une vie tragique.

— Et le père de Ian ?

La gouvernante ne répondit pas immédiatement, comme si elle était en proie à un conflit intérieur.

— Je ne suis pas sûre de pouvoir vous parler de ce genre de choses.

La jeune femme rougit.

— Oh... bien sûr. Je suis désolée. Je ne voulais pas être indiscrète, c'est juste qu...

— Ce n'était pas une question indiscrète, la rassura Mme Hanson en tapotant la table de ses doigts. Mais je crains juste de devoir vous dépeindre un triste tableau. Malgré toute sa fortune, Ian a un passif douloureux. Sa mère était une jeune femme plutôt rebelle... presque sauvage. Lord et lady Stratham n'ont jamais réussi à la contenir. Elle a fui le domaine avant ses dix-huit ans et personne n'a eu de ses nouvelles pendant dix ans. Les Noble craignaient qu'elle ait trouvé la mort mais n'en ont jamais eu la preuve. Ils ont continué à chercher. Ce fut une période noire pour la maison Stratham. (La vieille dame fit une pause, visiblement affectée par ce souvenir. Puis elle reprit :) Le lord et la lady ont essayé désespérément de la retrouver.

— Je ne peux même pas imaginer une chose aussi horrible.

Mme Hanson hocha la tête.

— Ce fut une terrible époque. Et les choses ne se sont pas vraiment arrangées quand ils ont finalement découvert Helen dans une sorte de taudis au nord de la France, presque onze ans après sa disparition. Elle était quasiment folle. Malade. Délirante. Personne n'a jamais découvert ce qui lui était arrivé, et on n'en sait pas vraiment plus aujourd'hui. Avec elle, il y avait Ian – un enfant de dix ans qui en paraissait beaucoup plus.

Mme Hanson se racla la gorge, le regard humide, et Francesca descendit de son tabouret.

— Je suis vraiment désolée. Je ne voulais pas vous bouleverser.

Elle se sentait à la fois dévorée par la curiosité et pleine de sollicitude à l'égard de la gouvernante. Elle trouva une boîte de mouchoirs et la lui tendit.

— Ne vous en faites pas. Je ne suis qu'une vieille dame trop sensible, marmonna Mme Hanson en prenant le mouchoir. Aux yeux de la plupart des gens, les Noble sont seulement mes employeurs, mais pour moi, ils représentent ma seule famille.

Elle renifla et se pinça les joues.

— Que se passe-t-il, madame Hanson ?

Francesca sursauta au son de la voix masculine et se retourna brusquement. Ian se tenait sur le seuil de la cuisine.

La gouvernante releva la tête d'un air coupable.

— Ian, vous êtes rentré tôt !

— Vous allez bien ?

Une expression de sincère inquiétude marquait les traits de son visage. Francesca se rendit compte d'une chose : si la vieille dame considérait les Noble comme étant sa seule famille, la réciprocité était tout à fait valable.

— Tout va bien. Je vous en prie, ne vous inquiétez pas, ajouta-t-elle avec un petit rire désinvolte. Vous savez que les vieilles femmes ont tendance à pleurer pour un rien.

— Je ne vous ai jamais vue pleurer pour un rien.

Ian reporta son attention sur Francesca.

— Puis-je vous dire deux mots dans la bibliothèque ?

— Bien sûr, répondit cette dernière en redressant la tête.

Elle croisa le regard perçant de Noble.

Une minute plus tard, elle se retournait avec inquiétude vers Ian qui refermait la lourde porte de noyer derrière eux. Il s'avança vers elle avec la démarche fluide et gracieuse d'un fauve. Pourquoi avait-elle toujours envie de comparer un homme aux manières si contenues et sophistiquées à un animal sauvage ?

— Qu'avez-vous dit à Mme Hanson ?

Francesca s'y attendait un peu mais le ton accusateur qui perçait dans sa voix lui donna quand même la chair de poule.

— Je n'ai rien dit de spécial ! Nous ne faisions que... discuter.

Il la foudroya du regard.

— Discuter au sujet de ma famille.

Elle se retint de pousser un soupir de soulagement. Apparemment, il n'avait entendu que les derniers mots de la gouvernante, non la partie qui concernait sa mère. Et lui. D'une manière ou d'une autre, Francesca était certaine qu'il aurait réagi de façon bien plus brutale s'il avait su que la gouvernante s'était laissée aller à lui révéler ces détails.

— Oui, admit-elle.

Elle raidit les épaules et se força à soutenir son regard, quoi qu'il lui en coûte – à cet instant, les yeux de Ian ressemblaient à ceux d'un ange vengeur. Elle croisa les bras devant sa poitrine.

— *Je* l'ai questionnée au sujet de vos grands-parents.

— Et ça l'a fait pleurer ? demanda-t-il d'une voix sarcastique.

— Je ne sais pas exactement ce qui l'a fait pleurer, rétorqua-t-elle sèchement. Je ne fouinais pas, Ian. Nous discutions normalement. Vous devriez essayer, des fois.

— Si vous voulez des renseignements sur ma famille, je préférerais que vous m'interrogiez directement.

— Oh, et vous me raconterez tout, bien sûr, siffla-t-elle, aussi sarcastique que lui.

Elle vit un muscle de sa joue tressaillir. Brusquement, il s'avança vers le grand bureau en bois massif et saisit un petit cheval en bronze qu'il tripota distraitement. Francesca se demanda avec un mélange d'irritation et d'inquiétude s'il avait besoin de s'occuper les mains pour s'empêcher de lui sauter à la gorge. Comme il lui tournait le dos, elle put l'observer à loisir pour la première fois. Il portait un pantalon sur mesure impeccablement coupé, une chemise blanche et une cravate bleue assortie à la couleur de ses yeux. Comme il se rendait toujours en costume trois-pièces au bureau, elle supposa qu'il avait retiré la veste. La chemise amidonnée mettait merveilleusement en valeur ses larges épaules ; le pantalon faisait ressortir ses hanches étroites et ses longues jambes : un style à la fois élégant et d'une virilité brute. *C'est réellement un fauve magnifique,* songea-t-elle avec amertume.

— Lin m'a dit qu'elle vous avait appelée ce matin.

Ce brusque changement de sujet obligea Francesca à baisser la garde.

— Effectivement. J'aimerais m'entretenir directement avec vous au sujet de ce qu'elle m'a dit, répondit-elle en sentant l'angoisse prendre de nouveau le dessus sur la colère.

— Vous êtes venue peindre aujourd'hui.
Elle plissa les yeux, surprise.
— Vous... Comment le savez-vous ?
Elle avait cru qu'il s'était rendu directement à la cuisine une fois rentré.
— Il y a de la peinture sur votre majeur droit.
Elle regarda sa main droite. Elle ne l'avait même pas vu jeter un coup d'œil dans cette direction. Avait-il des yeux derrière le dos ?
— Oui, je suis venue peindre.
— J'ai pensé que vous préféreriez peut-être ne pas revenir, après ce qui s'est passé mercredi.
— Eh bien, je suis revenue. Et pas parce que vous avez demandé à Lin de m'acheter. Ce n'était pas nécessaire.
Il se retourna vers elle.
— *J'ai* pensé que c'était nécessaire. Je ne voulais pas que vous vous demandiez si vous alliez ou non toucher la somme nécessaire pour achever vos études.
— Et vous l'avez fait parce que vous saviez que je reviendrais terminer le tableau si j'avais la certitude que, quoi qu'il arrive, vous me verseriez ma commission, fit-elle d'un ton irrité en s'avançant vers lui.
Il étrécit les yeux et eut la décence de paraître légèrement gêné.
— Je n'aime pas qu'on me manipule, reprit-elle.
— Je n'essayais pas de vous manipuler. Je voulais juste vous éviter de perdre quelque chose que vous avez mérité à cause de mon manque de sang-froid. Vous n'avez rien à vous reprocher.
— On s'est pelotés, murmura-t-elle en rougissant. Ce n'est pas non plus une affaire d'État.
— J'avais envie de faire bien davantage que vous *peloter*, Francesca.
— Ian, vous m'appréciez ? demanda-t-elle sur une impulsion subite.

Elle écarquilla grands les yeux. Elle ne pouvait croire qu'elle venait de laisser échapper la question qui la tourmentait depuis des jours.

— Si je vous *apprécie* ? J'ai envie de vous baiser. J'en crève d'envie. Ça répond à votre question ?

Le silence qui s'abattit sur eux était si lourd que Francesca en eut le souffle coupé. La puissance de son désir semblait se répercuter à travers toute la pièce.

— Pourquoi vous avez si peur de perdre le contrôle ? Je ne suis plus une gamine de douze ans, articula-t-elle au bout d'un moment.

Il la scruta, et elle sentit une chaleur brûlante envahir ses joues.

— Non. Mais ça revient au même, lâcha-t-il d'un ton soudain dédaigneux.

Une vague d'humiliation la submergea. *Comment peut-il souffler ainsi le chaud et le froid sans la moindre transition ?* songea-t-elle, excédée. Il fit le tour de son bureau et s'installa dans le siège de cuir.

— Vous pouvez partir – à moins que vous n'ayez autre chose à régler avec moi ?

— Je préférerais être payée quand le tableau sera fini. Pas avant.

La voix de Francesca tremblait d'une colère contenue.

Il hocha pensivement la tête, comme s'il méditait sa requête.

— Vous n'êtes pas obligée de dépenser la somme dès maintenant. Mais le paiement a déjà été intégralement transféré sur votre compte bancaire.

Elle était abasourdie.

— Comment connaissez-vous les coordonnées de mon compte ?

Il ne répondit pas et se contenta de hausser légèrement les sourcils, une expression indéchiffrable sur le visage.

Francesca parvint tout juste à étouffer le juron qui menaçait de franchir ses lèvres. Comme elle ne pouvait pas se permettre de maudire ouvertement son bienfaiteur pour son arrogance – ou sa générosité –, elle ne voyait rien d'autre à ajouter. La fureur avait court-circuité ses neurones. Elle se détourna et se dirigea vers le seuil de la pièce.

— Au fait, Francesca ? ajouta-t-il d'une voix calme.

— Oui ?

Elle fit volte-face.

— Ne prévoyez pas de venir travailler ici samedi soir. Je compte me détendre, et j'ai besoin d'intimité.

Elle eut l'impression de recevoir un coup de poing dans l'estomac. Il était en train de lui dire qu'il recevait une femme ici ce week-end. Sans qu'elle sache comment, elle en était certaine.

— Pas de problème. J'avais prévu de sortir samedi soir avec mes amis pour décompresser un peu. On ne peut pas dire que l'ambiance soit franchement détendue ici.

Une lueur brilla dans les yeux de Ian avant qu'elle se détourne, mais son expression demeura impassible.

Comme toujours.

*
* *

Davie conduisait prudemment la voiture de Justin à travers la circulation encombrée du samedi soir à Wicker Park. Justin était un peu trop éméché après les deux heures passées au concert de Run Around Band au *McGill's* – comme Caden et Francesca d'ailleurs.

Ce qui expliquait leurs comportements quelque peu erratiques.

— Allez, Cesca ! la taquina Caden depuis le siège arrière. On va tous s'en faire un.

— Même toi, Davie ? s'enquit Francesca qui occupait le siège passager avant.

Ce dernier haussa les épaules.

— J'ai toujours eu envie de me faire faire un tatouage sur le biceps – un dessin à l'ancienne mode, comme une ancre ou un truc de ce genre, fit-il avec un petit sourire tout en bifurquant sur North Avenue.

— Il pense qu'avec ça il pourra séduire un pirate, blagua Justin.

— Eh bien, je ne franchirai pas le pas avant d'avoir le temps de dessiner moi-même le mien, fit Francesca d'un ton résolu.

— Petite joueuse, la tança Justin. Y a quoi de marrant à *prévoir* de se faire tatouer ? T'es censée te réveiller avec un abominable truc super-cochon sur la peau le matin sans avoir le moindre souvenir de ce que t'as fait la veille.

— Tu parles du tatouage, là, ou de la fille que tu comptes ramener ? demanda Caden.

Francesca éclata de rire et, à cause des chamailleries d'ivrognes de ses amis, elle entendit à peine son téléphone portable sonner au fond de son sac. Elle jeta un coup d'œil à l'écran lumineux mais ne reconnut pas le numéro.

— Allô ? fit-elle en s'efforçant de masquer son fou rire.

— Francesca ?

Toute hilarité l'abandonna d'un seul coup.

— Ian ? répondit-elle d'une voix incrédule.

— Oui.

Justin prononça quelque chose à voix basse à l'arrière, et Caden s'esclaffa bruyamment.

— Je vous dérange, peut-être ?

L'accent britannique un peu guindé de Ian contrastait avec les intonations graveleuses des plus jeunes colocataires de Francesca.

— Non. Je suis juste dehors avec des amis. Pourquoi m'appelez-vous ? demanda-t-elle d'une voix blanche.

Caden éclata de rire, et Davie l'imita.

— Les garçons, s'il vous plaît, mettez-la un peu en sourdine.

Cette demande fut superbement ignorée.

— Je pensais à quelque chose..., commença Ian.

— Non ! Tourne à gauche ! s'exclama bruyamment Justin. La boutique Dragon Signs est sur North Paulina.

Davie écrasa la pédale de frein, et Francesca se retrouva projetée vers l'avant, retenue par la ceinture de sécurité.

— Qu'est-ce que vous disiez ? reprit-elle au téléphone.

Elle était plus désorientée par le fait d'avoir Ian au téléphone que par la secousse brutale qu'elle venait de subir, suite au brusque changement de direction de Davie. Il y eut un long silence à l'autre bout de la ligne.

— Francesca, vous êtes ivre ?

— Non, répondit-elle froidement.

Qui était-il pour se permettre de lui parler sur un ton aussi supérieur ?

— Vous n'êtes pas au volant, si ?

— Non, je ne conduis pas. C'est Davie qui s'en charge. Et il n'est pas ivre, lui non plus.

— À qui tu parles, Cesca ? lança Justin depuis le siège arrière. C'est ton père ?

Une vague de fou rire monta dans sa gorge. C'était plus fort qu'elle. La question de Justin avait touché en plein dans le mille.

— Ne lui dis pas que tu es en route pour aller faire tatouer ton superbe petit cul ! beugla Caden.

Elle pouffa, et sa colère l'abandonna. À la place, un sentiment d'embarras l'envahit à l'idée que Ian entendait les plaisanteries de ses amis. Elle était en train de lui prouver qu'elle était aussi immature et puérile qu'il le pensait.

— Vous n'allez pas vous faire tatouer, fit Ian.

Le sourire de Francesca s'évanouit. Ça sonnait davantage comme un ordre que comme une question.

— Si, c'est *exactement* ce que je vais faire, rétorqua-t-elle, furieuse. Et d'ailleurs, j'ignorais que vous aviez le droit de régenter ma vie. J'ai accepté de peindre un tableau pour vous, pas de devenir votre esclave.

Caden, Davie et Justin se turent brusquement.

— Vous avez bu. C'est une décision impulsive que vous regretterez dès demain matin.

Une nuance de colère teintait la voix calme de Ian.

— Comment le savez-vous ?

— Je le sais.

Cette réponse prononcée d'un ton ferme la dégrisa un peu. Durant une fraction de seconde, elle fut convaincue qu'il avait raison. Puis une vague d'irritation l'aiguillonna. Elle avait passé toute la soirée à s'efforcer de ne pas penser à Ian Noble – à tenter d'oublier qu'il lui avait dit avoir envie de la baiser –, et il avait fallu qu'il se manifeste et qu'il ruine tous ses efforts en l'appelant et en se comportant de façon si arrogante ?

— Vous m'appelez pour une raison précise ? Parce que si ce n'est pas le cas, je vais de ce pas me faire tatouer un pirate sur le cul, fit-elle en reprenant au hasard un élément de la conversation de ses amis un peu plus tôt.

— Francesca, ne faites p...

Elle raccrocha.

— Cesca, tu ne viens pas de...

— Putain, elle l'a fait, coupa Caden d'un air ahuri, un peu impressionné. Elle vient de dire à Ian Noble qu'il pouvait aller se faire foutre et lui a raccroché au nez.

*
* *

— Tu es sûre que tu veux le faire, Cesca ? demanda Davie après qu'elle eut choisi un motif sur le catalogue illustré.

— Je... je crois bien, marmonna-t-elle.

Sa détermination faiblissait peu à peu.

— Évidemment qu'elle veut le faire. Tiens, bois un autre coup pour te donner du courage, suggéra judicieusement Justin en lui tendant une petite flasque argentée.

— Cesca..., reprit Davie d'une voix inquiète.

Francesca s'empara de la flasque.

La sensation du whisky dans sa gorge la fit grimacer. Elle avait horreur des alcools forts.

— Je n'aime pas beaucoup que mes clients boivent de l'alcool avant de passer aux aiguilles, grogna le tatoueur barbu aux cheveux hirsutes en entrant dans la salle d'attente où se tenaient les quatre amis.

— Oh, eh bien, dans ce cas..., tenta Francesca, entrevoyant une possible voie de sortie.

— Ne fais pas ta mauviette, insista Justin. Bart ne va quand même pas te renvoyer juste à cause d'une ou deux gorgées de gnôle, n'est-ce pas, Bart ? Ce mec a une vraie éthique, mais il a tendance à l'oublier très vite quand y a du fric à se faire.

Le tatoueur jeta un regard noir à Justin, mais le jeune homme ne se démonta pas.

— Baissez votre pantalon et allongez-vous sur la table, alors, marmonna Bart.

Francesca commença à déboutonner son jean. Davie, Justin, Caden et Bart la regardèrent s'allonger sur le ventre.

— Eh, laisse-moi t'aider ! s'exclama Caden avec enthousiasme quand elle commença à faire descendre son jean et sa culotte le long de sa fesse droite.

Davie lui empoigna le bras et l'arrêta avec un froncement de sourcils autoritaire. Caden se contenta de hausser les épaules avec un sourire bovin.

— Juste à cet endroit-là ? demanda Bart d'un ton bourru quelques secondes plus tard.

Au contact des doigts de l'homme sur sa peau, Francesca ressentit un profond dégoût.

— Eh ! Vous pourriez même vous servir d'une des superbes fossettes qu'elle a sur le cul comme une sorte de pot à peinture !

Francesca se figea au son étouffé de la voix de Justin et lança un regard de côté. Justin contemplait ses fesses partiellement dénudées avec un intérêt non dissimulé.

— On devrait peut-être jeter un coup d'œil sur l'autre fesse, histoire d'avoir une bonne vue d'ensemble, suggéra Caden.

— Vos gueules, tous les deux, grinça-t-elle entre ses dents serrées.

Ça la mettait vraiment mal à l'aise que Justin et Caden la regardent de cette façon. C'était peut-être bien une idée stupide, après tout. Ses pensées se fracassèrent en mille morceaux quand Bart s'approcha d'elle avec, à la main, une seringue vissée sur un tube d'encre. Elle vit que ses ongles étaient sales. Les aiguilles lui faisaient peur. Le whisky semblait bouillir à l'intérieur de son estomac.

— Attendez, tous, je ne suis pas tout à fait sûre de…, souffla-t-elle, les paupières obstinément fermées comme pour tenter de se concentrer.

— Allez, Cesca… Eh ! C'est quoi ce putain de bordel ?

Elle releva aussitôt la tête, et ses cheveux glissèrent devant son visage, l'aveuglant. Elle sentit la main de Bart se crisper brusquement, comme si quelqu'un lui avait agrippé le bras.

— Laissez-la partir tout de suite, ou je vous jure que je ferai en sorte que vous fermiez boutique définitivement.

Bart retira la main de sur son jean.

— Relevez-vous, Francesca.

Elle s'exécuta sans y réfléchir à deux fois. Elle se remit debout en chancelant et se rhabilla, considérant avec incrédulité un Ian au visage bouillonnant de colère.

— Qu'est-ce que vous faites là ?

Il ne répondit pas, se contentant de clouer Bart sur place de son regard furieux. Une fois qu'elle eut reboutonné son jean, il l'attrapa par le poignet. Elle trébucha derrière lui quand il commença à l'entraîner hors de la salle d'attente. Il s'arrêta devant le trio éberlué formé par Davie, Caden et Justin. Face à eux, il ressemblait à une sombre statue menaçante et austère.

— Vous trois, vous êtes ses amis ?

Davie hocha la tête, le visage livide.

— Vous devriez avoir honte de vous.

Justin semblait commencer à reprendre ses esprits. Il ouvrit la bouche pour protester mais Davie l'interrompit.

— Non, Justin. Il a raison.

Le visage du jeune homme vira au rouge brique et il parut sur le point de répondre, mais, cette fois, ce fut Francesca qui l'arrêta :

— Ça suffit, les garçons. Tout va bien. *Vraiment,* insista-t-elle à l'intention de Justin avant de suivre Ian hors de la boutique, la main fermement cramponnée à la sienne.

Elle eut du mal à suivre son pas rapide sur la chaussée, une fois qu'ils se furent éloignés le long de la sombre avenue bordée d'arbres. Elle n'avait pas l'impression d'être si saoule que ça. Mais alors, pourquoi le monde avait-il sombré sous un océan flou jusqu'à ce que la voix autoritaire de Ian intimant à Bart de la laisser partir l'ait ramenée à la réalité ?

— Vous avez l'intention de me dire ce qui vous a pris ? s'enquit-elle d'une voix essoufflée tout en trottinant à son côté.

— Vous avez de nouveau baissé votre garde, Francesca, fit-il avec une rage contenue.

— Hein ? Qu'est-ce que vous voulez dire ?

Il s'arrêta brusquement sur le trottoir, la prit dans ses bras et l'embrassa rudement. Tendrement. Pourquoi était-elle incapable de distinguer les deux quand il s'agissait de ses baisers ?

Elle gémit sous ses lèvres et son corps s'arc-bouta avant de fondre à nouveau au contact de son torse. Le goût de ce baiser l'emplissait d'un tourbillon de désir. Ses tétons se durcirent, comme si sa peau avait appris à associer la saveur de sa langue au plaisir. Il arracha sa bouche à la sienne plus tôt qu'elle ne s'y attendait – ou qu'elle ne le voulait. Son corps était brûlant contre le sien.

Dieu du ciel, comme elle le désirait ! Cette évidence flamboyante ne s'était pas encore tout à fait imposée à son esprit. Elle n'avait jamais imaginé qu'un homme comme Ian pût la convoiter sexuellement, et encore moins qu'elle désirât elle-même une telle chose.

La lumière des lampadaires à quelques mètres de là faisait briller les yeux de Ian, dont le visage était plongé dans la pénombre. Il la regardait, penché sur elle, et elle sentait un mélange de colère et de convoitise vibrer à travers toutes les fibres de son corps.

— Comment avez-vous *osé* laisser ce misérable déchet qui n'a même pas de licence poser une aiguille sur votre peau ? Et quel genre de fille stupide êtes-vous pour vous dénuder les fesses dans une pièce remplie d'hommes concupiscents ?

— Des *hommes concupiscents* ? Ce sont mes amis...

Francesca ferma un instant les yeux, le temps de retrouver un peu son souffle et d'assimiler le reste de ses propos.

— Bart n'avait pas de licence ? Attendez... Comment avez-vous *su* où j'étais ?

— Votre ami a braillé le nom de la boutique de tatouage pendant que vous étiez au téléphone, répondit Ian d'un ton cinglant.

Il s'écarta d'elle, abandonnant son corps pantelant et frustré.

— Oh..., souffla-t-elle.

Il traversa les plates-bandes de la contre-allée pour ouvrir d'un geste sec la porte d'une superbe berline noire et luisante.

Elle le fixa avec méfiance.

— Où allons-nous ?

— Si vous choisissez de me suivre dans cette voiture, à la résidence.

Le pouls de Francesca se mit à tambouriner à ses oreilles.

— Pour quoi faire ?

— Comme je vous l'ai dit, vous avez baissé votre garde, Francesca. Je vous avais prévenue de ce que je ferais si ça se reproduisait. Vous vous en souvenez ?

L'univers autour d'elle cessa d'exister. Seuls les yeux brillants de Ian, son visage sombre et les battements effrénés de son propre cœur subsistaient.

« Ne baissez jamais votre garde, Francesca. Jamais. La prochaine fois que vous le ferez, je vous punirai. »

La jeune femme sentit son entrecuisse devenir toute moite. Non... il ne *pouvait pas* être sérieux. Elle eut envie, l'espace d'un instant, de partir en courant rejoindre la joyeuse beuverie de ses amis.

— Rien ne vous oblige à entrer dans cette voiture, reprit-il plus doucement. Je veux juste que vous sachiez ce qui arrivera si vous le faites.

— Vous me punirez ? fit-elle d'une voix tremblante. Vous allez... quoi... me donner la fessée ?

Elle ne pouvait pas croire que sa bouche venait d'articuler ces mots. Et elle n'en crut pas ses yeux quand elle le vit hocher la tête.

— Exactement. Et votre comportement vous vaudra aussi quelques coups de tapette. Vous auriez mérité davantage, mais je vais tenir compte de votre inexpérience en la matière. Et ça fera mal. Enfin, je ne vous imposerai rien qui dépasse vos limites. Et jamais, *jamais,* je ne vous blesserai ou laisserai des marques, Francesca. Vous êtes bien trop précieuse. Je vous en donne ma parole.

Francesca jeta un regard aux lumières lointaines de la boutique de tatouage avant de se tourner à nouveau vers Ian.

C'était pure folie, et elle était incapable d'y résister.

Ian n'ajouta rien. Il referma juste la portière derrière elle une fois qu'elle fut installée du côté passager.

4

Les portes de l'ascenseur s'ouvrirent en silence, et Francesca pénétra dans le vestibule avec un mélange d'excitation et d'appréhension.

— Suivez-moi dans ma chambre à coucher, fit Ian.

« Ma chambre à coucher. » Ces mots résonnèrent dans le crâne de la jeune femme. Elle n'était jamais entrée dans cette aile de l'immense appartement, songea-t-elle distraitement. Elle lui emboîta le pas avec l'impression d'être une écolière prise en flagrant délit. Le sentiment d'attente fiévreuse qu'elle éprouvait répondait à quelque chose de profondément ancré en elle, quelque chose qu'elle ne parvenait pas à saisir totalement. Elle savait que, d'une certaine façon, si elle franchissait le seuil des quartiers privés de Ian, sa vie ne serait plus jamais la même. Comme s'il le comprenait, il s'arrêta juste devant la porte de bois sculpté.

— Vous n'avez jamais rien fait de ce genre, n'est-ce pas ?

— Non, admit-elle, les joues en feu. Ça ne vous pose pas de problème ?

Ils parlaient tous les deux à voix basse.

— Ça m'en posait un, au début. Mais je vous désire tellement que j'ai fini par accepter votre innocence.

Elle baissa les yeux. Il reprit :

— Vous êtes *certaine* de vouloir faire cela, Francesca ?

— Dites-moi juste une chose.

— Tout ce que vous voulez.

— Quand vous m'avez téléphoné tout à l'heure... quand j'étais dans la voiture... Vous ne m'avez jamais dit pourquoi vous appeliez.

— Et vous aimeriez le savoir ?

Elle hocha la tête.

— J'étais seul dans la résidence. Je n'arrivais pas à travailler ou à me concentrer.

— Vous ne m'aviez pas dit que vous aviez l'intention de vous détendre ?

— C'est bien ce que j'ai dit. Mais le moment venu, je n'arrivais pas à cesser de penser à vous. Je n'aurais pu voir personne d'autre.

Elle prit une inspiration tremblante, touchée qu'il lui parle avec autant de franchise.

— Alors je suis allé dans l'atelier voir ce que vous aviez peint hier. C'est prodigieux, Francesca. J'ai aussitôt su que je devais vous voir.

Elle baissa encore davantage la tête pour dissimuler le plaisir que lui causaient ces mots.

— Très bien. Je suis sûre de vouloir faire ça.

Cette fois, ce fut lui qui hésita avant de tourner finalement la poignée. La porte s'ouvrit, il l'invita à entrer d'un geste de la main, et elle avança avec prudence dans la pièce. Ian appuya sur un bouton d'un panneau de contrôle, et plusieurs lampes s'allumèrent d'un seul coup, diffusant une lumière chaude et dorée.

C'était une chambre magnifique – paisible, meublée avec goût, luxueuse. Un divan et plusieurs sièges étaient disposés autour d'une cheminée, juste en face de Francesca. Un grand vase Ming abritant une superbe composition florale d'arums rouges et d'orchidées était posé sur la table derrière le divan. Un tableau impressionniste représentant un champ de coquelicots surplombait la cheminée ; Francesca était presque sûre qu'il s'agissait d'un original de Monet. *Je n'arrive pas à y croire.* Son regard se posa enfin sur l'immense lit à colonnes sculptées qui occupait la partie droite de la pièce. Comme le reste du mobilier, il était tapissé dans de riches tons de brun, d'ivoire et de rouge sombre.

— Les quartiers privés du seigneur du manoir, murmura-t-elle.

Ian esquissa un sourire gêné, avant de se diriger vers une porte plus petite. Francesca le suivit dans une salle de bains qui s'avéra en réalité plus grande que la chambre. Il fouilla dans un placard et en sortit une housse en plastique transparent qu'il déposa près du lavabo.

— Allez prendre une douche et mettez cette robe. Seulement la robe. Laissez toutes vos autres affaires. Vous trouverez tout ce dont vous avez besoin dans ces deux compartiments. Vous sentez le whisky et le tabac froid.

— Je suis désolée.

— J'accepte vos excuses.

Elle sentit ses joues s'enflammer à nouveau. Un léger sourire apparut sur les lèvres de Ian quand il vit l'embarras que sa réaction provoquait en elle. C'était de toute évidence l'effet qu'il recherchait.

— Vous me plaisez, Francesca. Au-delà de toute mesure.

Elle en resta bouche bée. Apprendrait-elle un jour à déchiffrer ses réactions ?

— Or vous devez apprendre à me plaire également sur le plan sexuel.

— Je le veux vraiment, fit-elle d'un ton calme, surprise par sa propre candeur.

— Très bien. Pour commencer, je veux que vous preniez une douche et que vous mettiez cette robe. Quand vous aurez fini, revenez dans la chambre pour y recevoir votre punition.

Il s'apprêtait à sortir de la salle de bains quand il s'arrêta.

— Oh, et lavez aussi vos cheveux, je vous prie. C'est criminel de laisser cette splendeur empester la cigarette, murmura-t-il avant de sortir pour de bon.

La porte se referma derrière lui avec un petit cliquètement.

Francesca demeura un moment immobile, campée sur le sol de marbre immaculé. Il trouvait ses cheveux splendides ? Elle lui plaisait ? Comment pouvait-il penser ce genre de chose d'elle ? Comment faisait-il pour l'embrasser jusqu'à ce qu'elle ait l'impression de frôler la combustion spontanée, et pour la regarder l'instant suivant sans paraître lui accorder plus d'attention qu'au papier peint ?

Elle prit une longue douche qu'elle savoura plus qu'elle ne s'y était attendue. La cabine aux parois de verre se remplit très vite de vapeur, et les volutes blanches enveloppèrent sa peau nue d'une caresse moelleuse. C'était agréable d'utiliser son savon de fabrication artisanale, de s'imprégner de sa senteur fraîche et épicée. Heureusement, elle s'était épilée avant de se rendre au *McGill's* ; ses jambes étaient donc impeccables.

Allait-il la mettre nue avant de la fesser ?

Bien sûr que oui, il va le faire, se répondit-elle à elle-même en faisant coulisser le panneau de verre avant de sortir de la cabine de douche. Il lui avait clairement fait comprendre qu'il la voulait nue sous la robe. Elle sortit le vêtement de la housse de plastique. La robe était-elle neuve ? Est-ce qu'il en avait en réserve pour toutes les femmes qui le « distrayaient » ? Cette idée la mit mal à l'aise, et elle la repoussa vite, se concentrant plutôt sur la recherche de ce dont elle avait besoin : un peigne, du déodorant, une brosse à dents neuve, un flacon de bain de bouche. Tout était si impeccablement rangé dans les compartiments qu'elle prit soin ensuite de replacer chaque objet à sa place initiale.

Elle plia ses vêtements et les posa sur un tabouret rembourré avant de s'immobiliser devant le miroir, fascinée par l'image que la glace lui renvoyait. Ses yeux semblaient immenses au milieu de son visage pâle, et ses cheveux humides lui retombaient sur les épaules. Elle avait l'air un peu effrayée.

Peut-être que je suis vraiment *effrayée,* songea-t-elle fiévreusement. Il avait dit qu'il allait lui donner la fessée et que ça ferait mal. Elle avait consenti à ces pratiques sexuelles déviantes parce qu'elle le désirait tellement…

La question était : qu'est-ce qui l'emporterait, la peur qu'elle éprouvait, ou son désir de séduire Ian ?

Elle s'avança vers la porte de la salle de bains et l'ouvrit. Ian était assis sur le divan, une tablette électronique sur les genoux. Il reposa l'appareil sur la table quand Francesca pénétra dans la chambre.

— J'ai allumé la cheminée pour vous, fit-il en la scrutant de la tête aux pieds.

Il portait toujours les mêmes vêtements qu'au moment où il avait fait irruption dans le salon de tatouage - un pantalon gris sombre et une chemise à rayures bleues et blanches déboutonnée sur le haut. Ses longues jambes étaient négligemment croisées, et il semblait extraordinairement détendu. La lumière du feu se reflétait dans ses yeux.

— Il ne fait pas chaud, ce soir. Je ne voulais pas que vous attrapiez froid.

— Merci, souffla-t-elle d'une voix gauche et hésitante.

— Ôtez la robe, Francesca, fit-il calmement.

Le cœur de la jeune femme manqua un battement. Elle défit la ceinture en tremblant et fit glisser le vêtement sur ses épaules.

— Asseyez-vous là, dit-il en désignant une chaise devant elle, sans la quitter un instant du regard.

Elle déposa la robe sur le dos de la chaise et s'assit en priant pour que le sol s'ouvre sous ses pieds et l'engloutisse, gardant les yeux obstinément baissés sur les motifs compliqués du tapis persan, comme s'ils renfermaient le secret ultime de l'univers.

— Regardez-moi.

Elle releva la tête. Dans ses iris, elle discerna quelque chose qu'elle n'avait encore jamais vu.

— Vous êtes exquise. Étourdissante. Pourquoi baissez-vous la tête comme si vous aviez honte ?

Elle avala péniblement sa salive. L'embarrassante vérité fusa sans prévenir entre ses lèvres :

— Je... avant, j'étais grosse. Jusqu'à mes dix-neuf ans, environ. Je crois que j'ai toujours l'impression d'habiter mon ancien corps, murmura-t-elle d'une voix à peine audible.

Une expression de compréhension soudaine apparut sur les traits vigoureux de Ian.

— Ah... je vois. Et pourtant, vous semblez parfois très sûre de vous.

— Ce n'est pas de l'assurance. C'est un réflexe de défense.

— Oui, souffla-t-il. Je comprends, maintenant. Mieux que vous ne pourriez le croire. C'est votre façon de dire au monde d'aller se faire foutre quand quelqu'un a l'outrecuidance de poser le regard sur vous.

Il sourit et reprit :

— Vous avez du caractère, Francesca. Mais il est temps que vous appreniez aussi à quel point vous êtes belle. Vous devez toujours contrôler la force qui est en vous sans jamais la laisser s'altérer ou, pire, permettre aux autres de la contrôler à votre place. Venez devant moi, je vous prie.

Elle s'avança vers lui, les genoux tremblants, et ses yeux s'agrandirent de confusion quand il se saisit d'un petit pot posé sur le divan à côté de lui. Le récipient était de taille si modeste, et Francesca était tellement hypnotisée par Ian, qu'elle ne l'avait pas remarqué auparavant. Il dévissa le couvercle et déposa une noisette d'épaisse crème blanche sur son majeur. Relevant les yeux, il remarqua l'expression abasourdie de Francesca.

— C'est un stimulant clitoridien. Ça augmente la sensibilité des terminaisons nerveuses.

— Oh... d'accord, répondit-elle sans même s'en rendre compte.

Le regard de Ian descendit vers le creux de ses cuisses. Elle brûlait d'excitation, comme si ce regard était déjà un stimulant suffisant.

— J'ai l'habitude d'être très égoïste quand mon plaisir est en jeu.

— Que voulez-vous dire ?

— Je donne toujours du plaisir à une soumise si elle me satisfait. Mais je ne me soucie pas de savoir si elle en ressent ou non pendant sa punition. Elle doit d'abord l'endurer pour recevoir sa récompense. Cependant, avec vous, je vais... changer un peu mes habitudes.

— Une soumise ? demanda-t-elle faiblement, incapable de penser à autre chose qu'à ce mot.

— Oui. Je suis un dominant sexuel, bien que je n'aie pas besoin de pratiquer le bondage ou la domination pour parvenir à la jouissance. C'est une préférence, pas une nécessité.

Il s'avança sur le canapé de manière à ce que sa tête sombre se retrouve à quelques centimètres du ventre de Francesca, son nez proche de son sexe. Elle le vit respirer lentement et fermer quelques instants les yeux.

— Si douce, murmura-t-il d'une voix un peu égarée.

Elle n'eut pas le temps de se préparer à ce qui arriva ensuite. Il plongea hardiment son majeur en elle et appliqua rudement la crème sur son clitoris, provoquant une réaction... électrique. Elle se mordit la lèvre inférieure pour s'empêcher de crier sous l'effet de l'intense plaisir qui la traversait.

— Ce soir, je vous punirai, et je ne ferai pas semblant. Je vais y prendre du plaisir. Beaucoup de plaisir. Seulement, je veux que vous en éprouviez aussi. C'est votre nature qui en décidera en majeure partie, mais cette crème aidera à orienter les choses dans le bon sens, dit-il en continuant à masser son clitoris.

Il la scruta de nouveau.

— Je ne veux pas que cela représente à vos yeux une expérience traumatisante. Je ne veux pas que vous redoutiez mes châtiments. En d'autres termes, je ne veux pas que vous ayez peur de moi, Francesca.

Sa main interrompit son geste, et il contempla de nouveau son entrecuisse. Ses narines frémirent, et son expression se durcit tandis qu'il se relevait brusquement.

— Venez par là.

Elle le suivit près du feu, et ses jambes faillirent se dérober sous elle quand elle vit ce qu'il venait de prendre sur la tablette de la cheminée : une longue tapette noire.

— Approchez-vous davantage. Je veux que vous la voyiez bien.

Il leva la tapette pour la montrer à Francesca.

— Je les commande directement au fabricant. J'ai reçu celle-ci la semaine dernière. Et même si j'étais alors résolu à ne jamais l'utiliser sur votre corps, je l'ai fait fabriquer en pensant à vous, Francesca.

Les yeux de la jeune femme s'agrandirent.

— Je vais vous mettre la peau en feu avec ce côté-là, dit-il calmement en lui montrant la face en cuir de la tapette.

Un liquide moite afflua entre les cuisses de la jeune femme. Ian tordit le poignet, projeta la tapette de quelques dizaines de centimètres dans l'air, et la rattrapa par le manche. Francesca l'observait, fascinée. L'autre face était recouverte de fourrure brun sombre.

— Et j'apaiserai le feu avec ce côté-ci.

La bouche de Francesca devint sèche, et son esprit s'embua.

— Nous allons commencer tout de suite. Penchez-vous et placez vos mains sur vos genoux.

Elle fit ce qu'il lui demandait, le souffle haletant. Il se rapprocha et se posta debout, à côté d'elle. Elle lui lança un coup d'œil anxieux. Le feu qui brûlait dans l'âtre faisait luire ses prunelles tandis qu'il laissait errer son regard sur son corps.

— Seigneur… vous êtes magnifique. Ça me frustre que vous ne le voyiez pas, Francesca. Ni dans les miroirs, ni dans les yeux des autres hommes, ni même au fond de vous-même.

La jeune femme battit des paupières quand il tendit la main pour lui caresser d'abord le dos, puis la hanche et la fesse gauche. Une onde de plaisir la traversa.

— Vous méritez vraiment d'être punie pour avoir osé seulement imaginer abîmer cette peau. Si lisse. Si blanche. Si douce.

Il fit courir ses longs doigts dans le sillon de ses fesses, et Francesca ferma les paupières de toutes ses forces. Une émotion troublante monta du fond de sa gorge, l'emplissant de confusion. Ian avait l'air sincèrement émerveillé.

Elle ne desserra pas les cils avant qu'il cesse de la caresser.

— Écartez les jambes et cambrez le dos. J'aurai ainsi le plaisir de pouvoir contempler vos jolis seins pendant que je vous corrigerai.

Elle ajusta sa position, arquant le dos. Ian tendit la main pour soupeser l'un de ses seins, lui arrachant un bref hoquet. Il pinça légèrement le téton, et elle frissonna de plaisir.

— Maintenant, fléchissez très légèrement les genoux. Ça vous aidera à supporter les coups. Voilà. C'est parfait. C'est cette position que j'exigerai de vous chaque fois que je vous administrerai des tapes.

Elle regretta le contact de ses doigts agiles et de sa paume chaude sur sa poitrine quand il remonta la main jusqu'à son épaule.

— Vous avez une peau extrêmement délicate. Je vous donnerai quinze coups.

La face en cuir de la tapette s'abattit sur ses fesses. Elle écarquilla grands les yeux et laissa échapper un cri. Le bref éclair de douleur se transforma rapidement en sensation de brûlure.

— Ça va ?

— Oui, répondit-elle avec sincérité en se mordant la lèvre inférieure.

Il frappa de nouveau, visant cette fois la douce courbe du bas de ses fesses. Le coup la fit légèrement vaciller en avant, et il la rattrapa par l'épaule.

— Vous avez une croupe splendide, murmura-t-il d'une voix rauque et grave. (Il lui donna un nouveau coup.) Vous avez raison de pratiquer la course de fond. Vos fesses sont à la fois fermes et pulpeuses. L'idéal pour la fessée.

Le coup de tapette suivant arracha à Francesca un souffle heurté. Comment était-il possible que la sensation de brûlure sur son postérieur commence à se communiquer à son clitoris ? Un fourmillement brûlant envahissait lentement le fragile bouton de chair. Ian frappa encore, et elle ne put retenir un cri.

— Vous avez mal ? demanda-t-il en suspendant son geste.

Elle hocha la tête.

— Si c'est trop, vous pouvez me le dire. J'adoucirai mes coups.

— Non… Ça va aller, répondit-elle en tremblant.

Il se rapprocha d'elle sans prévenir et lui saisit les hanches avant de coller son bas-ventre contre son flanc. Elle hoqueta au contact du membre imposant qui pulsait contre sa chair à travers le tissu.

— Voilà, chuchota-t-il. Voilà à quel point vous me plaisez.

Les joues de Francesca s'enflammèrent, et la chaleur au creux de son entrejambe s'intensifia. Ian recula et abattit la tapette encore et encore, avec des claquements secs. Au moment où il s'apprêtait à lui infliger le dernier coup, elle avait déjà l'impression que ses fesses étaient en feu. Il remarqua peut-être le tremblement de ses cuisses car il affermit sa prise sur son épaule et murmura :

— Gardez la position.

Il colla ensuite la surface de cuir contre sa chair chauffée au rouge, comme s'il calculait calmement la trajectoire de son coup final. Il leva la tapette et frappa.

Un cri aigu jaillit de la gorge de Francesca. Il la rattrapa alors qu'elle tombait presque en avant.

— Chhh, la consola-t-il. Cette partie-là est finie.

Elle éclata en sanglots quand il retourna la palette et commença à caresser son postérieur endolori avec la fourrure. C'était si bon... La sensation de fourmillement dans son clitoris s'était transformée en brûlure exquise et suppliante. Elle mourait d'envie de se toucher, de se caresser. Cette excitation était-elle due aux coups de tapette de Ian, ou à la crème sensibilisante qu'il avait appliquée ? Le simple souvenir de son doigt long et épais frictionnant son clitoris avec la crème la fit gémir. Elle se sentait fébrile. Il cessa soudain de caresser ses fesses avec la fourrure et l'incita à se redresser en faisant pression sur son épaule.

Il la fit se tourner vers lui. Elle se sentait dans un état étrange... hébétée... excitée. Il avait lâché la tapette. Elle resta debout devant lui, bouleversée, tandis qu'il écartait doucement les cheveux de son visage.

— Vous vous êtes extrêmement bien comportée, Francesca. Mieux que je n'osais l'imaginer, chuchota-t-il en lui caressant la joue de son pouce. C'est la douleur qui vous fait pleurer ?

Elle secoua la tête.

— Pourquoi, alors, ma beauté ?

La gorge de Francesca était trop nouée pour lui permettre de répondre. Qui plus est, elle n'aurait su quoi dire, même si elle l'avait pu.

Il entoura son visage de ses paumes. Avec son passé d'adolescente en surpoids et sa taille inhabituellement grande pour une femme, elle se sentait d'habitude gauche et disgracieuse. Mais Ian était nettement plus massif qu'elle. À côté de lui, elle se sentait frêle, délicate... féminine. Elle se rendit soudain compte qu'il tremblait légèrement.

— Ian... Vos mains tremblent, dit-elle dans un souffle.

— Je sais. Je pense que c'est parce que je me contiens depuis trop longtemps. Francesca, je fais tout ce que je peux pour ne pas vous prendre dans la seconde et vous baiser sauvagement.

Elle cligna les yeux, abasourdie. Il parut se rendre compte de sa réaction et ferma un instant les paupières, comme s'il regrettait ce qu'il venait de dire.

— Maintenant, j'aimerais vous fesser sur mes genoux. Ça me procurerait un plaisir immense de vous avoir ainsi sur mes cuisses, à ma merci. Or vous êtes très délicate. Si la tapette vous a trop durement éprouvée, je n'insisterai pas pour que nous poursuivions.

— Non. Je veux continuer, murmura-t-elle d'une voix rauque.

Elle le regarda fixement. *Je veux vous faire plaisir, Ian.*

Il battit des paupières et continua à lui caresser les joues, la dévisageant impitoyablement.

— Très bien, dit-il finalement d'un ton résigné. Approchez-vous d'abord de la cheminée.

Elle le suivit mais il bifurqua vers la salle de bains.

— Je reviens tout de suite, fit-il.

Elle l'attendit près du feu. La chaleur du foyer se mêlait à l'embrasement sexuel de son corps, produisant en elle un étrange mélange de lassitude et d'effervescence. Ian revint au bout d'un moment avec un peigne dans la main.

— Laissez-moi vous brosser les cheveux pour qu'ils sèchent au coin du feu.

Elle lui jeta un regard perplexe. Il répondit par un petit sourire penaud.

— J'ai besoin de faire quelque chose qui me détende.

Elle lui rendit son sourire en tremblant et lui tourna le dos quand il lui en fit signe. Le mélange paradoxal d'apaisement et de fébrilité qu'elle ressentait s'accentua quand Ian ordonna doucement sa chevelure, écartant les mèches entre ses doigts avant de passer lentement et sensuellement le peigne à travers ses cheveux. La tête de Francesca s'affaissa sur ses épaules.

— Vous avez sommeil ? souffla-t-il derrière elle.

Le simple son de sa voix semblait suffire à faire durcir ses tétons. La sensation de chaleur cuisante dans son clitoris s'intensifiait. *Maudite crème.*

— Non, pas vraiment. C'est juste très agréable.

Il fit glisser le peigne depuis ses racines jusqu'aux pointes humides qui retombaient sur sa poitrine.

— Je n'ai jamais vu des cheveux comme les vôtres. De l'or rose, fit-il d'une voix grave et un peu rauque.

Il caressa ses fesses rougies, la faisant frémir, et soupira comme pour s'avouer vaincu.

— Ce n'était pas exactement la bonne méthode pour me calmer, en fin de compte. Autant continuer. Suivez-moi.

Il s'avança jusqu'au divan et s'assit sur le coussin central, les cuisses légèrement écartées. D'un simple regard, il désigna ses genoux à Francesca. Cette dernière recouvra brutalement ses esprits. Elle était nue, il était habillé, et elle n'avait aucune idée de ce qu'elle était censée faire. Elle avala nerveusement sa salive en remarquant l'érection évidente sous le tissu du pantalon de Ian. Le contour de son sexe durci formait une bosse sur le flanc intérieur de sa cuisse droite. Comme hypnotisée par cette vision, elle grimpa sur le divan à quatre pattes et se laissa tomber sur les cuisses de Ian. Il l'aida doucement en guidant ses hanches de sa main pour qu'elle prenne la position qu'il désirait.

Quand ce fut fait, les seins de Francesca étaient pressés contre l'extérieur de la cuisse gauche de Ian, son ventre posé sur ses genoux, ses fesses recourbées au-dessus de sa cuisse droite. Il fit courir sa main sur son dos, ses hanches, ses fesses, et elle sentit son sexe se dresser sous ses côtes.

— C'est l'exacte position que je veux que vous preniez pour une fessée sur les genoux. Vous avez compris ? demanda-t-il tout en la caressant.

Une sensation de chaleur et de fourmillement, qui n'était pas désagréable, irradiait toujours sur sa peau.

— Oui, fit-elle en hochant la tête.

Des mèches lui retombèrent sur le visage.

— Autre chose..., commença-t-il.

Il lui releva doucement les cheveux et les réunit d'un côté, puis appuya légèrement sur sa nuque de manière à ce que le front de la jeune femme soit collé contre la douce étoffe du divan.

— Je vous mettrai souvent un bandeau avant de vous fesser – je veux que vous soyez totalement concentrée sur ma main, sur les sensations liées à votre punition... sur ma propre excitation. Or, pour l'instant, je vous demande juste de garder le visage baissé et de fermer les yeux.

Elle serra les paupières et laissa échapper un petit gémissement. Il se figea.

— Qu'y a-t-il ? Ça vous excite ?

— Je... je crois que oui, répondit-elle, troublée.

Elle supposa qu'il avait raison. Une bouffée de désir s'était emparée d'elle quand il avait prononcé ces mots. Comment cela était-il possible ?

— Ce doit être la crème, murmura-t-il. (Elle sentit qu'il souriait, et il reprit :) Maintenant, ne bougez plus, ou je vous frapperai plus durement.

Il leva la main et tappa sa fesse droite, puis la gauche, puis encore la droite en une succession de coups rapides. Le bruit des claquements sur sa chair résonnait dans les oreilles de Francesca même quand il s'interrompait. Il avait de toute évidence beaucoup d'expérience en la matière : ses coups étaient précis, nets, rapides, mais pas précipités. Francesca sentit une sensation de chaleur embraser sa chair, différente de celle qu'elle avait ressentie quand il avait utilisé la tapette. La main de Ian engendrait une lente et frémissante brûlure qui se diffusait ensuite le long de sa peau. Chaque fois qu'il abattait la main, elle sentait son membre durci se dresser contre son ventre, et les muscles de ses cuisses se tendre. La paume de Ian devint progressivement aussi chaude que la chair de Francesca. Son sexe en érection dégageait une autre sorte de chaleur qui se communiquait à la peau de la jeune femme à travers l'étoffe du pantalon.

Il gifla la courbe inférieure de sa croupe, puis empoigna soudain brutalement ses deux fesses tout en arquant le bassin, plaquant le bas-ventre de Francesca contre sa hampe rigide. Le gémissement tremblant de la jeune femme se mêla au rugissement rauque de l'homme d'affaires. Son clitoris s'embrasa sous la pression et la conscience aiguë du sexe dressé de Ian, tout près. Elle se sentait confuse, fébrile – comme si un feu intérieur la dévorait –, consumée par le désir de prolonger ce contact entre leurs deux intimités et l'envie de se redresser pour enfourcher ce membre telle une dépravée. Il rabaissa les hanches et recommença à la fesser. Quand il s'interrompit après une rapide série de coups pour la pétrir une nouvelle fois, Francesca perdit tout contrôle d'elle-même.

— Oh ! Ian… non. Je suis désolée, je n'en peux plus, geignit-elle en se tordant sur ses genoux.

Il se figea, une main toujours enfoncée dans la chair de ses fesses.

— C'est trop douloureux ? s'enquit-il d'une voix crispée.

— Non. C'est juste que je ne peux plus rester immobile. Je *brûle* !

Durant quelques secondes éprouvantes, il ne bougea pas. Puis, il relâcha sa pression et glissa une main entre ses cuisses. Elle laissa échapper un râle d'agonie quand ses doigts frôlèrent sa fente. Sa puissante érection se dressa contre son ventre.

— *Dieu du ciel...* vous êtes trempée, l'entendit-elle murmurer.

Il avait l'air estomaqué. Elle était trop excitée pour ressentir de la gêne... les choses étaient allées trop loin. Elle hoqueta quand il passa une main sous l'une de ses épaules pour l'aider à se redresser.

— Venez là, lui ordonna-t-il d'une voix dure.

Oh non. L'avait-elle de nouveau irrité ? Elle se remit à genoux sans son aide.

— Enfourchez mes cuisses.

Les cheveux à présent presque secs de Francesca s'éparpillèrent autour de ses épaules quand elle exécuta son ordre. Il lui saisit les hanches et replaça sa croupe brûlante au-dessus de ses cuisses. Puis il lui lissa la chevelure en arrière, exposant sa poitrine. Le regard vrillé sur ses seins, il esquissa un petit sourire tordu.

— Regardez-moi ça..., souffla-t-il. Vos tétons sont presque aussi rouges que vos fesses. (Il releva les yeux vers son visage.) Comme le sont aussi vos joues, Francesca... et vos lèvres. Vous aimez être punie, ma beauté. Et ça me plaît au plus haut point. Ça va être si bon de baiser votre petite chatte humide...

Le sexe de la jeune femme se contracta douloureusement. Ian posa ses larges mains sur ses hanches et baissa la tête, attirant la poitrine de Francesca vers lui. Elle se crispa, s'attendant à retrouver les sensations de l'exquise morsure qu'il avait infligée à ses seins dans la salle d'escrime. Mais au lieu de cela, il saisit doucement son téton entre ses lèvres, suçotant sa pointe durcie, avant de répéter l'opération avec l'autre.

— Si parfaite..., chuchota-t-il.

Ses mains s'activèrent rapidement, et l'excitation de Francesca s'intensifia encore quand elle comprit qu'il était en train de déboutonner son pantalon. Il continuait à embrasser le creux de sa poitrine, léchant et embrasant sa chair avec sa langue chaude et humide de salive.

Elle sentit son clitoris saillir, envahi d'un délicieux tourment. Elle n'arrivait plus à se contrôler. Elle se pendit désespérément à son cou et laissa échapper un gémissement fiévreux et sauvage. Il releva la tête et contempla son visage.

— Tout va bien..., fit-il d'une voix douce, les yeux flamboyants de désir.

Elle gémit encore quand il glissa un doigt entre les petites lèvres de son sexe moite. Il effleura son clitoris. Ce fut tout. Un seul contact.

Elle explosa littéralement.

Elle était à peine consciente de ce qui lui arrivait. Durant quelques instants, le déferlement de plaisir oblitéra la totalité de son être. Pendant une seconde ou deux, il continua à caresser son clitoris tandis que les ondes de jouissance se répercutaient à travers tout son corps. Perdue dans un océan de jouissance, elle l'entendit pousser un juron et sentit qu'il la serrait plus fort, comme s'il voulait absorber les vagues de son orgasme. Elle se convulsa contre lui, vaincue par le tourbillon de plaisir.

Il bougea la main. Elle cria quand il introduisit un doigt épais dans son vagin.

Quelques secondes plus tard, elle se retrouva étendue sur le divan à côté de Ian, qui la toisait sévèrement pendant qu'elle essayait de reprendre son souffle.

— Vous n'avez jamais connu d'homme. N'est-ce pas ?

Elle se figea. Ça ne ressemblait pas vraiment à une question. Plutôt à une accusation.

— Non, fit-elle en recommençant à haleter – pourquoi la regardait-il ainsi ? Je vous l'ai *dit*.

La colère se mit à crépiter sans ses yeux.

— À quel moment, précisément, m'avez-vous dit que vous étiez vierge, Francesca ? Parce que je doute sincèrement qu'une information aussi essentielle ait simplement glissé hors de mon esprit.

— Devant la... juste avant que nous entrions dans la chambre, répondit-elle en désignant stupidement la porte de la pièce. Vous m'avez demandé si j'avais déjà fait ce genre de choses, et je vous ai dit que...

— Je vous demandais si vous aviez déjà laissé un homme vous punir. Vous dominer. Pas... pas vous *baiser*, bon sang !

Il se releva brusquement et commença à faire les cent pas devant la cheminée, les doigts crispés dans ses cheveux. Il semblait complètement perdu.

— Ian, qu'est-ce qui...

— Je savais que c'était une erreur, marmonna-t-il d'un ton amer. Qui croyais-je tromper avec ça ?

Francesca en resta bouche bée. Il considérait que tout cela avait été une erreur ? Il la rejetait ? *Maintenant ?* Un flot d'images et de sensations submergea son cerveau, des souvenirs de l'excitation débridée qu'elle avait ressentie, de son abandon total au désir de son partenaire.

Elle se souvint alors d'une expérience cuisante de son adolescence, parmi celles qu'elle aurait préféré oublier ce soir-là. Rien ne peut causer plus de honte que d'exprimer un besoin, d'accepter de se montrer vulnérable et de voir ensuite cette émotion pure et sincère brutalement repoussée comme un méprisable déchet.

Des larmes lui brouillèrent la vue, et elle tendit désespérément la main vers la couverture en cachemire jetée sur le rebord du divan. Elle en enveloppa son corps nu avant de se relever. Ian se figea.

— Qu'est-ce que vous faites ?

— Je m'en vais, répondit-elle en s'avançant vers la salle de bains.

— Francesca, arrêtez-vous tout de suite, ordonna-t-il d'un ton calme, sévère.

Elle s'immobilisa et soutint son regard. Une bouffée de colère et de douleur monta dans sa poitrine, lui nouant la gorge.

— Vous venez juste de perdre le droit de me donner des ordres.

Il pâlit.

Elle se détourna à temps pour qu'il ne puisse pas voir les larmes jaillir de ses yeux. Elle avait déjà dévoilé bien assez de sa vulnérabilité à Ian Noble.

Plus qu'assez pour le reste de sa vie.

PARTIE III

PARCE QUE TU ME HANTES

5

Deux jours plus tard, Ian regardait par la fenêtre de sa limousine tandis que son chauffeur Jacob Suarez bifurquait le long d'une rue bordée de maisons cossues en brique. D'après l'un de ses associés, David Feinstein avait hérité cette résidence de ses parents, Julia et Sylvester, mais il aurait tout aussi bien pu se permettre d'acheter lui-même cette maison située dans le quartier aisé de Wicker Park. La galerie d'art Feinstein marchait très bien. Apparemment, le colocataire de Francesca pouvait se targuer de posséder à la fois un goût artistique très sûr et un solide sens des affaires, ainsi que des manières tranquilles, raffinées et mesurées, qui plaisaient beaucoup aux riches amateurs d'art.

Ian devait admettre qu'il avait été soulagé d'apprendre que David – ou « Davie », comme l'appelait Francesca – était gay. Non que les préférences sexuelles de ses colocataires aient une grande importance, se dit-il pendant que Jacob ralentissait. Il avait eu la preuve éclatante, deux nuits plus tôt, que les colocataires de la jeune femme ne franchissaient aucune limite condamnable.

Il avait eu aussi la preuve éclatante d'avoir franchi, *lui,* une limite condamnable, songea-t-il amèrement en fronçant les sourcils au moment où Jacob lui ouvrait la portière.

L'image d'une Francesca effondrée quittant sa chambre n'avait cessé de le tourmenter depuis ce moment. Il l'avait regardée s'enfuir de l'appartement en fulminant contre lui-même, brûlant d'envie de l'arrêter mais conscient, en voyant l'expression obstinée qui déformait son beau visage, qu'elle refuserait de l'écouter. Il lui en voulait de les avoir mis dans une telle situation, et il s'en voulait de n'avoir vu que ce qu'il désirait voir.

Oui, il savait pertinemment avant de commencer qu'elle était innocente, mais pas innocente *à ce point-là*. Il savait qu'il ferait mieux de la laisser tranquille. Pour le bien de tout le monde.

Et pourtant, il était là.

Il frappa à la porte d'entrée vert sombre avec un mélange de résignation et de détermination. D'où lui venait cette étrange obsession ? Était-ce parce que Francesca avait capturé son reflet à son insu dans un de ses tableaux, des années plus tôt ? La vision qu'elle avait eue de lui, bien que fugitive, était dérangeante.

Il avait envie à la fois de la punir et de la posséder pour lui faire payer son erreur.

Il avait su par Mme Hanson que Francesca n'était pas revenue peindre chez lui. Le fait qu'elle évite sa présence l'avait rendu furieux – une colère irrationnelle, or la logique semblait impuissante face au tumulte de ses émotions. À l'instant où il frappait à la porte, Ian n'avait toujours pas décidé s'il venait pour s'excuser et assurer à Francesca qu'il ne l'importunerait plus jamais, ou pour la convaincre par tous les moyens de le laisser la toucher à nouveau.

Ce conflit intérieur permanent l'avait mis dans un tel état d'irritabilité que même Lin, qui savait d'ordinaire mieux que personne tempérer ses humeurs, le fuyait à présent comme la peste.

La porte d'entrée s'ouvrit, et un homme brun de taille moyenne, qui paraissait plus jeune que ses vingt-huit ans, le toisa sombrement. Il devait être rentré récemment de la galerie, car il était vêtu d'un costume trois-pièces gris anthracite.

— Je viens voir Francesca, annonça Ian.

Davie jeta un regard inquiet à l'intérieur de la maison, puis finit par hocher la tête et reculer, invitant Ian à entrer. Il le conduisit jusqu'à un petit salon décoré avec goût.

— Asseyez-vous. Je vais la chercher.

Ian opina et déboutonna sa redingote avant de s'asseoir. Il ramassa distraitement un catalogue posé sur le fauteuil à côté de lui, à l'affût toutefois du moindre son perceptible dans la vaste maison. Pas de bruit de pas dans les escaliers. Certaines pages du catalogue étaient cornées, comme si quelqu'un en avait récemment étudié le contenu. C'était un listing de tableaux qui seraient prochainement vendus aux enchères dans une salle des ventes locale.

Davie réapparut dans le salon une minute plus tard. Ian releva la tête et abandonna sa lecture.

— Elle est occupée, fit Davie, l'air vaguement mal à l'aise.

Ian hocha lentement la tête. Il n'était pas surpris.

— Pourriez-vous, je vous prie, l'informer que j'attendrai jusqu'à ce qu'elle soit libre ?

La pomme d'Adam de Davie saillit ostensiblement sur sa gorge tandis qu'il avalait sa salive. Il quitta le salon sans rien dire et revint une minute plus tard, toujours sans Francesca. Il adressa à Ian une grimace d'excuse. Ce dernier se leva et sourit.

— Vous n'y êtes pour rien, le rassura-t-il. (Il lui tendit la main.) Au fait, je suis Ian Noble. Nous n'avons jamais été présentés dans les règles.

— David Feinstein, répondit Davie en lui serrant la main.

— Accepteriez-vous de me tenir un peu compagnie pendant que je patiente ?

Davie semblait quelque peu déstabilisé en voyant que Ian s'apprêtait véritablement à rester, mais il était trop poli pour protester. Il s'installa sur une chaise de l'autre côté de la table basse.

— Je peux comprendre qu'elle soit bouleversée à cause de moi, reprit Ian en croisant les genoux et en saisissant à nouveau le catalogue.

— Elle n'est pas bouleversée.

Ian releva les yeux d'un air surpris.

— Elle est furieuse, poursuivit Davie. Et blessée. Je ne l'ai jamais vue aussi blessée.

Un silence lourd s'abattit sur eux. Pendant plusieurs secondes, aucun des deux hommes ne reprit la parole.

— Je me suis mal comporté envers elle, admit finalement Ian.

— Dans ce cas, vous devriez avoir honte de vous, répliqua Davie d'une voix calme où perçait malgré tout une nuance de colère.

Ian se souvint d'avoir dit quelque chose de semblable à Davie et aux deux autres colocataires de Francesca dans le salon de tatouage.

— J'ai honte de moi.

Il ferma un instant les yeux. La fraîcheur de la peau de Francesca lui revint en mémoire, sa douceur aussi. Le souvenir de son sexe s'était logé dans son cerveau comme un virus tenace qui ne faisait que proliférer quand il essayait de le repousser. Les poils pubiens d'or rose, soyeux, entre ses cuisses blanches, les petites lèvres crémeuses, pulpeuses, et la fente la plus lisse et la plus étroite qu'il ait jamais touchée. Il se revit en train de la fesser, se rappelant le plaisir qu'il y avait pris… qu'elle y avait pris, *elle*.

— Malheureusement, continua-t-il, ma honte n'est pas suffisante pour me retenir loin d'elle. Je commence à penser que rien n'y suffirait.

Davie semblait estomaqué. Il se racla la gorge et se releva.

— Je vais peut-être monter voir où elle en est du… travail qui l'occupe.

— Ne vous dérangez pas. Elle est partie, murmura Ian.

Davie fronça les sourcils et s'arrêta au milieu du salon.

— Qu'est-ce que vous voulez dire ?

— Elle a filé par la porte de derrière il y a à peu près trente secondes, si je ne me trompe pas, répondit Ian en feuilletant distraitement les pages du catalogue.

Il profita de l'hésitation de Davie pour lui montrer l'objet.

— C'est à vous ?

Davie hocha la tête.

— Je crois que je devine ce qui vous intéresse dedans. Quand Francesca a-t-elle peint ce tableau ?

Le jeune homme étrécit les yeux et sembla retrouver ses esprits.

— Il y a environ deux ans. Je l'ai vendu chez Feinstein l'année dernière. Je suis content qu'il soit à nouveau sur le marché des enchères. Je voudrais le racheter, le revendre ensuite à sa véritable valeur et verser la différence à Francesca. (Il prit un air soucieux.) Elle a été obligée de céder beaucoup de ses toiles pour presque rien, ces dernières années. Et je n'imagine même pas quel genre de somme dérisoire elle obtenait de son travail avant qu'elle me rencontre. Francesca galérait depuis des années quand nous nous sommes connus. Je n'ai peut-être pas été capable de vendre ses œuvres au prix qu'elles méritent, car elle est encore relativement peu connue mais, au moins, je lui en obtiens plus que la valeur d'un sac de courses. (Il désigna le catalogue d'un hochement du menton.) Si j'arrive à récupérer ce tableau-là, je suis convaincu de pouvoir le revendre à un excellent prix. Francesca commence à se faire un nom dans le milieu. Je suis sûr que votre concours et la publicité qui l'a accompagné y ont contribué.

Ian se redressa et reboutonna son manteau.

— Je pense que votre soutien indéfectible y est aussi pour quelque chose. Vous êtes un véritable ami pour elle. Pourriez-vous me laisser votre carte de visite ? Il y a quelque chose dont j'aimerais vous parler, mais je suis en train de me mettre en retard pour une réunion.

Davie sembla hésiter quelques instants, puis fouilla dans sa poche avec l'air d'un homme qui se retient d'avouer quelque chose.

— Merci, dit Ian en prenant la carte.

— Francesca est une personne merveilleuse. Je crois… je crois qu'il vaudrait mieux que vous n'essayiez pas de la revoir.

Ian scruta l'expression inquiète, toutefois déterminée, de Davie pendant quelques secondes. Le jeune homme détourna le regard, gêné. Avec ses yeux emplis de douceur, l'ami de Francesca devinait sans doute bien davantage qu'il ne le montrait à ses clients fortunés. Une bouffée d'amertume monta dans la poitrine de Ian quand il songea à la muflerie dont il faisait preuve par contraste.

— Vous avez parfaitement raison, lâcha Ian en se dirigeant vers la porte, incapable de dissimuler la pointe de résignation qui perçait dans sa voix. Et si j'étais un homme meilleur, je suivrais votre conseil.

*

* *

Voilà à quoi elle en était réduite : venir travailler la nuit comme une voleuse. Le tableau l'avait irrésistiblement rappelée à lui, malgré les circonstances pénibles de la situation.

Francesca mélangeait ses couleurs avec dextérité sous la lueur d'une petite lampe qu'elle avait posée sur un bureau, cherchant à capturer la nuance exacte du ciel de minuit avant que la lumière n'évolue. Le reste de la pièce était plongé dans la pénombre afin qu'elle distingue le mieux possible les gratte-ciel ombreux et scintillants qui se dessinaient sur le firmament velouté de l'obscurité. Elle s'arrêta brusquement et jeta un coup d'œil anxieux à la porte fermée de l'atelier, le cœur battant au milieu du silence absolu. Les ombres parurent s'épaissir et se déformer au fond de la pièce, trompant sa vue. Mme Hanson lui avait assuré qu'elle serait seule dans la résidence, cette nuit. Ian était à Berlin, et la vieille gouvernante, partie rendre visite à une amie en banlieue.

Pourtant, à aucun moment Francesca ne s'était sentie seule depuis qu'elle était sortie de l'ascenseur pour pénétrer sur le territoire de Ian.

Un endroit pouvait-il être hanté par une personne pourtant bel et bien vivante ? C'était comme si la présence de Ian flottait dans le luxueux appartement, frôlant l'esprit de Francesca, caressant sa peau, la faisant frissonner sous sa caresse immatérielle.

Complètement débile, se morigéna-t-elle en imprégnant son pinceau de peinture avant de jeter sur la toile de longs traits amples et énergiques. Cela faisait maintenant quatre nuits qu'elle s'était tenue nue et vulnérable dans la chambre à coucher de Ian. Il avait essayé de la recontacter. Il l'avait appelée plusieurs fois sur son portable, et il y avait eu cet épisode embarrassant à la colocation, quand elle avait été obligée de s'enfuir par la porte de derrière, comme une adolescente prise en faute. L'idée de le revoir la plongeait dans un état de panique absolue... et de frayeur.

Tu as peur de ce qui va arriver si tu le revois, si tu l'écoutes. Tu as peur de finir par le supplier pitoyablement de terminer ce qu'il a commencé l'autre nuit.

Elle serra plus fort la palette de pigments. *Jamais.* Jamais plus elle ne s'abaisserait devant ce salaud arrogant.

La chair de poule fit se dresser le duvet sur ses bras, et elle jeta un nouveau coup d'œil par-dessus son épaule. Elle n'entendit ni ne vit rien d'anormal, et se concentra à nouveau sur la toile. Elle n'aurait jamais dû revenir ici, mais il fallait qu'elle la termine. Elle ne trouverait jamais le repos si elle ne le faisait pas, et ça n'avait rien à voir avec le fait que Noble l'avait déjà payée. Une fois qu'elle avait une œuvre dans le sang, elle ne trouvait pas la paix avant de l'avoir achevée.

Elle essaya de se concentrer à nouveau. Le fantôme de Ian – et son propre fantôme – lui rendaient la tâche très difficile.

Tu es restée là, debout, pendant qu'il te battait avec une tapette ; tu t'es allongée sur ses genoux, entièrement nue, et tu l'as laissé te donner la fessée comme à une enfant.

Un sentiment de honte l'envahit. Était-elle si désespérée, après avoir passé la plus grande partie de sa vie en surpoids, pour que le désir d'un homme tel que Ian la pousse à renoncer à sa dignité ? Comment aurait-elle pu, sinon, se plier à ses exigences, ce soir-là ? Jusqu'où serait-elle allée s'il le lui avait demandé ?

Ces pensées l'humiliaient, et elle essaya de se focaliser sur la toile, trouvant finalement le sanctuaire de concentration dont elle avait désespérément besoin. Une heure plus tard, elle reposa la palette de pigments, nettoya son pinceau et se massa les épaules pour soulager la tension musculaire générée par les coups de pinceau incessants. Ses amis étaient toujours surpris quand elle leur disait à quel point la peinture était une activité physiquement épuisante.

Elle fut parcourue d'un frisson et suspendit son geste, avant de se retourner brusquement.

Il portait une chemise blanche qui, au milieu des ombres, ressortait davantage que le reste de ses vêtements. Il n'avait pas mis de veste, et ses manches étaient roulées sur ses avant-bras. Sa montre en or luisait dans la pénombre. Francesca se figea, tétanisée, avec l'impression d'être au milieu d'un rêve.

— Vous peignez comme si vous étiez possédée par un démon.

— Vous avez l'air de savoir à quoi ça ressemble, répondit-elle d'une voix pincée.

— Vous savez que je le sais.

L'image de Ian marchant seul dans les rues désertes s'imposa à l'esprit de la jeune femme. Elle étouffa la bouffée de compassion et les sentiments profonds que ce souvenir lui évoquait chaque fois.

Elle cessa de masser son épaule douloureuse et se tourna vers Ian.

— Mme Hanson m'avait dit que vous étiez à Berlin.

— Je suis revenu pour une affaire urgente.

Elle le dévisagea pendant un moment, sans rien dire. Les lumières des gratte-ciel se reflétaient dans ses yeux.

— Je vois, dit-elle enfin en se détournant. Je vais y aller, alors.

— Vous comptez m'éviter encore combien de temps ?

— Aussi longtemps que vous serez en vie ? répliqua-t-elle du tac au tac.

La nuance de colère qu'elle percevait dans la voix de Ian agissait comme un catalyseur sur sa propre irritation. Elle voulut passer devant lui en baissant la tête mais il lui saisit le poignet au vol et l'arrêta.

— Lâchez-moi.

Elle avait parlé d'un ton furieux, mais elle fut horrifiée de sentir les larmes lui monter aux yeux. C'était déjà assez pénible de le revoir ; fallait-il en plus qu'il la surprenne ainsi, aussi vulnérable et fragile ?

— Pourquoi vous ne me laissez pas simplement tranquille ?

— Je le ferais si je le pouvais. Croyez-moi.

Sa voix était aussi rude qu'un vent d'hiver glacial. Elle tordit le bras pour essayer de lui échapper mais il affermit sa prise et l'attira à lui. Elle se retrouva le visage pressé contre son torse solide et sa chemise froissée, entourée de ses bras.

— *Je suis désolé,* Francesca. Je le suis vraiment.

Durant quelques instants, elle perdit toute volonté et se laissa aller contre lui, acceptant sa force et sa chaleur, tremblant d'émotion tandis qu'il lui caressait les cheveux. Plus tard, en se remémorant ce moment d'égarement, elle comprit que c'était le timbre de sa voix qui l'avait provoqué. L'espace de quelques secondes, il avait semblé aussi démuni et désespéré qu'elle l'était elle-même. Ce n'était pas le pire des hommes, admit-elle. Il n'avait pas essayé de la rabaisser en lui rappelant ce qui s'était passé l'autre nuit.

Elle était juste furieuse contre lui parce qu'il n'avait pas voulu d'elle. Parce qu'il ne la désirait pas assez pour la prendre malgré son inexpérience, en tout cas.

L'émotion lui coupait le souffle. Elle le repoussa, incapable de supporter le désir qui la submergeait. Il relâcha lentement son étreinte, sans toutefois dénouer ses bras.

Elle baissa la tête et s'essuya les joues, refusant de le regarder dans les yeux.

— Francesca...

— Ne dites rien, je vous en supplie.

— Je ne suis pas un homme pour vous. Je tiens à ce que cela soit très clair.

— C'est clair comme de l'eau de roche. Merci.

— Je ne suis pas intéressé par le genre de relation qu'une fille de votre âge, de votre expérience, de votre intelligence et de votre talent mérite. Je suis désolé.

Le cœur de Francesca se serra au son de ces paroles, mais elle savait qu'il avait raison. C'était ridicule de penser le contraire. Il n'était pas pour elle. N'était-ce pas évident ? Davie ne le lui avait-il pas dit et répété durant ces derniers jours ? Elle fixait d'un regard vide la poche de sa chemise. Elle brûlait d'envie de se libérer de son étreinte et, à la fois, de rester là, au milieu des ombres, dans ses bras. Il lui saisit le menton et la força doucement à relever la tête. Elle s'exécuta avec réticence et vit un rictus douloureux se dessiner sur les lèvres de Ian.

Elle se dégagea brusquement de ses bras, refusant de céder à un élan de compassion. Il l'attrapa par le poignet et elle se figea.

— Je suis abominable avec les femmes, lâcha-t-il. J'oublie les rendez-vous et les dates importantes. Je suis discourtois. La seule chose qui m'intéresse vraiment, c'est le sexe… et obtenir ce que je veux.

Elle le regarda en tremblant, presque en état de choc. Il reprit :

— Mon travail représente tout pour moi. Je ne peux *pas* me permettre de lâcher les rênes de ma société. Je ne le *ferai pas.* Voilà ce que je suis.

— Pourquoi vous prenez la peine de me dire tout ça ? Pourquoi êtes-vous venu me voir, ce soir ?

La mâchoire de Ian se crispa, comme s'il essayait d'étouffer les mots qui lui venaient à la gorge.

— Parce que j'étais incapable de rester loin de vous.

Elle vacilla presque, sonnée. Puis le souvenir de l'humiliation qu'elle avait vécue lui revint en mémoire et elle retrouva ses esprits.

— Si vous êtes incapable de rester loin de moi, il va falloir que vous trouviez un autre artiste, ou que vous déménagiez mon atelier.

— Francesca, ne vous avisez pas de me fuir une nouvelle fois, dit-il d'une voix tranchante.

Une fois de plus, la jeune femme chancela.

Elle réussit à regagner tout juste assez de dignité pour tourner la poignée de la porte et quitter la pièce.

*
* *

Quelques nuits plus tard, Francesca éprouvait toujours une sorte de douleur sourde, permanente, mais elle était parvenue à organiser ses pensées… à accorder à Ian une place plus restreinte dans son esprit. C'était particulièrement dur quand son téléphone portable sonnait et qu'elle le voyait chercher désespérément à la contacter. Ignorer ses appels lui demandait un effort considérable.

Faire abstraction de son chagrin était plus facile le samedi soir, pendant ses heures de service au *High Jinks*. Elle était si occupée qu'elle n'avait le temps de penser ni à Ian, ni à son tableau, ni à ses regrets, alors qu'elle s'affairait entre les tables du bar qui restait bondé jusqu'à deux heures du matin. Parmi tous les bars que comptait Wicker Park et Bucktown, le *High Jinks* était un lieu populaire, attirant de jeunes actifs urbains et des étudiants en fin de cursus. Alors que beaucoup d'établissements fermaient leurs portes à deux, trois ou quatre heures du matin, le *High Jinks* restait ouvert jusqu'à cinq heures les week-ends, accueillant les plus acharnés des fêtards et des soiffards. Les soirées du samedi épuisaient Francesca et mettaient ses nerfs à rude épreuve, mais elle essayait de ne jamais manquer son travail ce jour-là – les pourboires étaient souvent trois fois plus élevés que le reste de la semaine.

Elle déposa son plateau sur la desserte de service et annonça ses commandes au propriétaire du bar, Sheldon Hays, un ours irascible mais attendrissant, qui manageait les serveurs ce soir-là.

— Tu vas devoir dire à Anthony de filtrer les entrées, hurla-t-elle pour se faire entendre au milieu de la musique et du tintamarre des conversations. On est débordés.

Sheldon lui fit signe de s'approcher comme s'il avait quelque chose d'important à lui dire. Elle but une gorgée d'eau gazeuse et s'accouda contre le comptoir.

— J'ai besoin que tu files à l'épicerie du coin pour acheter tout le jus de citron qu'ils ont en stock, s'époumona-t-il. Cet incapable de Mardock a oublié d'en recommander, et j'ai une tournée de side-cars[1] sur le feu.

---

1. Nom d'un cocktail alcoolisé. (*N.d.T.*)

Elle soupira. Elle ne sentait déjà plus ses pieds, et l'idée de cavaler dans le quartier ne l'enchantait guère. Malgré tout... ça lui ferait un bien fou de respirer l'air frais automnal pendant quelques minutes et d'accorder un peu de répit à ses oreilles durement éprouvées par la musique assourdissante.

Elle adressa un hochement de tête à son patron et ôta son tablier.

— Tu peux dire à Cara de s'occuper de mes tables ? cria-t-elle.

Sheldon lui fit signe de ne pas s'inquiéter et lui tendit deux billets de vingt dollars attrapés dans la caisse. Elle joua des coudes pour arriver jusqu'à la porte de sortie.

Il ne restait que quatre bouteilles de jus de citron disponibles en rayon, et le caissier somnolent de l'épicerie dut se lever pour aller en chercher une autre dans la réserve. Alors qu'elle revenait vers le bar quelques minutes plus tard, lestée de ses achats, elle remarqua que le trottoir était encombré de gens marchant en direction de leurs voitures ou de la station de taxis. *D'où est-ce qu'ils sortent tous ?* s'interrogea Francesca, perplexe, en arrivant à quelques dizaines de mètres du *High Jinks*. Elle s'arrêta au coin de la rue lorsqu'elle vit une vingtaine de personnes en train de quitter le bar, qui laissèrent la lourde porte de bois se refermer en claquant derrière eux.

— Qu'est-ce qui se passe au *High Jinks* ? demanda-t-elle à un trio de trois hommes.

— Y a le feu dans la réserve, répondit l'un d'entre eux d'un ton acide, laissant entendre qu'il n'appréciait pas de voir sa beuverie nocturne interrompue pour des raisons de sécurité.

— *Quoi ?* s'écria Francesca.

Mais les trois hommes avaient déjà passé leur chemin. Elle se rua vers le bar, alarmée, mais ne sentit aucune odeur de fumée. Pas de sirènes non plus à l'horizon. Le videur, Anthony, n'était visible nulle part quand elle ouvrit la porte pour jeter un coup d'œil à l'intérieur.

Personne.

Elle s'avança jusqu'au comptoir, interdite et aux aguets. La salle, noire de monde vingt minutes plus tôt, était à présent totalement vide et silencieuse. Venait-elle de pénétrer dans une quatrième dimension ?

Elle perçut un mouvement derrière le comptoir. Ébahie, elle distingua Sheldon en train d'essuyer calmement la vaisselle.

— C'est quoi ce bordel, Sheldon ? lui lança-t-elle en s'approchant.

Il ne resterait quand même pas tranquillement planté là si un incendie était en train de dévaster la réserve, si ?

Son patron se tourna vers elle et reposa un verre à bière.

— J'attendais d'être sûr que tu reviennes, fit-il en s'essuyant les mains avec un torchon. Je vais monter à mon bureau. Vous laisser un peu d'intimité.

— Mais qu'est-ce q...

En guise d'explication, Sheldon désigna du doigt un point situé derrière Francesca. La jeune femme se retourna et se figea quand elle vit Ian assis à l'une des tables, ses longues jambes repliées sous lui. Un grand paravent avait empêché Francesca de le voir quand elle était entrée. Les battements de son cœur s'accélérèrent, comme chaque fois qu'elle le voyait. Malgré sa stupeur, elle remarqua qu'il portait un jean, et qu'une barbe de quelques jours ombrait ses joues. Il avait l'air très peu... Ian. Un peu débraillé, très dangereux... cependant toujours aussi sexy qu'un démon. Est-ce qu'il avait passé la nuit à arpenter les rues ?

Il la transperça du regard sans bouger de son siège.

— Il veut te parler en privé, dit calmement Sheldon dans le dos de Francesca. Et il a l'air de *beaucoup* y tenir. J'suis désolé si ça te botte pas, mais c'est pas vraiment le genre d'homme à qui un gars comme moi peut se permettre de dire non.

— C'est à son argent que tu ne peux pas dire non, siffla la jeune femme d'une voix rendue aiguë par l'inquiétude et l'irritation.

Qu'est-ce que Ian fichait là ? Pourquoi ne la laissait-il pas en paix, afin qu'elle réussisse à l'oublier ? Est-ce qu'il avait vraiment fait fermer le bar juste parce qu'il voulait lui *parler* ?

Tu n'arriveras jamais à l'oublier. Qui essaies-tu de tromper ? songea-t-elle amèrement en se tournant vers le comptoir pour déposer les bouteilles de jus de citron. Sheldon répondit à son froncement de sourcils par un regard penaud signifiant « Qu'est-ce que j'y peux, moi ? » avant d'aller rejoindre son bureau. Elle n'osait même pas imaginer la somme que lui avait proposée Ian pour le convaincre de chasser ses clients le soir le plus lucratif de la semaine.

Elle prit son temps pour sortir les bouteilles du sac et les ranger une par une sous le comptoir. Elle sentait des picotements parcourir sa nuque à l'idée qu'il se trouvait derrière elle. *Qu'il attende quelques secondes de plus,* se dit-elle. Il ne pouvait pas tout obtenir à l'instant même où il l'exigeait.

Il a fait fermer le bar juste pour pouvoir me parler ?

Elle fit taire la voix surexcitée qui résonnait dans sa tête. Quand elle ne vit plus rien à quoi s'occuper pour faire attendre Ian, elle se retourna et marcha lentement vers lui.

— On vient s'encanailler avec le bas peuple, à ce que je vois ? C'est pousser les choses un peu loin juste pour me convaincre que vous daignez accepter de vous faire servir par une femme, non ? lui lança-t-elle d'un ton sarcastique.

— Je ne suis pas venu ici pour que vous me serviez. Pas ce soir.

La jeune femme saisit l'insinuation et le foudroya du regard, s'attendant à le voir répondre avec son sempiternel ton amusé. Or elle ne distingua dans ses yeux que de la lassitude et… de la résignation ? Chez *Ian Noble* ?

— Asseyez-vous.

Elle soutint son regard pendant quelques secondes avant de s'asseoir. Un millier de questions vrillaient son crâne, mais elle les réduisit au silence. Il avait fait montre de son arrogance habituelle en chassant des centaines de personnes du bar pour la rencontrer seul à seule au moment précis où il le désirait. Il allait devoir parler en premier, après tout. Elle refusait de lui faciliter les choses.

— Ça ne marchera pas, lâcha-t-il. Je sais que je vais vous blesser. Je sais qu'il y a de fortes chances pour que vous finissiez par me mépriser… par me craindre, même. Mais je n'arrive toujours pas à vous oublier. Il faut que je vous possède. Totalement. Continuellement… et à n'importe quel prix.

Elle écouta les battements de son cœur marteler ses tempes pendant plusieurs secondes, essayant de rassembler ses esprits. Comment pouvait-elle éprouver autant de colère envers cet homme et, en même temps, le désirer au point d'en ressentir un besoin physique, comme s'il lui était aussi nécessaire que l'air qu'elle respirait ?

— Je ne suis pas à vendre, répondit-elle enfin.

— Je sais cela. Le prix auquel je me réfère n'a rien à voir avec l'argent.

— De quoi parlez-vous, bon sang ?

Il se pencha en avant et laissa reposer un de ses avant-bras sur la table. Il était vêtu d'un tee-shirt en coton bleu sombre à manches courtes et ne portait pas sa Rolex. Le souvenir de l'excitation qu'elle avait ressentie la première fois qu'elle avait vu ses larges mains et ses bras musculeux lui revint en mémoire. Il lui faisait toujours le même effet. Encore plus à présent qu'elle savait ce qu'il était capable de faire avec ces mains-là.

— Je vais sans doute perdre un peu de mon âme dans cette relation avec vous. C'est déjà le cas, en réalité, du simple fait que je suis venu vous voir ce soir. (Il parlait d'une voix fébrile, son regard scellé à celui de Francesca.) Et je sais que je prendrai un peu de la vôtre.

— Vous n'en savez rien, répliqua-t-elle tout en redoutant qu'il ait raison. Qu'est-ce qui vous rend si sûr que vous allez me blesser ?

— Beaucoup de choses, répondit-il d'un ton si assuré que le cœur de Francesca se serra davantage encore. Je vous ai déjà parlé de l'une d'entre elles : je suis un maniaque du contrôle. Saviez-vous que, quand j'ai revendu Noble Worldwide Technology après une offre publique de vente, on m'a proposé de rester directeur général ?

Il faisait référence à l'énorme compagnie de médias sociaux qu'il avait fondée et développée avant de la céder.

— C'était une position très confortable, reprit-il, pourtant j'ai décliné l'offre. Vous savez pourquoi ?

— Parce que vous ne pouviez pas supporter l'idée de devoir rendre des comptes à un conseil d'administration ? s'enquit-elle d'un ton irrité. Vous voulez garder le contrôle en toutes circonstances, n'est-ce pas ?

— C'est ça. Vous commencez à me comprendre mieux que je ne l'imaginais.

Pourquoi son sourire semblait-il à la fois amer et heureux ?

— Je vais vous dire autre chose que vous devez savoir, poursuivit-il. J'ai eu une relation avec une vierge, dans le passé. Elle est tombée enceinte, et j'ai fini par l'épouser. Ce mariage a été une catastrophe. Elle ne pouvait pas supporter ma manie du contrôle – et je ne parle pas seulement de ce qui se passait dans notre chambre à coucher, bien que ce domaine ait déjà été calamiteux. Elle a fini par me considérer comme le pire des pervers.

Francesca en resta bouche bée. L'expression tendue et presque furieuse qui s'était dessinée sur le visage de Ian ne laissait aucun doute ; il lui disait la vérité.

— Qu'est-ce que le bébé est devenu ? demanda-t-elle.

Cette information n'avait pas sa place dans ce qu'elle savait de l'histoire de Ian.

— Elizabeth l'a perdu. D'après elle, c'était ma faute.

Elle le dévisagea et perçut une nuance de dédain dans son regard, une lueur d'angoisse, aussi. Il était presque certain que son ex-femme se trompait en disant cela. Et pourtant, le doute demeurait.

— À la fin de notre mariage, ma femme avait peur de moi. Je crois qu'elle me voyait comme le Diable incarné. Elle n'avait peut-être pas tout à fait tort. Mais la vérité, c'est que je me suis conduit comme un imbécile. Un imbécile de vingt-deux ans.

— Et moi, je suis une idiote de vingt-trois ans.

Ian fronça les sourcils. Elle ne savait pas s'il avait vraiment compris ce qu'elle sous-entendait par là, mais une soudaine intuition la mit en garde contre ce qu'il s'apprêtait à dire. D'une certaine façon, elle savait pertinemment ce qu'elle allait lui répondre.

La bouche de Ian se durcit.

— Je tiens à ce que les choses soient bien claires. Je veux vous posséder sexuellement. Totalement. Selon mes propres termes. Je vous offre le plaisir et l'expérience. Rien d'autre. Je n'ai *rien* d'autre à offrir.

Francesca avala péniblement sa salive en entendant les mots qu'elle avait à la fois espérés et redoutés.

— Vous parlez comme si vous essayiez de me décourager.

— Il y a peut-être de ça.

— Ce n'est pas très flatteur, Ian.

Elle avait parlé d'un ton irrité mais, au fond d'elle-même, elle se sentait blessée.

— Je ne suis pas venu ici pour vous flatter. Je ferai en sorte que l'expérience soit aussi riche et gratifiante que possible pour vous, toutefois je ne vous bercerai pas de fausses promesses. Je vous respecte au moins assez pour ça, ajouta-t-il dans un souffle.

— Et cette expérience se terminera quand vous en aurez assez ?

— Oui. Ou quand *vous* en aurez assez, bien sûr.

— Et ça arrivera quand ? Après une nuit ? Deux nuits ?

Il sourit sombrement.

— Je pense qu'il me faudra plus de temps que ça pour vous chasser de mes pensées. Nettement plus de temps. Mais encore une fois, je ne peux pas vous le promettre. Vous m'avez compris ?

Francesca avait l'impression que son cœur allait exploser, déchiré par le conflit intérieur qui faisait rage en elle. Tout ceci était une vaste erreur, elle le savait. Et pourtant...

— Oui, dit-elle.

Sa tension ne faisait qu'augmenter à chaque battement de son cœur.

— Et vous êtes d'accord avec ça ?

— Oui.

Qu'était-elle en train de faire, bordel ?

— Regardez-moi, Francesca.

Elle releva les yeux, le menton fuyant. Il la scruta d'un air inquisiteur.

— Je vous ai dit une fois de ne pas laisser votre colère vous faire agir stupidement, fit-il d'une voix douce.

Plus que tout le reste, ces paroles la mirent en colère.

— Si vous me prenez pour une gamine irréfléchie, alors vous n'auriez pas dû me poser la question, grinça-t-elle. Je vous ai donné ma réponse. C'est à vous de voir si vous l'acceptez ou pas. *Oui,* répéta-t-elle.

Il ferma un instant les yeux.

— Très bien, reprit-il d'une voix calme au bout d'un moment, comme si toute trace de lutte intérieure avait déjà disparu en lui. C'est réglé, alors. J'ai une réunion importante à Paris lundi dans la matinée, que je ne peux pas reporter. J'aimerais partir très tôt demain.

— D'accord, répondit-elle d'un ton perplexe, déconcertée par ce brusque changement de sujet. Donc... je vous verrai à votre retour.

— Non, dit-il en se relevant. Maintenant que nous nous sommes mis d'accord, je ne peux pas attendre plus longtemps. Je veux que vous veniez avec moi. Pouvez-vous vous absenter de Chicago quelques jours ?

Est-ce qu'il est sérieux ?

— Je... je pense. Je n'ai pas cours le lundi, mais j'en ai un le mardi. Enfin je suppose que je peux me permettre de manquer une séance.

— Bien. Je passerai vous prendre chez vous à sept heures demain matin.

— Que dois-je emporter ?

— Votre passeport. Vous en avez un, n'est-ce pas ?

Elle aquiesça.

— J'ai étudié quelques mois à Paris pendant mon année de licence. C'est fréquent dans ce genre de cursus.

— Juste votre passeport et vous-même, alors. Je vous fournirai tout le reste.

À ces mots, Francesca sentit le souffle lui manquer, mais elle répondit d'un ton pragmatique :

— On ne peut pas partir plus tard ? Il est déjà trois heures du matin.

— Non. Sept heures. J'ai un planning à respecter. Vous pourrez dormir dans l'avion, et j'aurai du travail durant le vol, de toute façon. (Il la dévisagea quelques instants et son expression s'adoucit légèrement.) Vous *allez* dormir dans l'avion. Vous semblez épuisée.

Elle faillit répondre qu'il paraissait lui aussi épuisé, mais elle se rendit compte que ce n'était plus le cas. Toute la fatigue qu'elle avait perçue en lui au début de leur conversation semblait s'être envolée...

Maintenant qu'il avait obtenu ce qu'il voulait.

— Approchez, s'il vous plaît.

Quelque chose, dans le ton calme et autoritaire qu'il avait employé, coupa la respiration de Francesca. Elle venait de consentir à arrêter de le fuir, et il le savait. Essayait-il de démontrer le pouvoir qu'il avait sur elle ?

Elle se releva et s'approcha lentement de lui. Il passa une main derrière sa nuque, dans ses cheveux relevés en chignon. Il la dévisagea de ses yeux d'ange ténébreux avec une émotion qu'elle ne comprenait pas.

Il pencha la tête et posa ses lèvres contre les siennes, mordilla doucement sa lèvre inférieure pour qu'elle ouvre la bouche, haletante, et plongea sa langue entre ses dents. Une chaleur brûlante envahit le sexe de Francesca. Oh, Seigneur… *Ça,* elle pouvait le comprendre. La passion submergea sa raison. Elle gémit sous l'emprise d'un désir violent, immédiat, et tous les muscles de son corps se tendirent.

Quand il releva la tête quelques instants plus tard, une tiédeur moite était apparue entre les cuisses de la jeune femme.

— Je veux que vous sachiez, souffla-t-il à quelques centimètres à peine de ses lèvres tremblantes, que j'aurais empêché ça si je l'avais pu. Je vous revois dans quelques heures.

Elle resta plantée là, tétanisée, incapable de reprendre son souffle avant d'avoir vu la porte du bar se refermer derrière lui.

6

Francesca alla se coucher, sans toutefois parvenir à trouver le sommeil. Son excitation croissante l'en empêchait. Elle se leva sans laisser le temps au réveil de sonner, se fit du café, mangea un bol de céréales et prit une douche. En ouvrant son placard, elle fut prise d'un vertige. Quels vêtements choisir pour un voyage avec Ian Noble ?

Comme absolument aucune pièce de sa garde-robe n'était appropriée, elle opta finalement pour son jean favori, des bottines, un débardeur et une tunique vert sombre qui mettait en valeur son teint. Si elle ne pouvait pas être élégante, autant voyager confortablement. Elle prit le temps de brosser et d'arranger ses longs cheveux – chose qu'elle faisait rarement –, mit du mascara et du gloss. Quand ce fut fait, elle se regarda dans le miroir, haussa les épaules et quitta la salle de bains.

Il faudrait bien que ça fasse l'affaire.

Certes, Ian lui avait dit de ne rien emporter, mais elle fourra tout de même quelques sous-vêtements dans un sac marin, plus des vêtements de rechange, sa tenue de jogging, une trousse de toilette et son passeport. Elle posa son sac et son portefeuille devant la porte et se dirigea vers la cuisine, où Davie et Caden étaient déjà assis autour de la table. Davie avait toujours été lève-tôt, même le dimanche, or c'était plus surprenant pour Caden. Francesca se souvint qu'il devait passer ce week-end à travailler jour et nuit pour boucler un dossier dans les temps.

— Je suis contente que vous soyez levés, fit-elle en se servant une nouvelle tasse de café, sachant pertinemment qu'elle ne la boirait pas – l'idée que quelques minutes seulement la séparaient de l'arrivée de Ian lui nouait l'estomac. Je vais partir pour plusieurs jours, annonça-t-elle en se tournant vers ses amis.

— Tu vas à Ann Arbor ? demanda Caden en arrosant son toast de sirop d'érable.

Ann Arbor était la ville du Michigan où résidaient les parents de Francesca.

— Non, répondit-elle en évitant le regard curieux de Davie.

— Où, alors ? l'interrogea ce dernier.

— Euh... à Paris.

Caden cessa de mâcher et écarquilla les yeux. Elle sursauta en entendant quelques coups brefs sur la porte d'entrée et reposa sa tasse sur le comptoir de la cuisine d'un geste trop vif, projetant une éclaboussure de café sur son poignet.

— Je vous expliquerai quand je rentrerai, assura la jeune femme en s'essuyant l'avant-bras avec une serviette.

Elle se dirigea vers la cuisine ; Davie se leva.

— Tu pars avec Noble ?

— Oui, répondit Francesca en se demandant pourquoi elle se sentait coupable de l'admettre.

— Alors appelle-moi dès que tu peux.

— D'accord. Je le fais demain.

La dernière vision qu'elle eut en quittant la cuisine fut l'expression contrariée sur le visage de Davie. *Merde.* Quand Davie s'inquiétait, c'était généralement pour de bonnes raisons.

Est-ce que je viens de prendre la décision la plus stupide de ma vie ?

Elle ouvrit grande la porte d'entrée et ses velléités de sagesse s'envolèrent aussitôt. Ian se tenait sur le perron, vêtu d'un pantalon bleu sombre, d'une chemise blanche au col déboutonné et d'une veste ordinaire à capuchon. Même s'il était toujours beau comme un dieu, elle se réjouit qu'il n'arbore pas un de ses costumes immaculés, vu la façon dont elle s'était habillée.

— Vous êtes prête ? s'enquit-il en la toisant de haut en bas.

Elle hocha la tête, ramassa son sac et son portefeuille.

— Je... je ne savais pas quoi prendre, dit-elle en refermant la porte derrière elle.

— Ne vous inquiétez pas pour ça, répondit-il en lui prenant son sac. (Il lui jeta un regard par-dessus son épaule en descendant les marches du perron. Le cœur de Francesca bondit dans sa poitrine quand il lui adressa un de ses si rares sourires.) Vous êtes parfaite.

La jeune femme sentit le rouge lui monter aux joues, et elle fut soulagée qu'il lui tourne le dos. Il la présenta à son chauffeur, Jacob Suarez, un Hispanique entre deux âges qui la salua avec un franc sourire. Jacob s'empara immédiatement du sac de Francesca qu'il rangea dans le coffre pendant que Ian lui ouvrait la portière.

Elle se glissa le long d'un des divans de cuir, impressionnée par le luxe de la limousine. La douceur moelleuse des sièges et l'odeur qu'ils dégageaient –

une senteur de cuir mêlée à l'odeur masculine et épicée de Ian – la frappèrent tout particulièrement. L'écran de télévision était éteint, mais l'ordinateur portable de Ian était posé ouvert sur la table basse qui séparait les deux banquettes. Un air de musique classique paisible résonnait à travers les enceintes. Du Bach – les concertos brandebourgeois, qu'elle reconnut au bout de quelques secondes. Un choix qui semblait correspondre parfaitement à Ian : l'homme et la musique étaient caractérisés tous les deux à la fois par leur précision mathématique et par une intense expressivité. Une bouteille glacée de la marque d'eau gazeuse préférée de Francesca, fraîchement ouverte, reposait sur la table, à côté de l'ordinateur.

Ian ôta sa veste et s'assit sur le siège qui lui faisait face.

— Vous avez dormi ? l'interrogea-t-il une fois qu'ils furent installés et que la limousine eut démarré.

— Un peu, mentit-elle.

Il hocha la tête et la dévisagea.

— Vous êtes très jolie. J'aime beaucoup vos cheveux arrangés de cette façon. Vous n'avez pas l'habitude de les lisser ainsi, n'est-ce pas ?

Elle sentit à nouveau ses joues s'empourprer ; cette fois, d'embarras.

— Ça prend beaucoup de temps.

— Vous avez les cheveux longs, répondit-il avec un léger sourire, comme s'il avait perçu sa gêne. Ne vous inquiétez pas, je ne m'en plains pas. J'adore chacune de vos mèches. Ça vous dérange si je travaille ? Plus j'avancerai ici et dans l'avion, mieux je pourrai me consacrer à vous quand nous serons sur place.

— Bien sûr que non, l'assura-t-elle, un peu décontenancée par ce brusque changement de sujet.

Ça ne la dérangeait vraiment pas. Elle aimait pouvoir le regarder pendant qu'il se concentrait sur autre chose que sur elle. *Il porte des lunettes ?* Elle le vit ajuster sur son nez une paire de lunettes discrète et stylée. Ses doigts se déplaçaient sur le clavier avec une vitesse qui aurait rendu jalouse la plus productive des secrétaires. C'était étrange... de voir que ces mains larges et masculines pouvaient faire montre d'une précision si aérienne.

Et il allait bientôt les employer pour lui faire l'amour. Elle n'arrivait pas à y croire. Son premier amant allait être Ian Noble.

Une certaine tiédeur s'installa dans la zone de son bas-ventre. Elle avala une gorgée d'eau gazeuse et se força à regarder par la fenêtre. Un essaim de questions bourdonnait dans sa tête. Quand ils eurent dépassé l'aéroport Skyway et se furent enfoncés encore de plusieurs miles supplémentaires dans l'Indiana, elle ne put retenir la question qui lui brûlait les lèvres :

— Ian, où allons-nous ?

Il cligna les yeux et releva la tête, elle eut alors l'impression qu'il émergeait d'une transe profonde. Il jeta un coup d'œil par la fenêtre.

— Au petit aéroport privé que j'utilise pour mon avion. Nous sommes presque arrivés.

Il tapota quelques touches sur son clavier et rabaissa l'écran de l'ordinateur.

— Vous possédez votre propre avion ? demanda-t-elle.

— Oui. Je voyage très régulièrement, parfois pour des déplacements de dernière minute. J'ai absolument besoin d'un avion.

Évidemment, songea-t-elle. Il était incapable de patienter pour quoi que ce soit.

— Il y a quelque chose que je veux vous montrer ce soir, à Paris.

— Quoi ?

— C'est une surprise, répondit-il en esquissant un léger sourire avec ses lèvres fermes et bien dessinées.

— Je n'aime pas vraiment les surprises, fit-elle, incapable de détacher les yeux de sa bouche.

— Vous allez aimer celle-là.

Elle le regarda fixement et distingua une lueur d'amusement dans ses prunelles, et aussi quelque chose d'autre... comme une flamme chauffée à blanc. Elle eut l'impression qu'il s'apprêtait encore une fois à n'en faire qu'à sa tête.

Comme d'habitude.

Quelques minutes plus tard, elle observait toujours par la fenêtre quand elle fut soudain gagnée par la stupeur.

— Ian, qu'est-ce qu'on fait ? s'exclama-t-elle tandis que Jacob engageait la limousine sur une rampe d'accès.

— On monte dans l'avion.

La voiture s'engouffra dans le jet fin et élancé qui était posé sur le tarmac de l'aéroport. Francesca se sentait comme Jonas dans le ventre de la baleine.

— Je ne savais pas qu'on pouvait faire ça.

Il lâcha un petit rire dont le son grave et rocailleux généra une vague de frissons sur la peau de Francesca. Elle le regardait d'un air ébahi quand il tendit la main pour prendre la sienne et l'attirer à lui. Il lui souleva le menton et inclina la tête pour recouvrir sa bouche de la sienne, pressant sa lèvre inférieure entre les siennes, mordillant la chair pulpeuse. Puis il plongea sa langue profondément dans sa bouche, et elle gémit ; son baiser joueur se fit alors plus vorace.

Il releva la tête en entendant Jacob claquer la portière de la limousine. La voiture était à présent à l'arrêt. Francesca leva les yeux, à moitié hypnotisée par ce baiser inattendu.

Ian s'étira et attrapa son attaché-case au moment où Jacob frappait à la portière avant de l'ouvrir en grand. Francesca suivit l'homme d'affaires hors du véhicule. Elle se sentait désorientée, fébrile et extrêmement excitée.

Le jet ne ressemblait à rien de ce qu'elle avait vu. Ils prirent un ascenseur jusqu'au deuxième niveau et pénétrèrent dans un luxueux habitacle équipé d'un bar, d'un coin loisirs, d'une bibliothèque, d'un divan en cuir intégré et de quatre luxueux sièges inclinables. Des teintures coûteuses masquaient les hublots. Francesca n'aurait jamais pu deviner qu'elle se trouvait dans un avion.

Ian lui prit la main et l'entraîna dans le salon.

— Voulez-vous boire quelque chose ? lui demanda-t-il poliment.

— Non, merci.

Il se dirigea vers deux sièges inclinables installés l'un en face de l'autre autour d'une table basse.

— Asseyez-vous là, dit-il en désignant d'un hochement du menton le siège de gauche. Il y a une chambre à coucher, mais je préférerais que vous vous reposiez ici. Le siège s'incline totalement à l'horizontale, et il y a des couvertures, des oreillers et des draps dans ce placard.

Il lui montra le superbe meuble multifonctions en acajou.

— Il y a une *chambre à coucher* ? fit-elle en se sentant ridicule à l'instant où elle prononçait ces mots.

Ian prit place dans son propre siège et sortit immédiatement son ordinateur ainsi que quelques dossiers de sa mallette.

— Oui, murmura-t-il en lui jetant un bref coup d'œil. Mais je voudrais pouvoir vous regarder dormir. Vous êtes cependant libre d'utiliser la chambre, si vous préférez. C'est par là. (Il désigna une porte d'acajou.) La salle de bains aussi, en cas de besoin.

Il se détourna sans remarquer l'expression ahurie de Francesca. Elle se leva et revint quelques minutes plus tard avec une couverture en polaire et un oreiller trouvés dans le placard. Ian ne dit rien, elle aperçut toutefois un léger sourire flotter sur ses lèvres tandis qu'il allumait son ordinateur.

Elle s'assit sur le siège et étudia le panneau de contrôle électronique encastré sur l'accoudoir avant de trouver le bouton qu'elle cherchait, puis commença à incliner le dossier en position horizontale.

— Oh, et… Francesca ? demanda Ian sans lever les yeux de son écran.

— Oui ? répondit-elle en levant le doigt du bouton de contrôle.

— Retirez vos vêtements, je vous prie.

Elle le dévisagea sans rien dire pendant plusieurs secondes. Les pulsations de son cœur martelaient ses tempes. Il remarqua peut-être sa réaction, car il releva les yeux et la scruta calmement.

— Vous pourrez dormir sous la couverture.

— Pourquoi voulez-vous que j'enlève mes vêtements si, de toute façon, je reste couverte ? bafouilla-t-elle.

— J'aime savoir que vous êtes disponible pour moi.

Un liquide chaud afflua au creux de son entrejambe. *Oh, Seigneur.* Elle était sans doute aussi perverse que Ian, pour réagir ainsi à ces quelques mots.

Elle se releva lentement en tremblant et commença à se dévêtir.

*
* *

Ian appuya sur la touche « entrée » de son ordinateur, refermant un mémo détaillé destiné à son conseil d'administration. Pour la cinquantième fois en cinq minutes, il parcourut du regard les courbes de la jeune femme qui se dessinaient sous la couverture. Le soulèvement discret et régulier du tissu sur sa poitrine lui indiquait qu'elle dormait toujours profondément. Il aurait pu deviner à la seconde près le moment où Francesca avait fini par céder au sommeil, environ cinq heures plus tôt. C'est dire s'il était conscient de sa présence. Et s'il avait rencontré quelques difficultés à se concentrer, il ne pouvait s'en prendre qu'à lui-même. C'était lui qui avait insisté pour qu'elle se déshabille. C'était lui qui s'était assis en face d'elle et l'avait admirée, hypnotisé, alors qu'elle enlevait ses vêtements un par un, en sentant sa bouche devenir sèche comme du plâtre et les battements frénétiques de son cœur commencer à pulser le long de son sexe.

Chaque fois qu'il repensait au visage baissé de la jeune femme, à ses joues roses, à sa longue et splendide chevelure balayant sa poitrine nue, à ses seins insolents et somptueux aux larges mamelons, à ses jambes à faire pleurer un homme tellement elles étaient longues et souples... et, pire que tout, à la douce toison couleur d'or rose à la jonction de ses cuisses, suffisamment clairsemée pour qu'il puisse distinguer la fente des lèvres – dès qu'il repensait à tout cela, le sang affluait violemment à travers son membre. Et comme il y pensait constamment, ça faisait maintenant cinq heures qu'il dominait une imposante érection.

Ça allait être un calvaire de ne pas la toucher avant ce soir, mais il s'était promis de rendre cette expérience aussi insolite que possible. Une torture pire encore serait de la toucher sans la prendre. Il ôta ses lunettes et se releva.

Une délicieuse torture. Et il avait l'habitude de souffrir.

Il s'installa confortablement dans son siège et considéra la jeune femme. Elle reposait sur le côté, face à lui, le visage paisible. Sa bouche était d'une nuance légèrement plus sombre que son habituel rose brillant. Ian sentit son sexe se dresser contre le tissu élastique de son boxer. Y avait-il une chance qu'elle soit excitée pendant son sommeil ?

Il souleva la couverture au niveau de l'épaule de Francesca et la fit délicatement glisser le long de son corps, jusqu'aux genoux, prenant le temps de contempler la splendeur de ses formes tentatrices révélées centimètre par centimètre. Il sourit en voyant que ses tétons étaient foncés et durcis. Quel genre de rêves érotiques pouvait bien hanter le sommeil d'une créature aussi innocente ? Le regard de Ian s'attarda sur la douce toison de blé cuivré entre les cuisses blanches. Sa fente luisait-elle vraiment de moiteur ? C'était sûrement un effet de son imagination après des heures de désir inassouvi.

Il étendit la main sur la chair douce du ventre plat de Francesca. Elle lui avait confié avoir été en surpoids jusqu'à la fin de son adolescence ; il n'en restait aucune trace. Perdre tous ses kilos si jeune avait dû lui épargner les marques de vergetures. La surface de son épiderme était lisse et parfaite. Elle bougea légèrement dans son sommeil, et son visage se crispa l'espace d'un instant, puis retomba dans un repos tranquille. Ian aplatit sa paume contre la peau tiède et satinée, et infiltra les doigts dans la toison soyeuse, avant de les enfouir entre ces lèvres humides dont le souvenir le hantait chaque nuit.

Il émit un grognement de satisfaction. Il ne s'était pas fait des idées ; ses doigts étaient bien recouverts par les fluides sexuels de la jeune femme. Il bougea un peu la main, trouva le clitoris et le caressa de la pointe des doigts, tirant doucement Francesca du sommeil. Puis il étendit quelques instants la main autour de son pubis – il sentait déjà son propre sexe pulser de désir. La vulve de la jeune femme était chaude, humide et divinement douce.

Quand Francesca ouvrit les yeux, elle rencontra directement son regard. Ils s'observèrent durant quelques secondes tandis qu'il continuait à stimuler son clitoris. Il vit ses joues et sa bouche se colorer de rouge.

— C'est pour ça que vous vouliez que je sois disponible ? murmura-t-elle d'une voix encore engourdie par le sommeil.

— Peut-être. Je n'arrête pas de penser à votre sexe. Et je prévois de passer autant de temps que possible enfoui à l'intérieur.

Il accentua la pression sur sa perle de chair. Elle hoqueta, se mordit la lèvre inférieure, et il la contempla avec fascination. *Seigneur Dieu*. Il n'était pas certain de survivre à tant de beauté... à cette femme splendide et fascinante qui représentait une source de délices infinis.

— Mettez-vous sur le dos, ordonna-t-il sans cesser de la caresser, le doigt plongé entre ses petites lèvres crémeuses.

Il garda les yeux fixés sur son visage, étudiant les subtiles réactions de la jeune femme à ses caresses, apprenant à la connaître. Quand elle se mit sur le dos en suivant ses instructions, il ne la lâcha pas.

— Maintenant, écartez les jambes. Je veux vous regarder, dit-il d'un ton bourru.

Elle écarta ses longues cuisses. Le regard vrillé entre les jambes de la jeune femme, Ian tendit la main vers le panneau de contrôle du siège pour abaisser le repose-pieds et le dossier. Il s'agenouilla devant elle, le torse entre ses jambes ouvertes. Puis il retira enfin sa main et contempla sa fente, comme ensorcelé.

— Je demande d'habitude aux femmes que je fréquente de se raser intégralement, fit-il. Ça augmente la sensibilité. Ça rend une femme totalement disponible pour moi.

— Vous voulez que je le fasse aussi ? demanda-t-elle.

Il releva la tête vers son visage. Ses yeux sombres et veloutés brillaient de désir.

— Je ne veux pas que vous changiez la moindre chose. Vous avez la plus jolie chatte que j'aie jamais vue. Je me montre souvent exigeant, mais j'aurais tort de gâcher cette perfection.

Il vit sa gorge se contracter tandis qu'elle avalait sa salive. Il tendit la main et utilisa ses doigts pour écarter les grandes lèvres de son sexe, exposant les petites lèvres rose sombre et la minuscule fente de son vagin. Il sentit son membre se dresser, comme si son sexe savait pertinemment l'endroit où il aurait voulu se trouver à ce moment précis. Ian mourait d'envie d'y plonger sa langue, de goûter ses fluides. Il en crevait de désir.

Or s'il la goûtait, il faudrait qu'il la prenne, ici et maintenant. C'était une certitude.

Il se releva avec difficulté et s'assit à côté d'elle sur une chaise basse. Il se pencha en avant et embrassa délicatement la bouche entrouverte de la jeune femme tout en continuant à caresser son clitoris.

— Est-ce que c'est agréable ? demanda-t-il en scrutant son visage empourpré.

— Oui, murmura-t-elle avec une ferveur qui convainquit Ian tout autant que la rougeur de ses lèvres et de ses joues, ainsi que son souffle heurté.

Il accrut la pression de son doigt, décrivant un doux mouvement de va-et-vient sur la petite pointe de chair. Elle hoqueta, et il sourit. Elle était si humide qu'il pouvait entendre le léger bruit de succion produit par son geste.

— Vous êtes si réceptive, Francesca... Je ne peux pas attendre, il faut que je vous fasse jouir.

Il accentua encore sa caresse, frottant énergiquement le clitoris.

— Oh... Ian, gémit-elle en grimaçant, arquant le bassin vers le haut pour accentuer la pression de son doigt.

— Tout va bien, ma belle, chuchota-t-il à quelques centimètres de sa bouche avant d'y déposer un long baiser. Je vais te donner ce que je me refuse encore.

Enfermé dans une prison brûlante de désir, il la vit pousser un cri avant d'être saisie de tremblements, le corps ravagé par les vagues de la jouissance. Le parfum sublime de sa sueur envahit les narines de Ian tandis qu'elle succombait à l'orgasme. Incapable de se maîtriser, il s'empara une nouvelle fois de sa bouche, étouffant presque avec colère les gémissements de Francesca, étanchant la soif qu'il avait d'elle.

Quand les tremblements du plaisir abandonnèrent enfin le corps de la jeune femme, il arracha ses lèvres aux siennes et enfouit la tête dans le creux de son épaule, presque aussi haletant qu'elle. Au bout d'un moment, il comprit qu'il ne parviendrait pas à apaiser son érection triomphante simplement en se repaissant de son parfum enivrant.

Il se redressa et se releva avec réticence avant de retourner à son siège.

— Nous allons bientôt atterrir à Paris, murmura-t-il en tapotant sur son clavier.

Le doigt qu'il avait utilisé pour faire jouir Francesca luisait encore. Il ferma un instant les yeux pour repousser cette vision excitante mais elle refusa de disparaître, pareille à un voile brûlant sous ses paupières closes.

— Vous avez tout juste le temps de prendre une douche et de vous changer, reprit-il.

— Me changer ?

Il hocha la tête en jetant un regard furtif au corps nu de la jeune femme encore enflammé par l'orgasme. *Seigneur*... Elle était magnifique : les yeux sombres d'une nymphe, la peau blanche et douce d'une fée celtique, les courbes voluptueuses d'une déesse romaine. Il résista à l'envie presque impérieuse de se jeter sur son corps et d'empaler son sexe en elle comme un animal sauvage.

— Oui. Je vous emmène dîner, lâcha-t-il enfin.

— Vous m'avez acheté des vêtements ? demanda-t-elle, ses yeux de nymphe écarquillés de surprise.

Il sourit sombrement et réussit à concentrer de nouveau son attention sur l'écran, ce qui lui coûta un effort monumental.

— Je vous ai dit que je vous fournirais tout ce dont vous auriez besoin, Francesca.

*
* *

Peut-être commençait-elle à devenir blasée, car elle ne s'étonna même pas en découvrant la grande et luxueuse chambre à coucher. Peut-être parce qu'elle avait appris à mieux connaître Ian et savait à présent qu'il ne pouvait se satisfaire que de la perfection. Elle ouvrit la porte de la penderie qu'il lui avait indiquée et aperçut une robe du soir noire accrochée sur un cintre.

— Lin m'a dit que tout ce qui pourrait vous être utile se trouvait soit dans le tiroir supérieur de la commode, soit dans le compartiment du haut, lui avait affirmé Ian. Elle a dit aussi que la température prévue à Paris ce soir était de dix-huit degrés environ, et que les bas étaient donc optionnels, avait-il ajouté en jetant un coup d'œil sur l'écran de son téléphone, lisant visiblement un message de son efficace assistante.

À l'intérieur du meuble en bois d'acajou, Francesca trouva un ensemble exquis de lingerie noire en dentelle. Elle souleva un autre accessoire qui semblait appartenir à l'ensemble entre ses doigts, perplexe, avant de se rendre compte qu'il s'agissait d'un porte-jarretelles. Elle se sentit gênée à l'idée que Lin s'était occupée de tout cela. Peut-être s'acquittait-elle régulièrement de ce genre de tâche pour Ian ?

Sa main se posa sur le dernier objet prévu par Lin – des bas de soie. Elle jeta un regard nerveux à la porte de la chambre et remit les porte-jarretelles dans le tiroir. Ian avait certainement envie qu'elle les porte, mais elle n'avait aucune idée de la façon dont il fallait les fixer. Après tout, Lin avait bien spécifié que les bas étaient optionnels, non ?

Deux boîtes étaient posées sur la commode – l'une en carton, et l'autre en cuir. Elle ouvrit d'abord la boîte à chaussures et sa bouche forma un *oooh* de ravissement lorsqu'elle découvrit une paire d'escarpins en daim noir rehaussé de tissu. Francesca était loin d'être une fanatique de chaussures – ses baskets de jogging représentaient l'accessoire le plus onéreux de sa garde-robe –, mais c'était bien un cœur de femme qui battait dans sa poitrine : elle ne put s'empêcher d'essayer aussitôt les ravissants talons. Elle écarquilla les yeux en lisant le nom de la marque. Ces chaussures coûtaient probablement plus cher que ce qu'elle aurait versé pour trois mois de loyer.

Avec un mélange d'excitation et d'appréhension, elle ouvrit la deuxième boîte. Des perles virginales luisaient sur un écrin de velours noir – un collier exquis à double rang de perles avec des boucles d'oreilles assorties. À eux seuls, ces bijoux incarnaient l'élégance la plus pure.

Tout cela était-il censé représenter une sorte de rétribution pour ses services sexuels ? Cette idée la mit soudain mal à l'aise.

Elle posa la boîte en cuir sur le côté, se rendit dans la salle de bains, et laissa tomber la couverture qu'elle avait enroulée autour de son corps. Une douche chaude lui ferait du bien et l'aiderait à chasser ce sentiment d'irréalité qui hantait son esprit. Elle fixa une serviette en turban sur sa tête pour garder ses cheveux propres et ouvrit le robinet.

Elle regagna la chambre quelques minutes plus tard, la peau encore humide de la crème hydratante qu'elle avait trouvée près du lavabo. Elle n'avait pas encore décidé ce qu'elle allait faire des vêtements et des bijoux luxueux que Ian avait mis à sa disposition.

— Nous atterrirons dans moins d'une heure. Les conditions de vol sont parfaites, grésilla une voix.

Francesca sursauta légèrement avant de comprendre qu'il s'agissait du pilote qui s'adressait à eux via un haut-parleur. Elle imagina Ian dans le compartiment adjacent, relevant un instant les yeux au son de la voix du pilote avant de se replonger dans son travail.

Il attendait d'elle qu'elle porte les vêtements qu'il lui avait achetés. Il serait irrité si elle refusait. Elle n'avait pas envie de s'opposer à lui. Pas ce soir. Et après tout, n'avait-elle pas accepté de se lancer dans cette folle aventure ?

N'avait-elle pas vendu son âme au Diable rien que pour satisfaire le désir déraisonnable qu'elle avait de lui ?

Elle chassa ces pensées mélodramatiques et revint vers la penderie pour étaler la lingerie.

Vingt minutes plus tard, elle sortit de la chambre d'un air gauche, presque certaine qu'elle ne tiendrait pas plus de deux minutes sur ses magnifiques escarpins avant de se casser la figure. Ian lui jeta un bref coup d'œil en biais quand elle s'approcha, puis un deuxième regard plus prolongé. L'expression de son visage demeura impassible tandis qu'il la détaillait de pied en cap.

— Je... je ne savais pas quoi faire avec mes cheveux, fit-elle stupidement. J'avais des pinces dans ma trousse de toilette, mais il m'a semblé que...

— Non, dit-il en se relevant.

Malgré les talons qu'elle portait, il faisait toujours une bonne douzaine de centimètres de plus qu'elle. Il tendit la main vers elle et passa la main dans ses cheveux laissés libres. Elle avait au moins pris soin de les lisser le matin avant de partir pour qu'ils ne partent pas dans tous les sens. Ils retombaient en cascade brillante autour de ses épaules, mais même Francesca – dont le sens de la mode était proche du degré zéro – savait qu'elle aurait dû les porter relevés avec cette robe.

— On vous trouvera demain matin quelque chose d'adapté. Mais pour ce soir, vous pouvez les laisser ainsi. Une aussi glorieuse couronne ne saurait déparer votre beauté.

Elle lui adressa un sourire hésitant. En retour, il parcourut de son regard bleu ses seins, ses hanches et son ventre, la faisant rougir d'embarras. La jeune femme avait ressenti un mélange de frayeur et d'excitation en voyant à quel point la robe de mailles drapée moulait de près sa silhouette. L'ensemble dégageait une élégance sexy – *du moins, ç'aurait été le cas sur une autre femme,* se dit-elle en scrutant avec anxiété le visage de Ian.

Lui plaisait-elle ? Elle était incapable de le savoir devant son expression fermée.

— Je ne vais pas garder tout ça, dit-elle calmement. C'est beaucoup trop pour moi.

— Je vous ai dit que je pouvais vous offrir deux choses.

— Oui... le plaisir et l'expérience.

— *J'ai* beaucoup de plaisir à voir votre beauté révélée. Et en ce qui vous concerne, ces vêtements font partie de l'expérience, Francesca. (Il la scruta une nouvelle fois de la tête aux pieds avant de détacher la main de ses cheveux.) Pourquoi n'en profitez-vous pas simplement ? Dieu sait que c'est mon intention, ajouta-t-il d'une voix bourrue avant de se détourner d'elle pour se diriger vers la chambre.

La porte se referma derrière lui dans un cliquètement.

*
* *

Une heure et demie plus tard, Francesca était au Palais-Royal, assise à une table privée du restaurant historique *Le Grand Véfour.* Elle était si bouleversée par le cadre luxueux, par la nourriture raffinée, par l'appréhension de ce qui se passerait plus tard dans la nuit... et par le regard calme et implacable que Ian posait sur elle, qu'elle avait le plus grand mal à avaler ce qu'on lui servait - sans même parler de savourer les mets exquis comme elle l'aurait dû.

Tout se réduisait à un jeu de séduction à peine voilé.

— Vous n'avez presque rien mangé, fit Ian quand le serveur vint débarrasser les entrées.

— Je suis désolée, répondit-elle sincèrement.

Elle se maudit intérieurement en pensant à tout le travail et l'argent gaspillés pour le sublime bœuf bourguignon, accompagné de pommes de terre sautées aux truffes noires, qui allait finir à la poubelle. Le serveur posa une question à Ian en français, et ce dernier répondit dans la même langue. Une chose était certaine : Francesca avait à peine pu détacher le regard de l'homme d'affaires depuis qu'il était apparu quelques heures plus tôt sur le seuil de la chambre de l'avion, vêtu d'un smoking assorti d'un nœud papillon noir et d'une chemise blanche immaculée. Quand il l'avait escortée jusqu'à leur table dans la salle privée du restaurant, tous les regards s'étaient tournés vers eux.

— Vous êtes tendue ? demanda-t-il posément après le départ du serveur.

Elle hocha la tête et réprima un frisson en contemplant les longs doigts calleux de Ian caresser négligemment la base de sa coupe de champagne.

— Ça vous soulagerait de savoir que je le suis aussi ?

Elle écarquilla grands les yeux et le dévisagea. Ses iris bleus brillaient comme des braises incandescentes sous ses paupières à demi closes.

— Oui, lâcha-t-elle abruptement. Vous l'êtes *vraiment* ?

Il hocha pensivement la tête.

— J'ai sans doute de bonnes raisons de l'être.

— Pourquoi dites-vous ça ?

— Parce que je suis si excité à l'idée de vous prendre qu'il y a un risque que je perde le contrôle de moi-même. Je ne perds jamais le contrôle, Francesca. Mais ce soir, cela pourrait arriver.

Un frisson d'angoisse et d'excitation parcourut la jeune femme quand elle comprit le sombre avertissement qui perçait dans sa voix. Pourquoi l'idée qu'il pourrait céder sans retenue à la passion la troublait-elle jusqu'au plus profond de son cœur ? Elle releva la tête avec surprise quand le serveur revint pour déposer un magnifique dessert devant elle, et une tasse de café en argent devant Ian.

— *Est-ce qu'il y aura autre chose, monsieur ?*

— *Non, merci.*

— *Très bien. Je vous souhaite bon appétit*[1].

— Je n'ai pas commandé ça, dit Francesca en scrutant son dessert d'un œil dubitatif.

— Je sais. C'est moi qui l'ai fait pour vous. Mangez-en un peu. Vous allez avoir besoin d'énergie, ma beauté. (Elle lui jeta un timide regard à travers ses cils baissés et vit qu'il avait un petit sourire aux lèvres.) C'est la spécialité de la maison, le *palet aux noisettes*. Même si vous étiez déjà gavée comme une oie, vous en redemanderiez. Faites-moi confiance, ajouta-t-il doucement.

Elle saisit sa fourchette. Un soupir d'extase s'échappa de ses lèvres quelques instants plus tard lorsque le mélange de pâte brisée, de mousse au chocolat, de noisettes et de crème glacée au caramel explosa sur ses papilles. Il lui sourit, et elle lui rendit avec espièglerie la pareille en donnant un autre coup de fourchette enthousiaste.

— Vous parlez très bien le français, fit-elle avant d'enfourner une nouvelle bouchée.

— Je n'ai aucun mérite. J'ai la nationalité française, en plus de la britannique. C'est presque autant ma langue maternelle que l'anglais. Ma mère était anglaise, mais les gens parlaient français là où j'ai grandi.

---

1. En français dans le texte. (*N.d.T.)*

Elle cessa un instant de mâcher en se souvenant de ce que Mme Hanson lui avait dit au sujet des grands-parents de Ian, qui avaient retrouvé leur fille dans le nord de la France, et découvert du même coup leur petit-fils. Elle brûlait d'envie de l'interroger sur son passé.

— Vous ne parlez jamais de vos parents, dit-elle prudemment en prenant une autre bouchée.

— Vous ne parlez pas non plus des vôtres. Vous n'êtes pas proche d'eux ?

— Pas vraiment, répondit-elle en fronçant intérieurement les sourcils devant ce brusque changement de sujet. J'ai passé presque toute ma vie à me dire qu'ils m'en voulaient parce que j'étais trop grosse. Mais maintenant que je ne suis plus en surpoids, j'en suis venue à la conclusion qu'ils ne m'apprécient tout simplement pas. Un point c'est tout.

— Je suis désolé.

Elle haussa les épaules, jouant avec sa fourchette.

— Ça ne se passe pas si mal. On ne se dispute pas, il n'y a rien de mélodramatique. C'est juste... douloureux d'être avec eux.

— Douloureux ? fit-il en levant la tasse de café à ses lèvres.

— Pas vraiment *douloureux*, je suppose. Juste... bizarre.

— Ils ne sont pas fiers d'avoir une fille aussi talentueuse que vous ?

Elle ferma un instant les yeux, savourant les parfums exquis qui se mêlaient sur sa langue.

— Mes tableaux les ennuient. Mon père encore plus que ma mère, ajouta-t-elle après avoir profité de la moindre note de saveur sur son palais.

Elle se lécha le pouce, capturant une goutte égarée de mousse au chocolat sur l'extrémité de sa langue. *Seigneur.* C'était à se damner.

Elle releva la tête quand Ian froissa sa serviette sur la table.

— C'est bon. Il est temps d'y aller, fit-il en repoussant sa chaise en arrière.

— Hein ? lança-t-elle, déstabilisée par son ton abrupt.

Il s'approcha d'elle pour l'aider à tirer sa chaise.

— Excusez-moi, reprit-il sombrement en lui prenant la main. Faites-moi juste penser, la prochaine fois que j'essaie de me dominer, de ne pas vous faire servir de chocolat fondu.

À ces mots, une onde d'excitation parcourut la jeune femme, promesse d'un plaisir bien plus grand que même le plus délectable des *palets aux noisettes.*

— Où logeons-nous ? s'enquit Francesca quelques minutes plus tard tandis que la limousine descendait la rue obscure et presque déserte du Faubourg Saint-Honoré.

Alors qu'il s'était assis à côté d'elle et lui avait tenu la main durant le trajet de l'aéroport au restaurant, Ian s'était cette fois-là installé sur la banquette d'en face. Ses manières étaient distantes, et il regardait par la fenêtre d'un air sombre.

— À l'hôtel George-V. Mais nous n'y allons pas tout de suite.

— Alors où...

La voiture ralentit, et Ian désigna un bâtiment d'un signe de tête. Les yeux de la jeune femme s'agrandirent quand elle reconnut l'architecture caractéristique d'un énorme immeuble Second Empire.

— Le *musée Saint-Germain* ? fit-elle sur le ton de la plaisanterie.

Elle connaissait bien ce musée d'antiquités grecques et romaines depuis son bref séjour étudiant à Paris.

Il occupait l'un des derniers palaces privés de la ville[1].

— Oui.

Le rire de la jeune femme se figea sur ses lèvres.

— Vous êtes sérieux ?

— Bien sûr.

— Ian, il est minuit passé. Le musée est fermé.

Jacob arrêta la limousine. Quelques instants plus tard, il frappa poliment à la portière et leur ouvrit. Ian quitta le véhicule et prit la main de Francesca, qui sortit dans la rue bordée d'arbres. Elle le dévisagea d'un œil perplexe, et il sourit.

— Ne vous en faites pas. Nous n'allons pas rester longtemps. J'ai tout aussi hâte que vous de rentrer à l'hôtel. Encore plus, sans doute.

Il la mena jusqu'à une porte surmontée d'une grande arche de pierre. À la surprise de Francesca, un homme élégant aux cheveux poivre et sel se présenta immédiatement quand Ian frappa sur l'épais battant de bois.

— Monsieur Noble, l'accueillit-il avec un mélange de chaleur et de respect.

Ils entrèrent, et l'homme referma la porte derrière eux avant de tapoter sur un digicode. La jeune femme entendit une serrure se déverrouiller quelque part. Une lumière verte se mit à clignoter, sans doute émise par le système d'alarme électronique.

— Alain, je ne sais comment vous remercier pour cette faveur, fit Ian chaleureusement quand leur hôte se retourna vers eux.

---

1. Le musée en question est fictif, du moins à Paris. L'auteur fait peut-être référence au château de Saint-Germain-en-Laye bien que ce dernier n'abrite pas réellement d'antiquités grecques ou romaines. (*N.d.T.*)

Les deux hommes se serrèrent la main dans le vestibule faiblement éclairé, pavé de marbre blanc. Francesca balaya la pièce d'un regard perplexe. Ce n'était *pas* l'entrée de la visite publique.

— Vous plaisantez. C'est un plaisir pour moi, répondit l'homme à voix basse, comme s'il participait à quelque mission nocturne clandestine.

— Comment se porte votre famille ? M. Garrond va bien, je présume ?

— Très bien, même si nous nous sentons en ce moment comme des chats bousculés dans leurs habitudes. Notre appartement est en rénovation et, à notre âge, il nous est difficile de nous passer de routine. Comment va lord Stratham ?

— Grand-mère dit qu'il est insupportable depuis son opération du genou, mais je pense que son obstination est un atout, dans ce cas de figure. Il se remet très vite.

Alain répondit avec un petit rire :

— Transmettez-leur mes amitiés la prochaine fois que vous les verrez.

— Je n'y manquerai pas, mais vous risquez de les revoir avant moi. Grand-mère a prévu d'assister à l'inauguration de l'exposition Polygnotus la semaine prochaine.

— Heureuse nouvelle, en ce cas, répondit Alain d'un ton qui parut sincère à Francesca.

Il regarda la jeune femme avec un intérêt poli, et elle perçut l'intelligence et la curiosité qui brillaient dans ses yeux.

— Francesca Arno, fit Ian, je suis heureux de vous présenter Alain Laurent. C'est le directeur du musée Saint-Germain.

— Enchanté et bienvenue, mademoiselle Arno, répondit Alain en lui tendant la main. M. Noble m'a dit que vous étiez une artiste de talent.

À l'idée que Ian avait fait son éloge en son absence, la jeune femme sentit le rouge lui monter aux joues.

— Merci. Mon travail est insignifiant par rapport aux œuvres que vous côtoyez chaque jour en travaillant ici. J'adorais venir au musée Saint-Germain quand j'étais étudiante à Paris.

— Un lieu d'inspiration, tout autant que d'art et d'histoire, non ? répondit son interlocuteur en souriant. J'espère que l'œuvre que s'apprête à vous montrer Ian sera pour vous porteuse d'une inspiration toute particulière. Nous sommes assez fiers de l'exposer ici, au Saint-Germain, ajouta-t-il d'un ton mystérieux. Mais je vais vous laisser en juger par vous-même. J'ai pris toutes les dispositions nécessaires ; soyez sûrs que vous ne serez pas dérangés. J'ai désactivé le système de surveillance électronique de la salle Fontainebleau pour vous permettre d'avoir un peu d'intimité. Je serai dans mon bureau, dans l'aile ouest, si vous avez besoin de moi.

— Ce ne sera pas le cas, fit Ian. Permettez-moi de vous remercier une fois encore d'avoir accédé à cette requête que je sais très inhabituelle.

— Je suis certain que vous ne m'auriez pas fait cette demande sans une excellente raison, rétorqua Alain Laurent d'une voix douce.

— Je vous préviendrai dès la fin de notre visite. Ce ne sera pas long.

Laurent esquissa un léger salut plein de naturel et d'élégance, avant de prendre congé.

— Ian, que faisons-nous ici ? murmura Francesca alors que l'homme d'affaires l'entraînait à travers un corridor ombreux et voûté dans la direction inverse de celle que Laurent avait prise.

Il ne répondit pas immédiatement. Perchée sur ses talons hauts, la jeune femme avait du mal à suivre ses longues enjambées. Ils s'enfoncèrent dans les entrailles de l'énorme et vénérable bâtiment, traversant parfois des salles que Francesca connaissait. Il s'agissait plus d'une enfilade de pièces que d'une galerie – l'intérieur de l'hôtel particulier avait été totalement préservé, et on avait l'impression de remonter dans le temps et de visiter un palais du dix-septième siècle magnifiquement meublé, abritant des trésors de l'Antiquité grecque et romaine.

— Vous voulez que je peigne quelque chose d'autre pour vous en m'inspirant de ce qui se trouve ici ? tenta-t-elle.

— Non, répondit-il abruptement sans la regarder.

Il marchait toujours d'un pas aussi pressé, et le claquement sec des talons de Francesca se répercutait contre le haut plafond et les arches de marbre lisse.

— Pourquoi allons-nous si vite ?

— Parce que je me suis promis de vous offrir cette expérience, mais que je meurs également d'envie de vous ramener avec moi à l'hôtel.

Il avait parlé d'un ton si factuel que la jeune femme resta bouche bée durant un moment, traversant sans rien dire les salles sombres et silencieuses. Les statues spectrales devant lesquelles ils passaient généraient en elle un sentiment croissant d'irréalité. Elle avait eu cette impression presque toute la journée, or cette absurde promenade le long des salles désertes du musée achevait à présent de la désorienter. Ian avança à travers une pièce étroite qui semblait familière à Francesca, avant de s'arrêter brusquement.

Si brusquement que la jeune femme faillit basculer en avant, et que ses cheveux lui retombèrent sur le visage. Elle suivit le regard de Ian et écarquilla les yeux, abasourdie. Elle resta stupéfiée durant quelques instants.

— L'Aphrodite d'Argos, souffla-t-elle.

— Oui. Le gouvernement italien nous la prête pour six mois.

— *Nous ?* murmura-t-elle en contemplant l'inestimable statue d'Aphrodite.

La lumière de la lune filtrait à travers les lucarnes du plafond, baignant la pièce et la statue de leur douce luminescence. La vision de la poitrine aux courbes gracieuses et du visage sublime sculptés dans le marbre blanc était littéralement à couper le souffle.

— Le palais Saint-Germain appartient à la famille de ma grand-mère. James Noble en est le protecteur. Cette collection représente une de ses nombreuses contributions publiques – une offrande à ceux qui partagent son amour des antiquités. Je siège au conseil d'administration du musée, comme ma grand-mère.

Francesca le dévisagea, et la lueur d'admiration et de respect qui brillait dans ses yeux alors qu'il contemplait la statue la surprit. Une surprise *agréable* – il se montrait d'habitude si stoïque ! Il y avait davantage en Ian Noble qu'elle ne l'avait cru au premier abord.

— Vous vénérez cette œuvre..., chuchota-t-elle en se remémorant la réplique de taille réduite qui se trouvait dans sa résidence à Chicago.

— Je l'achèterais si je le pouvais, admit-il avec un sourire que Francesca trouva un peu triste. Mais nul ne peut posséder Aphrodite, n'est-ce pas ? C'est du moins ce qu'on m'a dit.

Francesca avala sa salive. Un étrange étourdissement l'envahit devant cet homme si énigmatique.

— Pourquoi êtes-vous si attaché à cette œuvre précise ?

Il baissa les yeux sur elle. La lumière de la lune faisait ressortir ses traits virils, aussi fascinants que ceux de la déesse grecque.

— En dehors de sa beauté intrinsèque ? Peut-être à cause de ce qu'elle représente.

Francesca fronça les sourcils et contempla à nouveau la statue.

— Elle fait ses ablutions, n'est-ce pas ?

Ian hocha la tête, et son regard s'attarda sur le visage de la jeune femme.

— Elle accomplit le rituel de purification. Chaque jour, Aphrodite se baigne et renaît des eaux. Un beau mythe, vous ne trouvez pas ?

— Que voulez-vous dire ? demanda-t-elle en le scrutant, ensorcelée par son visage sombre et ses pupilles où se reflétait la lumière de la lune.

Il leva la main pour lui caresser la joue. Ses doigts étaient chauds, mais Francesca ne put s'empêcher de frissonner.

— Que nous pouvons toujours nous laver de nos péchés. Je ne cesse de transiger avec les miens, Francesca, dit-il calmement.

— Ian..., commença-t-elle d'une voix emplie de compassion.

Pourquoi était-il si convaincu d'être damné ?

— Peu importe, l'interrompit-il.

Il se tourna vers elle, entoura sa taille de ses mains, et l'attira à lui. Les yeux de la jeune femme s'agrandirent. À cause des talons, son bassin était presque à la même hauteur que celui de Ian ; elle pouvait sentir ses testicules fermes pressés contre son pubis et son membre durci collé contre sa cuisse gauche. Comment pouvait-il avoir déjà une telle érection alors qu'il l'avait à peine touchée ? Était-ce l'œuvre d'Aphrodite ? se demanda-t-elle dans un élan fantasmatique.

Ian lui souleva le menton, exposant son visage aux rayons lunaires. Le cœur de la jeune femme commença à battre à un rythme effréné. Il colla son bassin contre le sien, et l'ampleur de son érection coupa le souffle de Francesca. Elle sentit ses doigts descendre le long de ses hanches. Penché au-dessus d'elle, il effleura ses lèvres des siennes, comme s'il voulait aspirer son souffle.

— Seigneur, je vous veux..., murmura-t-il d'un ton presque furieux, avant de capturer sa bouche et d'y plonger la langue.

Subjuguée par le contact soudain du corps de Ian contre le sien, Francesca eut l'impression de prendre feu. Sa force brute, le goût de ses lèvres la submergèrent totalement. Elle vacilla sur ses talons, et il la serra plus fort contre lui. Les douces courbes du corps de la jeune femme épousaient les contours de ses muscles durs et de son impressionnante érection. Elle n'avait jamais été confrontée à tant de désir masculin. Ce brasier couvait-il en lui depuis des heures ? Des jours ?

Elle gémit contre sa bouche, sans défense contre son ardeur. Les mains de Ian se déplacèrent jusqu'à la ceinture de sa robe. Quand il rompit leur baiser avec rudesse quelques instants plus tard, Francesca était presque ivre de désir. Il recula. Les pans de la robe drapée de la jeune femme béaient, exposant sa chair blanche aux rayons de la lune. Il repoussa le tissu en arrière, dévoilant son corps presque nu, et la contempla avec passion. Francesca sentit ses poumons se vider de leur air quand elle perçut la lueur d'adoration et de convoitise mêlées qui brillait dans ses yeux. Ses narines frémissaient.

— Je veux que vous vous souveniez de ce moment durant tout le reste de votre vie, dit-il abruptement.

— Je m'en souviendrai, répondit-elle docilement.

Qui pourrait oublier *une expérience aussi intense ?* songea-t-elle. Et pourtant, la signification implicite de ces mots la tétanisait.

— Asseyez-vous là, fit-il en lui prenant les hanches.

Elle ouvrit la bouche pour exprimer son incompréhension, mais il la guida jusqu'au piédestal qui soutenait la statue d'Aphrodite. Elle s'assit sur le rebord de marbre et ressentit la froideur de la pierre à travers le mince tissu de sa robe. Ian posa les mains sur ses genoux et lui écarta les jambes. Il s'agenouilla devant elle.

— Ian ? souffla-t-elle d'une voix effrayée.

Elle crut sentir ses mains trembler quand il fit descendre sa culotte le long de ses cuisses, et les muscles de son vagin se contractèrent dans l'attente de ce qui allait arriver.

— J'ai cru que je pouvais attendre. Je me suis trompé, lâcha-t-il d'une voix rauque, empreinte d'une nuance de regret. (Il la regarda droit dans les yeux en caressant ses cuisses et ses hanches, et elle perçut la chaleur de sa propre chair se communiquer au marbre froid.) Si je ne goûte pas à votre sexe, je crois que je n'y survivrai pas. Et si je vous goûte, je ne pourrai plus m'arrêter. Je vais devoir vous prendre, ici et maintenant.

— Seigneur..., murmura-t-elle d'une voix tremblante.

Un liquide tiède et familier afflua au creux de ses jambes. La tête sombre de Ian se pencha entre ses cuisses, et ses doigts explorèrent sa fente avec ravissement. Francesca écarquilla les yeux en sentant la pointe chaude de sa langue s'infiltrer entre ses petites lèvres, en quête de son clitoris.

Elle agrippa les cheveux noirs et épais de Ian et laissa échapper un long gémissement, rejetant la tête en arrière. À travers les brumes hébétées de la volupté, elle aperçut Aphrodite qui veillait sur son initiation avec une tranquille et suprême satisfaction.

PARTIE IV

PARCE QUE TU DOIS APPRENDRE

7

Francesca eut l'impression de fondre sur le piédestal de marbre, perdant toute conscience d'elle-même, abandonnée totalement à cette sensation quasi électrique, le glissement sensuel de la langue de Ian au creux de son sexe. Elle crispa les doigts dans ses cheveux, savourant leur texture. Comment les autres êtres humains faisaient-ils pour vivre, manger, travailler et dormir alors que ce plaisir divin était à leur portée ?

C'était peut-être *lui* la réponse à cette question. Tout le monde n'avait pas la chance d'avoir un amant aussi talentueux et charismatique à sa disposition. La bouche et la langue de Ian étaient sans aucun doute les plus habiles du monde…

Il la fit se plier entre ses bras, et elle bascula le dos plus loin sur le piédestal, appuyée sur les coudes, inclinant le bassin pour trouver une position plus confortable. Elle fut récompensée par un grognement sourd de son amant satisfait, qui la fit vibrer de plaisir. Il lui écarta davantage les jambes et enfouit totalement son visage entre ses cuisses. L'écho du cri de Francesca se répercuta contre la voûte de pierre quand il plongea profondément sa langue dans son vagin.

— Ian !

Il lui fit l'amour avec sa langue, d'abord lentement et langoureusement, puis de plus en plus passionnément, au rythme des mouvements instinctifs de la jeune femme. Avec un gémissement, il étendit ses larges mains autour de ses hanches, enfonça les doigts dans la chair de ses fesses et l'immobilisa à sa merci. Elle hoqueta quand il l'aima avec encore plus de passion, enfouissant sa langue en elle et utilisant sa lèvre supérieure pour faire doucement pression sur son clitoris. Il oscilla la tête entre ses cuisses, la stimulant avec une précision diabolique. Les yeux de Francesca s'écarquillèrent.

Elle releva la tête vers la déesse du sexe et de l'amour, clouée sur place, tandis qu'un orgasme la secouait violemment.

*
* *

Ian lui souleva le bassin et continua à explorer son sexe de sa bouche conquérante, arrachant jusqu'à la dernière parcelle de plaisir au corps tremblant de la jeune femme. Quand elle s'apaisa, il continua un moment à lécher le miel qu'il avait récolté. Il avait toujours su qu'elle serait délicieuse, rien qu'au parfum de sa bouche et de sa peau, mais il n'avait pas été préparé à goûter un tel nectar.

Il était ivre d'elle, et il en voulait plus.

Son membre rigide n'avait que faire de ces réflexions. Il attira Francesca à lui, déposant un baiser humide sur le havre sensuel de son ventre, puis se redressa en grimaçant de plaisir. Le goût sublime de sa peau avait temporairement apaisé son désir, mais ce répit fut de courte durée. À contempler le corps de la jeune vierge à demi nue étalé sur le piédestal, éclairé par les rayons lunaires qui faisaient scintiller ses yeux sombres et luire la fente moite de son sexe, il se déchaîna de plus belle.

Il la souleva, appréciant la façon dont elle se lovait contre lui. Elle pouvait se montrer parfois si rétive et soudain si docile... En la voyant reposer la tête sur son épaule avec tant de confiance, une bouffée de tendresse l'envahit. Qui ne fit qu'attiser son envie de la posséder.

Il la porta jusqu'à un fauteuil rembourré de velours qui trônait à quelques pas du piédestal d'Aphrodite – une sorte de méridienne fabriquée pour un roi, si sa mémoire était juste. Or, au lieu d'y étendre la jeune femme, il la reposa au sol, sur ses pieds, et lui retira complètement sa robe qu'il déposa sur le dossier d'une autre chaise. Ensuite, il ôta sa propre veste. Francesca le regarda avec perplexité quand il l'allongea précautionneusement sur les coussins du fauteuil.

— Louis XIV s'est jadis étendu sur ce siège. Grand-mère m'étranglerait si nous venions à... déborder dessus.

Le petit sourire de Ian s'élargit en entendant le rire cristallin de Francesca. Il lui prit le menton et souleva son visage pour lui arracher un baiser vorace, avide de son rire. Son érection se durcit davantage encore quand elle lui lécha timidement les lèvres, découvrant la saveur de ses propres fluides sexuels.

— Oui... Pourquoi ne goûteriez-vous pas à un tel délice ? souffla-t-il d'une voix rauque en se détachant d'elle avec regret pour chercher un préservatif.

La tempête qui rugissait en lui menaçait de lui faire perdre tout contrôle. Il ne pouvait plus se fier à lui-même, et ne pourrait bientôt plus se fier à rien s'il ne la pénétrait pas dans la seconde.

— Étendez-vous sur le siège, ordonna-t-il d'une voix qui parut excessivement rauque à ses propres oreilles.

Elle s'allongea sur la veste de Ian. Ses jambes et son ventre étaient d'une blancheur d'albâtre sous la lumière de la lune, par contraste avec le tissu noir du vêtement. Le fauteuil, sans accoudoirs, était long et profond, avec un dossier recourbé. Le corps de la jeune femme reposait sur la partie plate, sa nuque était renversée contre le dossier, ses pieds dépassaient légèrement au-delà du rebord. Elle était si belle que la regarder était presque douloureux. Les dents serrées, Ian déboutonna rapidement son pantalon, le fit descendre jusqu'à ses chevilles, puis fit glisser son boxer, révélant son membre triomphant. Il prit ensuite son temps pour enfiler le préservatif et suspendit son geste lorsqu'il remarqua les yeux écarquillés de la jeune femme, fixés sur son sexe.

Elle avait peur de lui.

— Tout va bien se passer. Je vais aller lentement, la rassura-t-il en déroulant le mince fourreau de latex le long de son membre.

— Laissez-moi vous toucher, chuchota-t-elle.

Il se figea, le poing serré autour de la base de son pénis, qui pulsait dans sa paume. La douceur inattendue de sa requête le déstabilisa. Il imagina Francesca en train de faire ce qu'elle lui avait demandé, l'exquise volupté que lui procurerait le contact de ses doigts, de ses lèvres, de sa langue...

— Non, répondit-il avec une rudesse involontaire. (Il fut envahi par un sentiment de regret devant son expression déçue.) Je dois vous pénétrer, maintenant. Je n'en peux plus. J'ai attendu si longtemps... Trop longtemps, ajouta-t-il d'une voix plus douce.

Elle se contenta de hocher la tête, ses grands yeux sombres vrillés sur son visage. Il se débarrassa de ses chaussures, enleva ses chaussettes et repoussa son pantalon du pied. Sa chemise lui semblait un fardeau. Il la déboutonna, incapable de détacher son regard des cuisses écartées de Francesca et de sa fente luisante. Il était trop excité pour retirer complètement ses vêtements. Il se pencha au-dessus d'elle, les genoux appuyés contre le rebord du fauteuil, les mains juste au-dessus des épaules de la jeune femme. Il savait qu'il aurait dû placer ses genoux entre ses cuisses ouvertes, mais quelque chose le poussa finalement à les placer de part et d'autre des jambes de Francesca, serrant ses cuisses entre les siennes.

Si belle… et totalement à sa merci.

— Reculez-vous et accrochez vos mains au dossier, lui intima-t-il.

Une expression de confusion se peignit sur le visage de Francesca, mais elle s'exécuta sans protester, avec une docilité telle qu'il sentit son érection pulser violemment entre ses cuisses, à la fois lourde et brûlante. Lorsque la jeune femme eut les bras étendus au-dessus de la tête, agrippée au rebord du dossier de la méridienne, il lâcha un grognement de satisfaction.

— J'aurais aimé vous attacher, mais comme je ne peux pas le faire ici, vous devrez garder vos bras dans cette position. Vous m'avez compris ?

— Je préférerais pouvoir vous toucher, fit-elle.

Sa bouche rose sombre en mouvement fit s'emballer le cœur de Ian.

— Je préférerais moi aussi que vous puissiez le faire, répondit-il sombrement en soulevant son sexe entre ses doigts. Et c'est précisément pour cette raison que vous les garderez au-dessus de la tête quoi qu'il vous en coûte.

*

* *

Elle avait de plus en plus de mal à respirer, allongée ainsi, cramponnée désespérément au rebord de bois du dossier, les yeux emplis par l'incarnation même de la beauté virile et brute qui lui faisait face. Elle mourait d'envie de poser les mains sur son corps, or elle ne pouvait que le regarder avec fascination tandis qu'il se touchait. Tenant son membre rigide, il s'apprêta à la pénétrer. Francesca sentit les muscles de son vagin se contracter, en proie à l'excitation et à la crainte. Il avait l'air si épais, si puissant, si gonflé de désir...

À la dernière seconde, il sembla se raviser et relâcha son pénis, qui resta suspendu à l'oblique entre leurs deux corps. Il tendit la main vers le soutien-gorge de dentelle noire de la jeune femme et dégrafa l'attache frontale. Un nouvel afflux de liquide inonda le sexe de Francesca quand il repoussa les deux bonnets, dénudant ses seins. L'érection de Ian oscilla.

— Vénus..., souffla-t-il d'une voix rauque, un léger sourire aux lèvres.

Elle patienta, le souffle coupé, consumée par l'envie qu'il pose les mains sur sa poitrine frémissante et ses tétons durcis, mais il n'en fit rien. Au lieu de ça, il souleva à nouveau son pénis entre ses doigts, releva l'un des genoux de la jeune femme pour l'ouvrir encore davantage à lui, et pressa le sommet de sa verge contre l'entrée de son vagin. Elle se mordit les lèvres pour étouffer un cri. Il laissa échapper un grognement – d'excitation ou de frustration, impossible à dire – et fléchit les hanches pour commencer à faire glisser son membre au creux du ventre de la jeune femme.

— Ah ! Bon sang, Francesca, vous allez me mettre au supplice...

Elle entrevit son visage crispé, plongé dans l'ombre, au milieu duquel luisaient ses dents blanches pendant qu'il grimaçait. Désirant plus que tout le satisfaire, lui donner du plaisir, elle avança les hanches vers l'avant pour lui faciliter la tâche. Elle laissa échapper un gémissement aigu, traversée par un élancement de douleur, et entendit à peine le rugissement de Ian, qui claqua une main sur sa hanche en guise d'avertissement.

— Ne bougez pas, Francesca. Qu'est-ce que vous voulez ? Nous achever tous les deux ?

— Non, je voulais j...

— Peu importe (Elle se rendit compte que la respiration de son partenaire s'était faite haletante.) Ça va mieux, maintenant ? demanda-t-il au bout d'un moment entre deux souffles rauques.

Elle comprit qu'il parlait de la douleur qu'elle avait ressentie. Comment savait-il qu'elle avait eu si mal ? Elle prit alors conscience que son sexe était toujours à demi enfoncé en elle. Ses muscles internes se contractaient et pulsaient autour de la chair vibrante. C'était encore un peu inconfortable, mais le plus fort de la douleur était passé.

Ian en elle. Fusionné à elle.

— Ça ne me fait pas mal, chuchota-t-elle avec un respect mêlé de crainte.

Elle vit la pomme d'Adam de son amant saillir alors qu'il déglutissait. Il ôta la main de son genou et tendit les doigts entre ses cuisses.

— Oooh, gémit-elle quand il commença à masser son clitoris avec son pouce.

Il semblait connaître exactement la pression nécessaire pour la faire se tordre de plaisir. La sensation omniprésente de son membre épais en elle ajoutait une dimension supplémentaire à l'excitation qu'il lui procurait.

— Arrêtez de gigoter, lâcha-t-il d'une voix où perçait un mélange d'exaspération, de tendresse et de désir exacerbé.

Ses caresses la mettaient dans un état d'incandescence presque insupportable. Il poussa le bassin en avant avec un grognement qui sembla lui déchirer la gorge et s'enfonça presque complètement en elle. Il restait tout juste assez d'espace à sa main glissée entre eux. La douleur diffuse que ressentait toujours Francesca se dilua dans une sensation de plaisir intense tandis qu'il continuait à la caresser.

— *Ian !* gémit-elle.

Il avança encore les hanches, pressa les doigts plus fermement encore contre son clitoris, puis donna un coup de reins... une fois... deux fois. Elle gémit sous l'extase, et un nouvel orgasme vint secouer son corps, les muscles de son vagin serrés autour de lui. Cette fois, même au travers des vagues de jouissance qui la submergeaient, elle savait que les grognements de Ian exprimaient eux aussi le plaisir. Elle jouissait encore quand il ôta la main de son sexe pour enserrer sa taille. Il se retira légèrement avec un son rauque, avant de replonger profondément en elle.

— Aaah, Dieu du ciel, votre *chatte*... c'est meilleur encore que je ne l'imaginais, rugit-il tout en donnant un nouveau coup de reins. La seule chose capable de surpasser ça, ce sera de vous baiser sans capote.

Elle frémissait encore sous les derniers assauts de l'orgasme qui ravageait son corps. Ian la fit trembler davantage encore quand il la pilonna, se faisant de plus en plus conquérant, heurtant à intervalles réguliers son bas-ventre contre le sien. Il s'interrompit quelques instants plus tard, enfoncé totalement en elle, et colla ses testicules contre l'entrée de sa vulve. Elle laissa échapper un cri d'excitation.

— Je ne veux pas vous faire mal, mais vous me rendez fou, Francesca, souffla-t-il.

— Vous ne me faites pas mal.

— Vraiment ?

Elle secoua la tête.

La jeune femme sentit alors le corps de son amant se détendre. Il recommença à lui faire l'amour, imprimant un mouvement de piston, fluide et rythmé, avec ses hanches. Elle étouffa un cri, qui demeura coincé dans sa gorge. Elle savait que Ian se retenait depuis des jours, à présent, cependant, il la prenait tout entière et sans retenue… et pas seulement, mais avec une habileté qui l'émerveillait. Ses gestes étaient à la fois subtils et spontanés, contrôlés et sauvages. C'était comme s'il injectait patiemment du plaisir en elle, pressant sa chair contre la sienne jusqu'à ce qu'elle ait l'impression d'être sur le point d'exploser. Elle se mit à bouger les hanches pour accompagner ses mouvements, laissant échapper de petits glapissements chaque fois que leurs deux corps s'entrechoquaient dans un claquement moite.

*

* *

— Dieu…, grogna-t-il d'une voix à la fois misérable et extatique.

Il bougea contre le siège et l'empala avec une telle force que la tête de Francesca heurta le coussin de velours noir. À travers les brumes du plaisir, elle se rendit compte qu'il lui avait écarté les jambes des deux côtés du siège, et que ses pieds reposaient maintenant sur le sol. Il la souleva en même temps que le fauteuil et donna un nouveau coup de reins, la mâchoire serrée.

— Ian, laissez-moi, lâchez le siège ! l'implora-t-elle alors qu'il plongeait en elle encore et encore.

Elle sentit les prémices d'un nouvel orgasme sur le point de déferler en elle, et probablement en lui aussi. Elle avait tellement envie de le toucher...

— Non, rétorqua-t-il d'une voix crispée.

Il décolla les pieds du sol et retomba sur elle, lâchant un gémissement au moment où leurs corps entraient en collision. Le fauteuil eut un craquement bizarre mais, heureusement, l'inestimable pièce de mobilier ne s'effondra pas sous leur poids en un tas de planches. La tête de la jeune femme heurta la surface matelassée du siège ; ses seins rebondissaient à chaque puissant coup de boutoir de Ian, et cette sensation ne faisait qu'attiser son ardeur. Il tendit la main vers sa fente pour l'ouvrir plus largement encore, puis inclina les hanches de manière à faire ballotter ses testicules contre la chair rose, faisant tourner son membre en un mouvement subtil à l'intérieur de son vagin.

— Pas avant que tu aies joui à nouveau, ma beauté.

Ce n'était pas vraiment comme si elle avait le choix. La pression qu'il avait fait monter en elle était insupportable. La jeune femme lâcha un cri en sentant le septième ciel s'approcher à nouveau. Ian grogna férocement sous l'emprise du plaisir et accéléra encore le rythme de ses mouvements, laissant la sauvagerie qu'il avait maintenue si longtemps sous contrôle s'exprimer entièrement.

Francesca geignit de protestation quand il se retira brusquement d'elle et écarta les genoux pour l'enjamber à califourchon. Il avait le souffle de plus en plus heurté. Elle leva les yeux vers lui, sentant avec désespoir l'orgasme s'éloigner, incapable de comprendre ce qu'il faisait. À travers la pénombre, elle le vit prendre son érection en main et commencer à se masturber.

— Ian ?

Il gémit comme s'il était à l'agonie et commença à éjaculer. Francesca eut l'impression qu'une intense frustration assaillait sa poitrine en le voyant se répandre hors d'elle. Elle baissa lentement les bras, envahie par une sensation de vide, de vulnérabilité... et pourtant excitée par le spectacle auquel elle venait d'assister.

Quelques instants plus tard, il baissa la tête et s'effondra au-dessus d'elle, les muscles bandés, aspirant l'air par grandes goulées. Elle le trouvait déjà magnifique quand il rugissait au-dessus d'elle, possédant son corps et son esprit, mais il l'était davantage encore agenouillé ainsi, tremblant et épuisé par la passion.

Elle tendit les bras vers lui et entoura doucement son cou de ses bras, caressant les muscles puissants de ses épaules. Au contact de sa chair, un frisson la traversa.

— Pourquoi...

— Je suis désolé, haleta-t-il. Je n'ai pas pu m'empêcher de repenser à ce qui était arrivé avec mon ex-femme... la grossesse...

— Tout va bien, Ian, murmura-t-elle.

Une vague de compassion envahit Francesca lorsqu'elle comprit quelle angoisse terrible il devait éprouver, pour redouter ainsi le risque infime de la mettre enceinte malgré le préservatif. Elle saisit délicatement les pans de sa chemise ouverte et les rabattit d'une main sur son torse, posant l'autre main sur son dos pour l'attirer doucement à elle.

— Viens, insista-t-elle en percevant sa résistance.

Il hésita un moment mais finit par céder. La masse solide et puissante de son corps pressé contre le sien sembla relever, pour Francesca, d'un petit miracle.

— Je désirais tellement ce moment. Je n'ai pas eu... il n'y a eu personne d'autre depuis plusieurs semaines. Ça ne me ressemble pas. Je sentais que ça montait en moi, et j'avais peur... Le préservatif n'était pas suffisant. C'est idiot, marmonna-t-il, haletant.

Elle lui embrassa l'épaule et caressa son large dos ruisselant de sueur. Une inexplicable sensation de gratitude emplit sa poitrine à l'idée que, depuis plusieurs semaines, il avait mis de côté ses pratiques sexuelles habituelles.

Avait-elle quelque chose à voir avec cette abstinence ?

Non. Sûrement pas.

Tout cela l'effrayait un peu. La personnalité de Ian était pleine de mystère, comme son choix délibéré de solitude. Elle continua à le caresser tandis qu'il revenait à lui, sans détacher les yeux du visage énigmatique de leur gardienne, et se demanda confusément si la déesse était là pour les bénir ou pour les maudire.

*
* *

Il demeura perdu dans ses pensées durant le trajet en voiture vers l'hôtel. Assise à côté de lui sur le siège arrière de la limousine, elle gardait la tête posée sur son épaule et lui caressait les cheveux. Au début, elle se demanda avec angoisse s'il regrettait son moment de vulnérabilité au musée – son aveu –, mais elle finit par se détendre, bercée par son silence. Elle contempla à travers ses paupières mi-closes les lumières de Paris qui défilaient derrière les fenêtres, se remémorant chaque détail de ce qui était arrivé dans la salle du musée Saint-Germain.

Elle n'allait quand même pas regretter une expérience aussi incroyable, n'est-ce pas ?

L'hôtel George-V se situait non loin des Champs-Élysées. *Le terme « luxueux » est encore bien en deçà de la vérité,* songea Francesca en suivant Ian dans l'ascenseur doré. Lorsqu'il ouvrit la porte devant elle, elle eut le souffle coupé en découvrant le salon rempli de mobilier ancien et de splendides draperies, avec une cheminée en marbre et des tableaux originaux des dix-septième et dix-huitième siècles.

— C'est par là, fit-il en l'invitant à entrer dans une chambre à coucher digne d'un roi.

— Oh, c'est magnifique..., murmura-t-elle alors qu'elle effleurait la soie damassée du couvre-lit et qu'elle contemplait la pièce décorée avec un goût exquis.

Tout en la dévorant du regard, il l'aida à ôter sa veste, qu'il accrocha à un portemanteau.

— L'hôtel est proche de l'endroit où se tiendra ma réunion demain matin. Je vais devoir me lever tôt, et je serai probablement parti quand tu te réveilleras. Je te conseille d'aller admirer la vue de la terrasse quand le jour sera levé ; ça te plaira sûrement. Je te ferai monter un petit déjeuner, et tu pourras t'y installer pour manger, si tu veux. Tu as l'air très fatiguée.

Elle fronça les sourcils devant ce soudain changement de sujet.

— Oui, sans doute. La journée a été longue. Je ne peux pas croire que ce matin encore, j'étais au *High Jinks*. Tout ça me semble un peu... irréel.

En vérité, elle avait l'impression de ne plus être la même personne que celle qui avait ouvert la porte à Ian quand il avait sonné à la colocation... ou même que celle qui était entrée au musée Saint-Germain quelques heures plus tôt. Comme si son initiation amoureuse l'avait, d'une manière ou d'une autre, transformée.

Elle lui jeta un regard nerveux, sans trop savoir ce qu'il attendait d'elle.

— Tu pourrais peut-être te préparer à te mettre au lit ? fit-il d'un ton bourru en lui indiquant la porte de la salle de bains. Jacob nous a livré nos affaires pendant que nous étions au restaurant. Ton sac est là.

— Tu ne veux pas y aller en premier ?

Il secoua la tête et commença à défaire ses boutons de manchette.

— Je vais utiliser celle de l'autre suite.

— Il y a une autre suite ?

Il hocha la tête.

— Jacob y dort la plupart du temps.

— Mais pas cette fois ?

Il releva les yeux vers elle.

— Non. Pas cette fois. Je te voulais toute à moi.

Francesca sentit les battements de son cœur marteler ses tempes en pénétrant dans la salle de bains. Elle ôta précautionneusement la robe, le soutien-gorge et le collier, sans cesser de penser aux derniers mots qu'il avait prononcés.

Dans le miroir, elle vit pourquoi Ian lui avait trouvé l'air fatigué. Son visage était pâle contrairement à ses lèvres rougies et enflées par la passion, et ses yeux semblaient inhabituellement grands, soulignés de cernes sombres. Elle avait prévu de prendre une douche mais elle se sentit soudain trop épuisée. Elle se nettoya le visage, se brossa les dents et contempla avec perplexité son sac de nylon posé sur un tabouret recouvert d'un coussinet brodé. Il n'avait pas sa place dans un tel endroit.

Comme elle, sans aucun doute.

Après une soirée comme celle qu'elle venait de vivre, elle se sentit complètement ridicule en enfilant le pantalon de yoga et le tee-shirt large qu'elle avait emportés en guise de pyjama. Elle se passa de la crème hydratante sur le visage et se peigna les cheveux avant de quitter la pièce. Quand elle retourna dans la chambre, Ian était tranquillement assis sur le luxueux sofa, en train de tapoter sur son téléphone portable. Elle se figea et l'observa avec un mélange d'admiration et de désir. Il ne portait qu'un simple pantalon de pyjama noir qui lui retombait assez bas sur les hanches. Les courbes de son torse, sa taille étroite et ses larges épaules étaient sublimes. Il n'avait pas un gramme de graisse, et il accordait tant d'importance à sa discipline personnelle qu'elle n'imaginait même pas à quels exercices quotidiens il pouvait s'astreindre. Ses courts cheveux noirs, sa nuque et ses tempes semblaient légèrement humides.

Elle n'avait jamais vu un aussi bel homme de sa vie. Et elle était certaine de ne jamais lui trouver d'égal.

Il releva les yeux et vit qu'elle était plantée là, sur le seuil de la chambre, tétanisée par son regard impitoyable. Il détourna la tête et reprit ce qu'il était en train de faire.

— Pourquoi ne te mets-tu pas au lit ? fit-il en continuant à taper son message.

Elle commença à ôter les coussins décoratifs et releva les draps scandaleusement luxueux.

— Enlève tes vêtements, lui lança-t-il depuis l'autre extrémité de la pièce quand elle fit mine de se glisser dessous.

Elle s'immobilisa et se tourna vers lui. Il n'avait pas levé les yeux de son téléphone. Elle commença à ôter son pyjama, et sa respiration s'accéléra.

Pourquoi ne la regardait-il pas comme il l'avait fait dans l'avion quand elle s'était déshabillée devant lui, en suivant chacun de ses mouvements avec des yeux brillants de désir ?

Elle se mit au lit et tira les draps et la couverture à elle. Ian resta à l'autre bout de la chambre, toujours occupé sur son téléphone. Les paupières de Francesca devinrent de plus en plus lourdes ; le lit était doux et chaud. Elle sombra dans le sommeil.

Il y eut un petit cliquètement, et elle rouvrit brusquement les yeux. Ian avait éteint les lumières. Elle sentit le matelas s'enfoncer près d'elle tandis qu'il se glissait à son tour sous les draps. Il l'attira à lui, entoura sa taille de ses bras et colla le ventre contre son dos. Elle pouvait sentir qu'il portait toujours son pantalon de pyjama, et aussi... qu'il n'y avait rien d'autre sous le mince tissu.

Elle se réveilla alors tout à fait.

— Pourquoi portes-tu un pyjama alors que je suis nue ? s'enquit-elle dans l'obscurité.

Il lui écarta les cheveux des épaules et lui caressa doucement le dos, projetant des ondes de plaisir à travers son corps.

— Je serai souvent habillé quand tu seras nue.

— Ça n'est pas très logique, fit-elle en retenant son souffle lorsqu'il effleura d'une main la courbe de ses seins.

Elle sentit le membre de Ian se dresser contre ses fesses. En réponse, son clitoris commença à pulser.

— Il me plaît de pouvoir te toucher de la façon que je veux, au moment que je veux.

— Pendant que tu restes habillé et que tu gardes le contrôle absolu de toi-même ? demanda-t-elle avec une pointe de colère dans la voix.

— Pendant que je reste habillé et que je garde le contrôle absolu de moi-même, répéta-t-il en guise de confirmation.

— Mais...

— Il n'y a pas de « mais », rétorqua-t-il en lui caressant les fesses, un sourire dans la voix. (Elle sentit son sexe se dresser contre ses fesses, et il soupira, retirant sa main.) Tu ne devrais pas te plaindre, fillette, la gronda-t-il en la serrant davantage contre lui. Je suis déjà dangereusement proche de la ligne rouge quand je suis avec toi. Tu viens d'ailleurs d'en avoir une parfaite démonstration.

— C'était extraordinaire, chuchota-t-elle d'une voix émerveillée.

Il resta immobile pendant un moment, puis tendit la main vers ses cuisses. Elle hoqueta de surprise quand il introduisit doucement les doigts entre ses jambes pour englober sa fente de sa paume, d'un geste à la fois tendre et ouvertement possessif.

— Je t'ai possédée comme j'aurais pu le faire avec la plus expérimentée des femmes et tu étais… vierge, murmura-t-il avec une nuance de rage dans la voix.

Ces mots si crus firent monter le rouge aux joues de la jeune femme. *Possédée* était bien le terme. Elle avait été complètement à sa merci, étendue sur la méridienne, et elle avait aimé chaque instant de cette prise de possession magistrale.

— Je ne suis plus une vierge, dit-elle en tremblant. On pourra le refaire, et tu n'auras pas à t'inquiéter autant, cette fois.

Le membre durci de Ian vint une nouvelle fois buter contre les fesses de la jeune femme. Pendant quelques secondes, elle perçut sa tension intérieure… son indécision.

Il retira lentement la main de son entrejambe.

— Non. Demain viendra bien assez tôt. Il y a beaucoup de choses que je veux t'apprendre. Tu mérites au moins une bonne nuit de récupération.

— Quelles choses ?

— Tu le sauras en temps voulu. Maintenant, dors. La journée de demain sera chargée.

Ce n'était pas exactement le genre de chose qu'il aurait fallu lui dire pour l'aider à trouver le sommeil. Et pourtant, au bout d'une minute, elle finit par se détendre contre le corps de Ian, réconfortée par sa chaude et dure présence.

*
* *

Quand il se réveilla, émergeant de rêves sombres et sensuels, Ian sentit le corps nu de Francesca collé contre lui. Une érection monstrueuse déformait son pyjama, à quelques centimètres des fesses de la jeune femme, et sa main droite enserrait l'un de ses seins plantureux.

Dieu du ciel.

Il se redressa en grimaçant pour regarder l'heure, gardant une main sur la hanche de Francesca et maintenant son postérieur splendide en contact avec son membre dressé. Elle perçut son mouvement et se cambra dans son sommeil, stimulant tant son érection qu'il dut serrer les dents.

Il ramassa son téléphone et désactiva le réveil automatique qui menaçait de sonner à la seconde suivante. Il aurait dû se lever pour se préparer à son rendez-vous, mais il reposa le téléphone sur la table de chevet et abaissa son pantalon de pyjama, libérant son membre rigide du carcan de tissu. Il attira encore davantage à lui le corps de Francesca, fléchissant les genoux pour pouvoir enfouir son sexe plus profondément au creux du doux sillon entre ses fesses. *Dieu, que c'est bon !* songea-t-il en enfonçant encore davantage son sexe épais, pris entre les deux globes de chair. L'excitation qui avait monté en lui toute la nuit au contact du corps nu de la jeune femme – qui montait en lui, en réalité, depuis l'instant même où il avait joui au musée Saint-Germain – rendait son sexe dur comme la pierre. Il maintint fermement les hanches de Francesca, arqua le bassin, et lâcha un grognement de plaisir quand il s'enfonça une fois encore entre ses fesses fermes et satinées.

Il se rendit compte qu'elle frémissait contre lui. Il l'entendit hoqueter et prononcer doucement son nom, mais il était si captivé par les délicieuses sensations de ce réveil sensuel inattendu qu'il était incapable de faire autre chose que continuer à donner des coups de reins, grogner et prendre son plaisir. Son membre était énorme et raide, merveilleusement sensible tandis qu'il effectuait des allers-retours dans le sillon chaud et douillet. La jeune femme voulut tendre le bras en arrière pour le toucher, or Ian lui attrapa le poignet et le replaça près de son ventre, l'immobilisant pendant qu'il continuait à la pénétrer.

Depuis quand le simple contact avec le postérieur d'une femme pouvait-il le mettre dans un tel état de frénésie sexuelle ?

— Laisse-moi faire, articula-t-il d'une voix rauque en poursuivant son mouvement de va-et-vient. Ça ne prendra plus beaucoup de temps.

Effectivement, l'orgasme arriva quelques coups de reins plus tard. Il serra les dents et se regarda éjaculer sur le bas du dos et la courbe supérieure des fesses de Francesca. *Dieu du ciel, cette fille me fait un effet fou,* songea-t-il en se répandant par saccades et en se demandant si ce plaisir dévastateur finirait jamais. Puis il s'écroula sur elle, le souffle court. Elle geignit quand il s'écarta d'elle pour attraper un mouchoir.

Francesca tourna la tête vers lui, et il la dévisagea avec surprise. Elle avait les joues d'un rose intense, ses lèvres rouges et gonflées. Il jeta le mouchoir au pied du lit et s'allongea contre elle.

— Ça t'a excitée ? fit-il en l'embrassant doucement. De me laisser utiliser ainsi ton corps pour mon plaisir ?

— Oui, chuchota-t-elle.

— Alors il faut que tu jouisses aussi, ma beauté.

Il glissa les doigts entre les cuisses serrées de la jeune femme et découvrit son sexe délicieusement humide. Elle hoqueta et détourna la tête, pressant sa joue contre l'oreiller. Il sourit en introduisant un doigt dans sa fente pour caresser son clitoris.

— Je veux pouvoir jouir en toi, Francesca. Partout en toi, murmura-t-il allongé contre elle, la bouche à quelques centimètres de son oreille. Tu aimerais ça, aussi ?

— Oh... oui.

— Il va falloir songer à un moyen de contraception, alors.

— Oui, souffla-t-elle tandis qu'il la massait doucement, fermement.

Irrésistiblement.

Il la scrutait tout en la caressant, fasciné par le délicat battement de ses paupières et le rose qui assombrissait ses joues. Ses lèvres entrouvertes l'ensorcelaient.

— Plus tard, je t'attacherai..., chuchota-t-il. Et je t'apprendrai à me donner du plaisir par d'autres moyens encore. Tu aimeras ça ?

— Oui, répondit-elle.

La vision de ses lèvres tremblantes mettait Ian au supplice, et il commença à masser le clitoris avec plus de force. Elle se cambra contre lui, et il lui donna ce dont elle avait besoin, la caressant en un mouvement frénétique du poignet.

— Je *veux* te donner du plaisir, Ian, reprit la jeune femme dans un souffle.

— Tu m'en donnes, grogna-t-il en l'embrassant avec rudesse, malmenant sa bouche exquise. Et tu m'en donneras.

Elle cria et fut prise de violents tremblements. Il la berça pendant que l'orgasme la ravageait et pensa avec excitation à ce qu'il lui ferait plus tard quand il la retrouverait dans la suite, docile, prête à se soumettre à ses moindres désirs... à sa volonté.

Elle commença à s'apaiser, et il lui embrassa la nuque, goûtant la saveur sucrée de sa peau. Un doux gémissement s'échappa des lèvres de Francesca.

— La législation sur la pilule est un peu plus permissive ici. Je connais un pharmacien qui peut nous en fournir pour plusieurs mois. Tu pourras commencer tout de suite, murmura-t-il.

Il la sentit se raidir contre lui et contempla le mouvement de sa nuque avec ravissement.

— Je n'aurai pas à voir un médecin ?

— Quand tu seras retournée à Chicago, oui. Mais plus tôt tu commenceras, mieux ça sera. Je peux envoyer Jacob faire la course pour que tu commences ce soir même. J'ai déjà parlé au pharmacien. Tu n'as pas de risques de santé particuliers, n'est-ce pas ? Une pression artérielle élevée, des antécédents d'accidents vasculaires ?

— Non, je suis en pleine forme. J'ai vu mon médecin le mois dernier. (Elle s'étendit contre lui, sur le dos, et le contempla de ses yeux doux et sombres.) Je commencerai ce soir, bien sûr. Je sais à quel point c'est important pour toi, Ian.

— Merci, fit-il en déposant un baiser sur sa joue, tout en se disant qu'elle était bien loin d'imaginer à quel point cela avait de l'importance pour lui.

*
* *

Tandis que Ian se préparait pour sa réunion, Francesca se prélassa au lit, comblée par ses baisers et la plénitude de l'orgasme qu'il lui avait procuré. Quand elle rouvrit paresseusement les yeux après avoir somnolé un moment, elle découvrit Ian debout à côté du lit, les yeux posés sur elle. Il était superbe dans son costume noir assorti d'une chemise amidonnée et d'une cravate bleu clair ; l'odeur piquante de son après-rasage envahit les narines de la jeune femme.

— Veux-tu que je te commande un petit déjeuner ? demanda-t-il d'une voix basse qui sembla à Francesca comme une caresse au milieu du silence ouaté de la chambre. Tu veux manger sur la terrasse ? Le temps est magnifique.

— Je vais le commander. Ce n'est pas la peine de t'en occuper, répondit-elle d'une voix ensommeillée.

Il hocha la tête et s'écarta comme s'il s'apprêtait à partir. Il eut pourtant une hésitation et se pencha brusquement sur elle pour l'embrasser à pleine bouche.

C'était indéniable ; les baisers de Ian étaient les plus… *sexuels* qu'elle ait jamais connus. Non qu'elle ait beaucoup d'expérience en la matière, mais tout de même… Comment un simple baiser à la sauvette pouvait-il lui rappeler ce que c'était que d'être à la merci de ses lèvres habiles et exigeantes ?

Elle le regarda s'éloigner quelques instants plus tard, si grand et si imposant dans son costume sombre, et elle ressentit un étrange mélange de joie et de regret. Une fois qu'il eut disparu, elle prit une douche, se lava les cheveux et sortit sur la terrasse ensoleillée pour les laisser sécher à l'air libre, contemplant le merveilleux panorama sur Paris et la célèbre fontaine Art déco des Trois Grâces[1].

Elle appela le room-service et dégusta son petit déjeuner à l'extérieur, comme Ian le lui avait suggéré. Au milieu de tout ce luxe, l'impression de vivre quelque chose d'extraordinaire la frappa une fois encore.

Puis elle contacta Davie. Elle essaya surtout de le convaincre qu'elle était en sécurité et heureuse d'être à Paris avec Ian. Or son ami semblait tout sauf emballé par sa petite aventure. En fait, ses inquiétudes soulignaient certaines choses, qu'il était facile pour elle de mettre de côté quand Ian était auprès d'elle, quand il lui faisait l'amour et qu'elle oubliait tout sauf le désir qu'elle avait de lui. Elle se souvint que Ian l'avait payée intégralement pour son tableau, sachant pertinemment qu'elle ne refuserait jamais de le finir. Elle se remémora en détail la façon dont il avait fait fermer le bar pour lui dire qu'il voulait la posséder sexuellement, de manière à lui faire perdre ses repères habituels. Elle repensa aussi à la façon dont il l'avait convaincue un peu plus tôt de commencer à prendre la pilule le plus tôt possible.

Quand on y songeait… comment avait-elle pu prendre aussi vite une décision si lourde de conséquences pour son corps ? Pourtant, c'était bien ce qui était arrivé, juste après que Ian l'eut embrassée, caressée et fait hurler de plaisir.

Une sensation d'oppression envahit sa poitrine.

Non. Ça ne s'était pas passé comme ça.

N'est-ce pas ?

---

1. Ladite fontaine se trouve en réalité à Bordeaux. (*N.d.T.*)

Heureusement, elle avait l'excuse du prix de la communication longue distance pour écourter sa discussion avec Davie. Vers la fin de leur conversation, elle commençait à craindre qu'il perçoive l'anxiété qui couvait dans sa voix.

Dans un état fébrile, elle enfila ensuite ses vêtements de jogging et se rendit compte que Ian ne lui avait pas donné la clé de la suite. Elle appela la réception, soulagée de trouver une employée qui parlait l'anglais. La femme l'informa que son nom était enregistré en tant qu'invitée, et qu'elle pouvait passer prendre une clé magnétique à l'accueil si elle présentait ses papiers.

Francesca sortit courir dans les rues de Paris, parcourant d'abord celles parallèles, peu fréquentées, avant de revenir le long des grandes avenues touristiques – et commerçantes –, traversant les Champs-Élysées et dépassant l'Arc de Triomphe. Quand elle fit demi-tour vers l'hôtel, elle avait réussi à évacuer une bonne partie de son anxiété et de ses inquiétudes. Courir la calmait toujours.

Ian ne l'avait certainement pas manipulée au sujet de la contraception. Elle avait intérêt tout autant que lui à éviter un risque de grossesse. Comment avait-elle pu penser le contraire ?

Sa bonne humeur ne la quitta pas jusqu'à ce qu'elle ouvre la porte de la suite pour découvrir Ian en train de tourner en rond comme un lion en cage devant la cheminée de marbre, son téléphone vissé à l'oreille. Il s'interrompit et la dévisagea.

— Ça ne fait rien, fit-il, les lèvres serrées, tout en la détaillant de pied en cap. Elle vient de rentrer.

Il coupa la conversation et reposa le téléphone sur la cheminée.

— Où étais-tu passée ? demanda-t-il.

Francesca se raidit devant son ton accusateur. Il s'avança vers elle, les yeux brillants comme des braises.

— Je suis allée faire un jogging, répondit-elle en baissant ostensiblement les yeux sur son short, son tee-shirt et ses chaussures de course comme pour dire : « Eh ! ça se voit, non ? »

— Je me suis inquiété. Tu n'as même pas laissé de mot.

Elle en resta bouche bée.

— Je ne pensais pas que tu rentrerais avant moi, s'exclama-t-elle, ébahie par sa colère subite. Qu'est-ce qui te prend de t'emporter comme ça ?

Les muscles du visage de Ian se crispèrent.

— C'est moi qui t'ai amenée à Paris. Je suis responsable de toi. Je préférerais que tu ne disparaisses pas comme ça, fit-il sèchement en se détournant d'elle.

— Je suis adulte et responsable. Et je m'en suis très bien sortie sans toi depuis vingt-trois ans, merci.

— Tu es ici avec moi, reprit-il en faisant brusquement volte-face.

— Ian, c'est ridicule !

Elle n'arrivait pas à croire qu'il soit si irrationnel. Qu'est-ce qui se cachait derrière sa colère ? Était-il à ce point maniaque, à ce point obsédé par ses projets qu'il ne pouvait admettre le moindre écart, comme son jogging matinal ?

— Tu ne peux quand même pas m'en vouloir d'être allée courir, reprit-elle.

Elle vit un muscle de sa joue tressaillir. Derrière la lueur de colère qui perçait dans ses yeux, elle distingua un puits sombre d'inquiétude et d'impuissance. Bon sang... Il s'était vraiment inquiété pour elle. Pourquoi ? Malgré l'irritation qu'elle ressentait, elle ne pouvait pas s'empêcher d'éprouver de la compassion pour lui. Il s'approcha d'elle, et elle résista à l'envie de reculer tant il était impressionnant.

— Je suis en colère parce que tu es sortie sans me laisser un mot pour me dire où tu allais. Si tu étais rentrée plus tôt, les choses se seraient passées différemment, mais ça ne change rien au fait que je préfère que tu n'ailles pas courir les rues d'une ville étrangère toute seule. Nous ne sommes pas à Chicago. Tu parles à peine le français !

— J'ai vécu à Paris plusieurs mois !

— Je n'aime pas quand une personne dont je suis responsable disparaît sans explication, répliqua-t-il sans desserrer les dents.

Il la détailla des pieds à la tête, et elle se rappela soudain qu'elle portait un soutien-gorge de sport, un tee-shirt moulant et un short. Ses tétons se durcirent lorsque le regard de Ian s'attarda sur ses seins.

— Va prendre une douche, fit-il en se détournant vers la cheminée.

— Pourquoi ?

Il posa un bras sur le manteau de la cheminée et la toisa.

— Parce que tu as encore beaucoup à apprendre, Francesca, répondit-il d'une voix plus douce.

Elle avala péniblement sa salive.

— Tu vas me... punir ?

— Je me suis fait un sang d'encre quand j'ai découvert la chambre vide. Je m'attendais à ce que tu sois là à m'attendre. La réponse à ta question est oui. Je vais te punir, et je te baiserai ensuite pour mon plaisir égoïste. Et si, après ça, tu n'as pas retenu la leçon, je te punirai à nouveau. Autant de fois qu'il sera nécessaire pour que tu comprennes que je n'apprécie pas ta conduite impulsive.

Les tétons de Francesca se dressèrent encore plus contre le fin tissu du soutien-gorge, alors même que la colère montait en elle. Une vague de chaleur inonda son entrejambe.

— Très bien, tu peux me punir, mais pas parce que j'ai été faire du jogging. C'est complètement idiot.

— Pense ce que tu veux. Mais tu vas entrer dans la salle de bains, prendre une douche et enfiler une robe. Tu m'attendras dans la chambre, ajouta-t-il en se détournant à nouveau pour reprendre son téléphone.

Il composa un numéro et prononça quelques phrases courtoises en français avant de formuler plusieurs demandes. Il venait de la congédier.

Elle resta plantée là un instant, brûlant d'envie de dire à Ian d'aller se faire foutre, lui et sa maudite douche, sa maudite robe et sa putain de voix irrésistible.

Une autre part d'elle-même se sentait coupable d'avoir fait naître sans le vouloir cette angoisse dans ses yeux.

Une autre encore était excitée par ce qu'il venait de dire. Elle n'avait jamais cessé de repenser à la nuit où il avait utilisé sur elle la tapette avant de lui administrer la fessée, en regrettant que les choses aient été interrompues aussi brutalement.

Elle avait envie de voir jusqu'où Ian était capable d'aller. Elle avait envie de lui donner du plaisir.

Mais à quel prix ? s'interrogea-t-elle avec anxiété en pénétrant dans la chambre à coucher, résignée à se plier à sa volonté. Pourquoi était-il si indéchiffrable ? Pourquoi la rendait-il si indéchiffrable… même à ses propres yeux ?

8

Après avoir pris sa douche, Francesca s'assit nerveusement sur le sofa moelleux dans le coin salon de la chambre, de nouveau en colère. Comment osait-il la faire poireauter ainsi ? Prenait-il un plaisir pervers à la manipuler comme une marionnette ?

Il tirait les ficelles de bien des façons. Elle mourait à la fois d'envie de retourner à la salle de bains pour s'y enfermer à double tour et de se caresser pour apaiser les pulsations de son sexe. L'attente était insupportable mais, pour une raison mystérieuse, elle renforçait également son excitation. L'impatience, le désir… et la crainte mêlés de ce que Ian avait l'intention de lui faire.

Elle sursauta quand la porte de la chambre s'ouvrit brusquement, laissant apparaître Ian, qui pénétra dans la pièce. Il lui jeta un bref regard avant de se diriger vers le portemanteau pour accrocher sa veste. Il ouvrit une armoire ancienne en bois de cerisier et se pencha pour chercher quelque chose à l'intérieur. Francesca se raidit, essayant de voir ce qu'il faisait, mais le battant de l'armoire lui bloquait la vue. Quand il se redressa, elle détourna la tête ; elle ne voulait pas lui montrer à quel point elle suivait chacun de ses mouvements.

Elle eut un choc quand il revint vers le canapé quelques instants plus tard et déposa une cravache noire sur la table basse. Elle contempla avec des yeux écarquillés la claquette de cuir souple à l'extrémité de la longue et mince canne, et son cœur se mit à battre très fort.

— N'aie pas peur, la rassura-t-il doucement.

Elle le regarda.

— Ça a l'air de faire mal.

— Je t'ai déjà punie. Est-ce que ça faisait mal ?

— Un peu, admit-elle en baissant les yeux sur la main de Ian, qui tenait ce qu'elle identifia comme une paire de menottes en cuir noir.

Oh non.

— Eh bien, ce ne serait pas vraiment une punition si ça ne faisait pas un peu mal, non ? (Elle contempla son séduisant visage, fascinée, hypnotisée par le son de sa voix.) Mets-toi debout et enlève ta robe.

Elle soutint son regard tout en se relevant, puisant force et courage dans le message muet que lui adressaient les yeux de son amant. Elle laissa tomber la robe sur le sofa. Ian posa son regard sur son corps ; ses narines frémissaient légèrement. Elle fut parcourue d'un frisson.

— Veux-tu que j'allume la cheminée ?

— Non, répondit-elle, bouleversée par son comportement : il était à la fois particulièrement poli et avait l'intention de la punir.

Elle s'avança vers la cheminée.

— Reste dos à moi, ordonna-t-il quand elle fit mine de se retourner vers lui.

Elle brûlait d'envie de jeter un coup d'œil par-dessus son épaule pour voir ce qu'il faisait mais, malgré l'excitation et la peur qui la submergeaient, elle parvint à se retenir. Parce qu'elle ne voulait pas qu'il voie à quel point elle était curieuse ? Ou parce qu'elle savait qu'il le prendrait mal ? Elle l'ignorait elle-même. Elle sursauta quand il lui saisit les poignets.

— Du calme, ma douce, murmura-t-il. Tu sais bien que je ne t'ai jamais fait vraiment souffrir. Tu dois me faire confiance.

Elle ne répondit rien, submergée par une foule d'émotions quand il referma doucement une des menottes autour de son poignet.

— Maintenant, tu peux te retourner, dit-il.

Elle fit volte-face et sentit ses tétons se durcir quand elle se rendit compte qu'il se tenait tout proche d'elle. Elle n'avait aucun moyen de lui dissimuler son état d'excitation. Puis il referma la deuxième menotte autour de son autre poignet. En baissant la tête, il avait les yeux à seulement quelques centimètres de ses seins, que la position en mains jointes de Francesca mettait particulièrement en évidence. Quand il eut fini, elle avait les mains liées juste devant son pubis. Ian recula.

— Maintenant, lève les bras et place-les derrière ta tête. (Il la regarda exécuter ses instructions.) Étire les coudes en arrière et cambre légèrement le dos. Je veux que tes muscles soient tendus.

Elle fit ce qu'il lui demandait et étira les coudes en arrière, ce qui fit saillir sa poitrine encore plus en avant. Elle remarqua un léger sourire sur les lèvres de Ian. Dans cette position, elle se sentait extrêmement vulnérable et exposée.

— Ça va amplifier la sensation, expliqua-t-il en lui tournant le dos pour se diriger vers la table basse.

— La sensation de douleur ? demanda-t-elle d'une voix qui tremblait à la fois d'angoisse et de désir.

Allait-il prendre cette effrayante cravache ?

Il revint vers elle, mais elle ne vit pas la cravache. Les battements de son cœur s'accélérèrent quand elle aperçut le petit pot de crème qui lui était déjà familier. Il dévissa le couvercle et plongea l'index à l'intérieur.

— Je t'ai déjà dit que je ne voulais pas que tu me craignes.

Elle retint son souffle et frémit quand il introduisit les doigts entre les lèvres de son sexe. Il commença à lui masser le clitoris avec le stimulant qui la ferait très vite trembler d'ivresse... et de désir.

Elle se mordit la lèvre inférieure pour s'empêcher de crier et vit qu'il la scrutait intensément.

— Je tiens à souligner qu'il s'agit quand même d'une punition, énonça-t-il d'une voix ferme.

— Et je tiens à souligner, souffla-t-elle en essayant de ne pas tressaillir, que même si je t'ai donné l'autorisation de me punir, j'ai bien l'intention de continuer à faire ce qui me plaît sans te demander ta putain de permission.

La main de Ian délaissa sa fente, et il se détourna. Francesca étouffa un cri de frustration. Quand il revint vers elle, il tenait la cravache. Elle n'arrivait pas à détacher les yeux du terrible instrument enserré par la main large et virile de son amant. Ça avait l'air de faire bien plus mal que la tapette ou les claques...

— Écarte les cuisses... Si tu veux bien, ajouta-t-il doucement d'une voix teintée d'ironie.

Elle battit des paupières et releva vers lui un regard incrédule. Une vague de chaleur afflua dans son entrejambe quand elle perçut la lueur d'amusement et d'excitation qui brillait au fond de ses yeux... et la nuance de défi dans sa voix.

Si Francesca acceptait de faire ce qu'il lui demandait, ce serait parce qu'*elle* le voulait. La phrase qu'elle lui avait rétorquée était destinée à lui en donner la preuve. Elle ragea soudain en se rendant compte qu'il avait habilement fait en sorte d'obtenir son consentement tout en lui révélant à elle-même son propre désir.

Elle accentua sa position, sans quitter Ian des yeux.

— Ta colère fait saillir tes courbes autant que ta posture. Bizarrement, ça ne me déplaît pas, murmura-t-il avec un sourire en coin comme s'il se moquait silencieusement, pas seulement d'elle mais de lui-même, aussi.

Il leva la cravache, et l'irritation de Francesca fut balayée par un sentiment de peur et d'agitation. Allait-il viser les fesses, comme il l'avait fait avec la tapette ? Elle contracta les muscles abdominaux lorsqu'il lui tapota doucement le ventre avec la claquette de cuir. Une chaleur érotique envahit son sexe tandis qu'il faisait courir doucement le cuir contre sa hanche.

Il leva la main.

Snap. Snap. Snap.

Elle hoqueta en sentant l'aiguillon du cuir claquer contre sa peau. La sensation se transforma rapidement en impression de brûlure.

— C'est trop fort ? s'enquit-il en scrutant son visage, puis ses seins. (Il fit passer la claquette le long de ses côtes puis sous la courbe inférieure de son sein droit. Elle lâcha un gémissement quand il appuya le cuir contre son téton.) Non. Tes jolis seins me disent que tout va bien.

Il écarta de nouveau la cravache et tapota sa poitrine, puis leur courbe inférieure, et enfin ses tétons dressés. Ses gestes étaient rapides, fermes, précis.

Francesca sentit quelque chose brûler en elle. Un liquide moite afflua entre ses cuisses ; l'intensité de sa propre réaction la choqua presque autant que ce que Ian venait de lui faire subir. Elle ferma obstinément les yeux, submergée par la honte. Quelle sorte de perverse était-elle, pour prendre du plaisir à une telle chose ?

— Francesca ?

Elle rouvrit les yeux au son de sa voix.

— Ça va ?

— Oui, répondit-elle en tremblant.

Le stimulant clitoridien semblait accomplir son office avec encore plus d'efficacité que la fois précédente, faisant saillir la petite pointe de chair.

— Tu aimes ça ? demanda-t-il d'une voix rude.

— Je... *déteste*, murmura-t-elle sous l'emprise à la fois de la honte et de l'excitation. Et... *j'aime*. C'est si bon...

— Grand Dieu...

Les yeux de Ian flamboyaient, mais Francesca avait la nette impression que ce n'était pas de colère. Il frappa de nouveau, touchant la courbe inférieure de son autre sein qu'il fit ballotter légèrement. Elle se mordit la lèvre, mais son gémissement vibra dans sa gorge.

— Pour ce que tu viens de dire, je vais te mettre les fesses à vif, espèce de petite...

Elle ne sut jamais quelle sorte de « petite » elle était, parce qu'il frappa ses seins encore et encore, toujours délicatement, mais assez fort quand même pour causer une brûlure qui obligea la jeune femme à serrer les dents et à fermer les yeux. Sans y penser, elle arqua la poitrine en avant.

— C'est bien. Offre-toi à moi, l'entendit-elle marmonner tandis qu'il continuait à tapoter sa chair. Maintenant... dis-moi ce que tu aimerais que je fasse ? fit-il en caressant sensuellement ses deux mamelons avec la cravache.

La jeune femme fermait toujours obstinément les yeux, or la sensation était exquise. Entre ses jambes, son clitoris pulsait.

— Francesca ? insista-t-il sèchement.

Oh non. Il n'allait quand même pas l'obliger à le *dire.* Il fit glisser la claquette de cuir contre un téton en imprimant un mouvement de torsion qui la fit frémir de plaisir. Elle hoqueta.

— Ça me plairait que tu...

Il tordit de nouveau la claquette contre son sein et elle trembla.

— Dis-le simplement. Il n'y a aucune honte à avoir, dit-il d'une voix à la fois ferme et douce.

Francesca serra la mâchoire, partagée entre l'envie de dire la vérité et de la cacher. Il massa délicatement son mamelon avec le cuir.

— Ça me plairait que tu me frappes... entre les cuisses.

Elle ouvrit timidement les yeux quand il écarta la cravache de ses seins sans prononcer un mot.

— Qu'y a-t-il ? demanda-t-elle au bout d'un moment, incapable de déchiffrer son expression.

Il secoua lentement la tête, et elle comprit qu'il était abasourdi. Ses narines frémirent, et il eut soudain l'air féroce. Elle crut que son cœur allait s'arrêter quand elle se rendit compte qu'il ne s'attendait pas à cette réponse.

— Je... Oh, Ian, je suis désolée. Vraiment désolée. Ian... ?

Elle était effrayée par sa réaction et n'avait aucune idée de ce qu'elle devait dire.

— Ne t'excuse jamais d'être aussi belle.

Il s'avança vers elle, lui saisit le menton et s'empara de sa bouche, la ravageant, la fouillant de ses lèvres et de sa langue. Le goût de ce baiser forcé commençait tout juste à monter à la tête de la jeune femme quand il s'arracha brusquement à elle.

— Tu me tentes au-delà de toute raison...

Francesca demeura haletante. Il avait prononcé ces mots comme une accusation, mais elle commençait à comprendre que, dans ces circonstances, cela signifiait clairement qu'elle le satisfaisait.

À cette pensée, une chaleur nouvelle envahit son ventre.

— Mais tu ne réussiras pas à me faire fléchir, reprit-il d'un ton rauque.

— Je n'essayais pas de te faire...

— Je *vais* mener cette punition à son terme, souffla-t-il comme s'il se parlait à lui-même. (Il déposa un tendre baiser sur sa bouche.) Maintenant, penche-toi en avant et présente-moi tes fesses. Tu n'es pas obligée d'écarter les cuisses puisque tes mains sont attachées. Je vais te mettre les fesses à vif pour avoir osé me causer autant d'inquiétude.

Quelque chose dans le ton de sa voix fit comprendre à Francesca qu'il allait la punir plus durement que la première fois. Elle baissa les bras, se pencha en avant et plaça ses mains liées entre ses genoux. Il commença immédiatement à frotter l'extrémité de la cravache contre son postérieur en une caresse glissante. Ian lui avait déjà demandé auparavant de cambrer légèrement le dos. Les muscles de son vagin se contractèrent et ses tétons hypersensibles la picotèrent tandis qu'elle arquait la poitrine en avant.

Ian cessa un moment de la caresser. Elle lui jeta un regard anxieux.

Il marmonna un juron inaudible, et elle le regarda avec une excitation croissante déboutonner son pantalon. Au lieu de le faire descendre sur ses cuisses, il le garda autour de ses hanches, ouvrant simplement sa braguette pour libérer sa puissante érection. Il laissa son membre durci à l'extérieur, soutenu par son boxer élastique et le tissu du pantalon qui le maintenaient à un angle horizontal.

Francesca contempla son sexe avec stupéfaction. Elle ne l'avait encore jamais vu d'aussi près ; il ne l'avait jamais vraiment laissée l'approcher. Elle le trouvait magnifique. Comment pouvait-il marcher tous les jours avec quelque chose d'aussi gros, d'aussi épais entre les jambes ? Bon, elle devait admettre qu'il n'était pas tout le temps aussi dur… Mais tout de même. La splendeur éclatante de ce pénis était quelque chose de presque incompréhensible pour elle. Fascinée, elle contempla l'épais mat de chair à la surface duquel saillaient quelques veines. Le gland fuselé et appétissant lui donnait l'eau à la bouche, tout comme les testicules massifs et rasés.

— J'aurais dû te bander les yeux, dit-il d'un ton sec. Regarde vers le sol, ma belle. (Elle fit ce qu'il lui demandait, peinant à reprendre son souffle. Il frotta la cravache contre ses fesses.) Tu es prête ?

— Oui, geignit-elle.

L'était-elle vraiment ?

Il tapota son postérieur avec la claquette, et elle gémit. Peut-être commençait-il à différencier ses petits cris d'excitation de ses gémissements de douleur, car il continua sans ralentir, faisant atterrir chaque fois l'extrémité de la cravache sur un endroit différent de sa peau. Une fois qu'il eut fini de frapper les deux globes de chair, il recommença à zéro. Les coups portés sur des endroits déjà touchés étaient nettement plus cuisants. Elle serra les dents ; la démangeaison intolérable de son clitoris l'aidait à supporter la douleur légère sur sa chair. Comment la cravache pouvait-elle aussi stimuler ses tétons sans les toucher ? Et pourquoi, au nom du Ciel, avait-elle l'impression que même la plante de ses pieds la brûlait alors qu'il continuait à frapper ses fesses ?

— Oooh…, gémit-elle après un coup particulièrement douloureux.

— Penche-toi complètement et place tes mains sur tes pieds.

Il avait parlé d'un ton si implacable qu'elle ne put s'empêcher de se retourner vers lui. Elle lâcha un gémissement tremblant en voyant qu'il avait empoigné son membre rigide d'une main et qu'il était en train de se caresser tout en continuant à la punir. Même alors, il remarqua qu'elle l'observait.

— Baisse la tête, souffla-t-il d'une voix rauque.

Elle se pencha plus avant, étira les bras et fixa obstinément ses mains posées sur le sommet de ses pieds. Le grognement sourd que venait d'émettre Ian était-il signe de plaisir ? Ses pensées volèrent soudainement en éclats quand il employa ses larges mains pour lui écarter les fesses, exposant sa vulve humide à l'air frais de la pièce.

Elle lâcha un cri quand il abattit la cravache sur sa chair délicate et gonflée. Il accentua la pression de ses mains, écartant davantage les grandes lèvres.

Pop.

Les genoux de la jeune femme partirent en avant sous l'impact du cuir sur son clitoris enflé. Elle comprit soudain l'intérêt de la cravache en tant que jouet sexuel : c'était un instrument précis, rapide et redoutable – en tout cas entre les mains de son amant.

Il lui attrapa aussitôt l'épaule pour l'empêcher de tomber en avant tandis que l'orgasme la balayait comme un tsunami. Elle gémit encore, perdant toute conscience d'elle-même pendant quelques secondes, engloutie dans l'abîme de la jouissance. Comme à distance, elle sentit que Ian la tenait contre lui et la maintenait par les hanches alors que des tremblements la secouaient. Ses doigts n'avaient pas cessé de s'agiter entre ses cuisses, la faisant hurler de plaisir dans une extase interminable.

La guidant de ses mains, Ian la fit avancer sur un ou deux mètres. Les spasmes de la jeune femme s'atténuèrent.

— Allonge-toi sur le ventre et pose tes avant-bras sur le dossier du siège, fit-il d'une voix sévère.

Dans un état de semi-hébétude, elle s'allongea comme il le lui avait indiqué sur le large et moelleux sofa Louis-XV. Elle sentit Ian se déplacer derrière elle, le tissu de son pantalon effleurer ses chevilles, puis l'extrémité de son érection contre ses fesses. Une nouvelle onde d'excitation naquit à travers son corps déjà comblé.

*

* *

Il savait déjà qu'elle allait le mettre à rude épreuve, mais il ne s'était quand même pas attendu à ce qu'elle le fasse avec tant de précision… et de cruauté. Il chercha fébrilement un préservatif et le déroula sur son sexe.

« Ça me plairait que tu me frappes… entre les cuisses. » Il avait presque fait un arrêt cardiaque quand elle avait dit ça. Il essayait de la forcer à le supplier de punir ses seins splendides, ce qu'elle appréciait clairement autant que lui. Et puis elle avait ouvert ses lèvres roses et elle avait dit ça. Alors même qu'il la punissait pour son caractère impulsif. De qui croyait-elle se moquer ?

Il plaça une main sur le flanc de la jeune femme pour l'immobiliser et empoigna son membre dressé d'une main.

— Je vais te baiser. Brutalement, fit-il en contemplant le contraste érotique entre les fesses rougies de la jeune femme et la peau pâle de ses cuisses. Je n'attendrai pas que tu jouisses, ma beauté. Tu m'as provoqué, et tu dois en accepter les conséquences.

D'une main, il lui écarta les fesses et exposa sa vulve, avant d'introduire l'extrémité de son sexe à travers la mince fente. Il sentit la douce muqueuse de son vagin s'écarter sous la pression. La chaleur de son sexe traversait la paroi de latex du préservatif. Il agrippa les hanches de Francesca pour la maintenir en place pendant qu'il s'enfonçait en elle jusqu'à la garde, mais elle eut quand même un sursaut. Les mains de la jeune femme s'agitaient dans le vide à la recherche d'un support auquel s'accrocher. La bouche déformée par une grimace de frustration, il attendit jusqu'à ce qu'elle eût empoigné le rebord en bois du siège.

Il commença à la besogner, se retirant partiellement avant de plonger à nouveau en elle, jusqu'à ce que leurs deux chairs entrent en collision avec un claquement moite et qu'elle pousse un petit cri. L'univers se réduisit à la vision du corps nu et soumis de Francesca, à la sensation de friction presque insupportable de son fourreau étroit autour de son membre dur, l'engloutissant, l'épuisant… le torturant.

À travers les brumes du désir, il se rendit compte que ses puissants coups de reins à l'intérieur du corps doux et chaud de la jeune femme faisaient glisser peu à peu le siège sur le tapis persan. Ce n'était pas la faute de Francesca – il ne pouvait s'en prendre qu'à lui –, mais il poussa quand même un grognement animal.

— Ne bouge pas, fit-il sèchement en resserrant encore davantage l'étau de ses paumes autour du corps de la jeune femme pour l'asservir à son membre furieux.

Son bas-ventre et son pubis heurtaient en rythme les fesses brûlantes de Francesca, et il était bien trop excité pour se soucier de savoir s'il lui faisait mal ou pas. Bon sang, c'était si bon... Il la pilonna encore une fois vigoureusement, et son sexe s'enfonça plus profondément en elle. Un rugissement de plaisir déchira la gorge de Ian tandis que l'orgasme le ravageait de part en part.

*
* *

Francesca demeura immobile, la joue pressée contre le velours du siège, bouche bée, émerveillée devant les sensations qu'elle venait de découvrir. Toute cette énergie explosant, se répercutant en elle... Elle avait l'impression qu'elle allait se souvenir jusqu'à la fin de sa vie du moment où Ian avait succombé au plaisir, profondément enfoui en elle. Le grognement qu'il avait poussé à ce moment avait semblé le dévaster... C'était comme s'il lui avait arraché quelque chose de vital à l'instant où il s'était répandu en elle.

— Francesca..., murmura-t-il en l'aidant à se redresser.

Le ventre collé contre son dos, il la guida vers le divan. Ils trébuchèrent plus qu'ils ne marchèrent, sans briser le contact de leurs deux corps sur la courte distance qui les séparait du sofa. Ian s'effondra sur les coussins, emportant la jeune femme avec lui. Il s'étendit sur le flanc gauche, le torse collé contre son dos ; elle sentit les boutons de sa chemise, sa cravate toujours en place et son sexe raide, encore énorme, pressé le long de son dos.

Ils demeurèrent tous deux haletants et pantelants pendant une bonne minute. Elle était bouleversée par la caresse de son souffle chaud contre sa nuque et son épaule.

— Ian ? l'interrogea-t-elle une fois qu'elle eut repris sa respiration, pendant qu'il lui caressait langoureusement la taille et les hanches.

— Oui, répondit-il d'une voix sourde.

— Tu es vraiment fâché contre moi ?

— Non. Plus du tout.

— Mais tu l'étais, avant ? insista-t-elle.

— Oui.

Elle tordit le cou pour l'observer. Une expression épanouie se dessina sur le visage de son amant. Sa main faisait des allers et retours le long de son flanc nu.

— Je ne comprends pas. Pourquoi ?

La main de Ian s'immobilisa et sa bouche se fit dure.

— Je t'en prie, dis-le-moi..., murmura-t-elle.

— Ma mère disparaissait parfois sans donner d'explications quand j'étais enfant.

— Disparaissait ? répéta-t-elle lentement. Pourquoi ? Où est-ce qu'elle allait ?

Il haussa les épaules.

— Dieu seul le sait. Je la retrouvais à différents endroits... Trébuchant sur une route de campagne, essayant de nourrir avec des feuilles un chiot apeuré, se baignant nue dans une rivière glacée...

Francesca scruta le visage impassible de Ian, et un frisson d'horreur la parcourut.

— Elle souffrait d'une maladie mentale ? demanda-t-elle en se rappelant ce que Mme Hanson lui avait dit.

— Elle était schizophrène, acquiesça-t-il en ôtant la main de sa hanche pour se recoiffer sommairement.

Sous forme aiguë. Mais elle pouvait parfois aussi se montrer paranoïaque.

— Et elle était... Est-ce qu'elle était comme ça tout le temps ? interrogea la jeune femme en forçant le nœud qui lui bloquait la gorge.

Le regard bleu de Ian erra sur son visage. Elle essaya de dissimuler son inquiétude, devinant qu'il prendrait ça pour de la pitié.

— Non. Pas tout le temps. Parfois, c'était la plus douce, la plus gentille, la plus aimante des mères au monde.

— Ian..., fit-elle d'une voix douce alors qu'il commençait à se redresser.

Elle sentit qu'il s'éloignait d'elle et se maudit d'avoir provoqué cette réaction chez lui.

— Ne t'inquiète pas, dit-il en ramenant ses longues jambes au sol sans la regarder. Ça t'aidera peut-être à comprendre pourquoi je n'ai vraiment pas envie que tu disparaisses dans la nature comme ça.

— La prochaine fois, je te laisserai un mot ou un message, mais je continuerai à faire ce que j'ai envie, répondit-elle en l'observant avec nervosité.

Elle ne pouvait pas lui promettre de passer son temps à l'attendre juste pour l'aider à calmer son anxiété.

Il tourna brusquement la tête vers elle, et elle perçut son irritation. Allait-il lui dire qu'elle ferait mieux de lui obéir si elle ne voulait pas que leur arrangement prenne fin ?

— Je préférerais que tu te contentes de m'attendre si une situation semblable se reproduit.

— Je sais. Je t'ai bien entendu, fit-elle doucement. (Elle se rassit et posa la bouche sur la mâchoire serrée de Ian.) Et je m'en souviendrai avant de prendre mes propres décisions.

Il ferma quelques instants les yeux, comme pour rassembler ses esprits. Cesserait-elle un jour de l'agacer ?

— Pourquoi n'irais-tu pas prendre une douche avant qu'on sorte faire un tour ? reprit-il d'un ton brusque en se relevant et en se dirigeant vers la sortie, sans doute pour aller se laver lui-même dans l'autre suite.

Une vague de soulagement envahit Francesca lorsqu'elle se rendit compte qu'il n'allait pas la remettre séance tenante dans un avion pour Chicago parce qu'elle refusait d'exécuter ses quatre volontés. Ce n'était pas loin d'être une petite victoire.

— Tu ne vas pas encore essayer de me convaincre que... que c'est à prendre ou à laisser ?

Elle ne parvint pas à dissimuler un petit sourire en coin. Il lui jeta un regard par-dessus son épaule, et elle vit un éclair traverser ses yeux bleus, évoquant l'approche d'un orage dans le lointain. Son sourire s'évanouit.

Apprendrait-elle un jour à tenir sa langue ?

— La journée n'est pas encore finie, Francesca.

Sa voix ressemblait à une caresse sourde et menaçante. Il se détourna et sortit de la pièce.

Partie V

PARCE QUE JE TE L'ORDONNE

9

Quand elle regagna le salon de la suite après avoir pris une douche et s'être habillée, Francesca trouva Ian assis à son bureau, son portable ouvert, son téléphone vissé à l'oreille.

— J'ai étudié attentivement son CV. Il a surtout de l'expérience dans la spéculation boursière et les investissements Internet à risques. Il n'a pas la fibre de la gestion, l'entendit-elle dire. (Il leva les yeux vers elle et la regarda entrer dans la pièce. Il reprit sans la quitter du regard :) Ce que je suis en train de vous dire, c'est que vous pouvez embaucher le directeur financier que vous voulez parmi un groupe de candidats acceptables, Declan. Tant que vous ne m'aurez pas communiqué cette sélection de postulants, ne commencez pas les entretiens. En particulier avec un franc-tireur comme celui-ci. (Il fit une autre pause.) Il pourrait peut-être convenir pour n'importe quelle autre société, mais pas pour la mienne, ajouta-t-il d'un ton glacial avant de mettre sèchement un terme à la conversation.

— Je suis désolé, dit-il à Francesca en se relevant et en ôtant ses lunettes. J'ai toutes les peines du monde à finaliser le recrutement pour une de mes start-up.

— Quelle sorte de start-up ? demanda la jeune femme, intéressée.

Il ne lui avait jamais vraiment parlé de son travail.

— Un concept de jeu social en ligne que je fais tester en Europe.

— Et tu as du mal à trouver des dirigeants ?

Il se rassit et soupira. Il avait l'air particulièrement détendu – une expression choisie par Francesca pour décrire Ian quand il portait autre chose que son costume habituel. Cette fois, il était vêtu d'un léger pull bleu cobalt à col en V sur une chemise blanche et d'un pantalon noir qui rendait ses hanches et ses longues jambes divinement sexy.

— Oui, entre autres, admit-il en tapotant sur le clavier de son ordinateur portable. Mais ça se passe souvent comme ça, en fait. Malheureusement, le marché orienté vers les ados sur lequel je me positionne semble foisonner de jeunes loups opportunistes qui aiment dépenser mon argent simplement parce qu'il est là.

— Et alors que tu te montres très novateur en matière de concepts et de marketing, tu envisages la gestion comme un vieux conservateur austère ?

Il la dévisagea, rabaissa l'écran de son portable et s'avança vers elle.

— Tu t'y connais en commerce ?

— Pas le moins du monde. Je suis un désastre financier ambulant. Demande à Davie. J'arrive à peine à gérer mon loyer. Je déduisais juste ton style en affaires de ce que je sais de ta personnalité.

Il s'arrêta à quelques pas d'elle et fronça les sourcils d'un air amusé.

— Ma personnalité ?

— Tu sais bien, bredouilla-t-elle, les joues en feu. Ce que tu m'as dit sur ton obsession du contrôle.

Il sourit et leva une main pour lui caresser la joue.

— Je n'ai pas peur de dépenser de l'argent – en grande quantité. Je veux juste être sûr que c'est pour d'excellentes raisons. Tu es vraiment très belle, dit-il en changeant brusquement de sujet.

— Merci, souffla-t-elle en baissant les yeux avec embarras sur sa tunique de coton à manches longues toute simple qu'elle portait enfoncée dans un jean taille basse avec sa ceinture préférée – elle avait simplement attaché ses cheveux en queue de cheval pour qu'ils ne lui tombent pas sur le visage. Je... je n'ai pas apporté beaucoup de vêtements, reprit-elle. Je ne savais pas ce que tu voulais faire cet après-midi.

— Ah ! En parlant de ça...

Ian détacha la main de sa joue et vérifia sa montre. Comme s'il lui avait suffi de se concentrer sur l'heure, Francesca entendit qu'on frappait à l'entrée de la suite. Ian se dirigea vers le seuil et ouvrit la porte. Une femme séduisante d'environ quarante ans, vêtue d'une robe brun chocolat et juchée sur des talons d'une hauteur impressionnante pénétra dans la suite. Francesca resta plantée là bêtement tandis que Ian échangeait des formules de politesse en français avec l'inconnue. D'un geste de la main, il invita la jeune femme à se joindre à la conversation.

— Francesca, je te présente Marguerite. C'est mon assistante en shopping. Elle parle le français et l'italien, mais pas l'anglais.

Francesca échangea les présentations dans son français rudimentaire. Elle lança à Ian un regard interrogateur en voyant la femme sortir un mètre à mesurer et un instrument en bois mystérieux de son grand sac à main. Marguerite s'approcha de Francesca en souriant.

— Ian ? Qu'est-ce qui se passe ? s'enquit Francesca en voyant la femme déposer son sac et l'instrument en bois puis dérouler le mètre.

Francesca, abasourdie, écarquilla des yeux incrédules quand Marguerite enroula d'un geste preste le mètre autour de ses hanches.

— Lin Soong a un talent incroyable pour deviner la taille des gens pour le prêt-à-porter, et même leur pointure. C'est elle qui t'a commandé la robe que tu portais hier soir, et je dois dire qu'elle a fait du bon travail. Cependant, je pense qu'il serait mieux de noter tes mensurations précises pour des vêtements plus haute couture, dit Ian d'un ton désinvolte depuis l'autre côté de la pièce.

La jeune femme releva les yeux, estomaquée, quand la femme enroula d'un geste habituel le mètre autour de sa poitrine. Ian était en train de ranger des dossiers dans sa mallette, or il s'interrompit en voyant son expression.

— Ian, dis-lui d'arrêter ça, marmonna Francesca entre ses dents, comme si elle risquait moins d'offenser Marguerite en parlant à voix basse – oubliant que cette dernière ne parlait pas l'anglais.

— Pourquoi ? questionna-t-il. Je veux juste m'assurer que ta nouvelle garde-robe t'ira parfaitement.

Marguerite reprit le mystérieux instrument en bois, que la jeune femme identifia enfin comme un mesureur de pointure. Francesca passa devant elle, les traits crispés, et s'approcha de Ian.

— Arrête ça. Je ne veux pas de nouveaux vêtements, siffla-t-elle en jetant un regard en biais à Marguerite qui affichait un air perplexe.

— Il se pourrait que je t'invite à m'accompagner dans des endroits qui requièrent un code vestimentaire plus strict, dit-il en refermant sa mallette d'un geste sec.

— Je regrette, mais je crains de ne pouvoir t'accompagner si tu ne juges pas mon apparence convenable.

Il la toisa, les narines frémissantes, percevant clairement sa colère. Marguerite posa une question en français depuis le côté opposé de la pièce. Les yeux de Ian flamboyaient, mais Francesca soutint son regard avec détermination. Il passa devant elle et adressa quelques phrases en français à Marguerite. La femme hocha la tête, sourit chaleureusement à Ian, ramassa son sac et prit congé.

— Ça t'ennuierait de me dire quelle mouche t'a piquée ? demanda-t-il une fois que la porte se fut refermée derrière son assistante.

Son ton était froid, ses yeux luisaient de colère.

— Je suis désolée. C'était très généreux de ta part, mais je devine quelle sorte de vêtements Marguerite achèterait ou ferait confectionner pour moi. Je suis étudiante, Ian. Je ne peux pas m'offrir ce genre de choses.

— Je le sais. C'est pour ça que je te les achète.

— Je t'ai déjà dit que je n'étais pas à vendre.

— Et je t'ai déjà dit que cela faisait partie des choses que je pouvais t'offrir, répliqua-t-il sèchement.

— Eh bien, « cela » ne m'intéresse pas.

— J'avais été clair sur les conditions de notre arrangement. Et tu les as acceptées. Je peux tolérer ton entêtement à petites doses, mais là, tu es allée trop loin, fit-il en s'avançant vers elle, visiblement exaspéré par son entêtement.

— Non. C'est toi qui es allé trop loin. J'ai passé presque toute ma vie à entendre des figures autoritaires me dire que mon apparence n'était pas convenable et que je devais la corriger. Tu me crois vraiment assez stupide pour te donner la permission de faire comme eux ? Je suis ce que je suis, Ian. Et si tu ne veux pas me fréquenter dans ces conditions, j'en suis désolée, dit-elle d'une voix tremblante.

Il se figea. Elle aurait tant voulu qu'il ne la regarde pas avec ces yeux si perçants et si perspicaces ! Des larmes jaillirent sous ses paupières. Pour une raison mystérieuse, penser qu'il aurait préféré qu'elle soit différente lui déchirait le cœur. Elle savait que c'était un sentiment irrationnel – il n'avait pas voulu la changer *elle*, juste ses vêtements – mais elle ne pouvait pas s'empêcher d'être bouleversée. Ils restèrent ainsi sans rien dire pendant qu'elle tentait de contenir ses larmes.

— Tant pis, fit-il au bout d'un moment. (Elle fixait obstinément la fenêtre de la terrasse ensoleillée, les bras croisés sur la poitrine.) Nous pourrons peut-être en rediscuter plus tard. Je n'ai pas envie de débattre de ça avec toi maintenant. C'est une belle journée. Je veux en profiter avec toi.

Elle lui lança un regard plein d'espoir. Allait-il vraiment lui pardonner d'avoir refusé sa générosité ? Elle baissa les bras.

— Qu'est-ce que... qu'est-ce que tu prévoyais de faire ?

Il se rapprocha d'elle.

— Eh bien, j'avais prévu un peu de shopping avant de déjeuner, mais maintenant que je connais ton opinion sur le sujet, je vais réviser mes projets.

Elle grimaça. Elle savait qu'il détestait l'imprévu.

— Que dirais-tu d'un petit tour au musée d'Art moderne avant le déjeuner ?

Elle scruta son visage impassible, mais fut incapable de deviner son humeur.

— Oui. Ce serait formidable.

Il hocha la tête et lui ouvrit la porte donnant sur le couloir. Elle passa devant lui et s'arrêta quand il prononça soudain son nom, comme s'il avait hésité à lui dire quelque chose et qu'il se décidait enfin. Elle tourna les yeux vers lui.

— Je veux que tu saches que je suis loin de réprouver ton apparence. Que tu portes des perles ou tes tee-shirts informes, je te trouve toujours extrêmement séduisante. Tu n'avais pas remarqué ?

Elle en resta bouche bée.

— Je... Si. Vraiment. Je voulais juste dire...

— Je sais ce que tu voulais dire. Mais tu es une femme magnifique. Je veux que tu en aies la certitude, Francesca.

— J'ai surtout l'impression que *tu* veux en avoir la certitude. Pour... pour aussi longtemps que ça te conviendra.

Les mots étaient sortis tout seuls de sa bouche.

— Non, rétorqua-t-il sèchement. (Il respira lentement, comme s'il regrettait son accès d'humeur.) Je reconnais que tu as probablement de bonnes raisons de penser ça, compte tenu de ce que tu sais de moi... de ce que *je* sais de moi, même. Mais je me suis aperçu que je désirais vraiment que tu te voies telle que tu es... que tu connaisses ton pouvoir.

Elle le dévisagea, le souffle court, troublée par ce qu'elle lisait dans ses yeux.

Elle n'en revenait toujours pas quand il lui prit la main et l'entraîna hors de la suite.

*

* *

Francesca devait se répéter constamment qu'il ne s'agissait que d'un arrangement purement sexuel avec Ian. Car en réalité, elle n'avait jamais rien vécu d'aussi romantique de sa vie. À sa demande, il donna congé à Jacob, et ils marchèrent tous les deux dans les rues de Paris. La jeune femme éprouvait une euphorie démesurée et ridicule à sentir la main de Ian enserrée autour de la sienne, et jetait régulièrement de petits regards de côté pour s'assurer qu'elle était vraiment au côté de l'homme le plus séduisant et fascinant qu'elle ait jamais rencontré.

— Je meurs de faim, dit-elle franchement après leur brève et agréable visite du musée d'Art moderne, durant laquelle Ian n'avait cessé de l'émerveiller par la profondeur de ses goûts artistiques.

Il s'était montré un compagnon idéal – soucieux des salles qu'elle désirait voir, intéressé par ses commentaires, révélant plus que jamais son esprit aiguisé et son sens de l'humour.

— On pourrait peut-être manger là ? demanda-t-elle en désignant du doigt un petit bistrot avec terrasse dans la Rue Goethe.

— Lin nous a réservé une table privée au *Cinq*, fit Ian en parlant du restaurant luxueux de l'hôtel George-V.

— Lin Soon..., répéta Francesca d'un ton rêveur en observant un couple installé en terrasse – la femme attrapait dans une assiette des amuse-gueules en riant à une plaisanterie de son compagnon. Elle est très efficace pour l'organisation, n'est-ce pas ?

— C'est la meilleure. C'est pour ça que je l'ai embauchée, répondit-il d'une voix crispée en lui jetant un regard en biais.

Elle fut surprise de le voir s'arrêter quelques instants plus tard devant l'entrée du bistrot avant de lui faire signe d'entrer, l'air amusé.

— Vraiment ? demanda-t-elle, tout excitée.

— Bien sûr. Même moi, je suis parfois capable de spontanéité. En très faible quantité, cela va de soi, ajouta-t-il sur le ton de l'humour.

— C'est la journée des miracles, décidément, le taquina-t-elle.

Il cligna les yeux d'un air légèrement surpris quand elle s'éleva sur la pointe des pieds pour l'embrasser sur la bouche avant qu'ils prennent place à une table en terrasse.

— Tu veux boire quelque chose en plus de ton eau gazeuse ? s'enquit-il poliment quand le serveur s'approcha de leur table.

Elle secoua la tête.

— Non, juste de l'eau, merci.

Ian commanda les boissons, et le serveur s'éloigna. Elle lui adressa un sourire, heureuse, admirant comme le bleu de ses yeux paraissait électrique même à l'ombre des arbres qui les surplombaient.

— Tu m'as dit une fois que tu ne t'étais jamais vraiment épanouie avant d'entrer à l'université. Mais comment se fait-il que tu n'aies jamais eu une relation durable avec un homme depuis ces années-là ?

Elle évita son regard. Son expérience des hommes – ou son manque d'expérience – n'était pas vraiment le genre de sujet qu'elle avait envie d'aborder avec un homme aussi sophistiqué que Ian.

— C'est juste que ça n'a jamais vraiment collé avec personne, j'imagine. (Elle leva prudemment les yeux et vit qu'il continuait à la dévisager. Elle lâcha un soupir ; il n'allait pas renoncer si facilement.) La plupart des garçons à la fac ne m'intéressaient pas, sentimentalement parlant, en tout cas. Je les aime bien comme amis, en général. Je les comprends mieux que les femmes. Les femmes sont tout le temps du genre : « Comment tu me trouves… ? » « Où as-tu trouvé ce jean… ? » « Qu'est-ce que tu vas mettre à la prochaine soirée ? » imita-t-elle en levant les yeux au ciel. Mais quand il s'agit de parler vraiment des hommes… de leur…

Elle laissa sa phrase en suspens, cherchant ses mots.

— Des détails salaces ?

— Oui, c'est ça, admit-elle avant de rester silencieuse un moment pendant que le serveur déposait leurs boissons.

Ils passèrent commande. Une fois que le serveur fut parti, Ian la regarda à nouveau comme s'il attendait qu'elle parle.

— Je ne sais pas ce que tu veux que je te dise..., fit-elle en rougissant. Je m'entends bien avec les hommes pour faire la fête, pour traîner, pour m'amuser, mais je n'ai jamais vraiment été... séduite. (Elle parlait à peine plus fort qu'un murmure.) Par aucun d'entre eux. Ils étaient trop jeunes. Trop ennuyeux. J'en avais assez qu'ils me demandent sans cesse ce que je voulais faire pour les rendez-vous, ajouta-t-elle dans un élan de franchise. Je veux dire... pourquoi ce serait toujours à moi de décider ? (Elle hésita en remarquant le petit sourire qui flottait sur les lèvres de Ian.) Qu'est-ce qu'il y a ?

— Tu es une soumise sexuelle naturelle, Francesca. Une des plus naturelles que j'aie jamais vues. Tu es aussi extraordinairement brillante, talentueuse, indépendante... pleine de vie. C'est une combinaison unique. Tes frustrations amoureuses sont probablement dues au fait que les hommes ne faisaient pas vibrer la bonne corde en toi, si je puis dire. Il n'existe probablement qu'une poignée d'hommes sur la planète à qui tu peux accepter de te soumettre. (Il souleva son verre et la toisa tout en buvant une gorgée d'eau.) Apparemment, je suis l'un d'entre eux. Ce qui fait de moi un homme extrêmement chanceux.

Elle eut un petit toussotement et le dévisagea. Il était vraiment sérieux ? Elle se souvint de la première fois qu'il avait employé le mot « soumise », la première nuit où il l'avait punie à la résidence. Elle n'avait pas aimé ce que sous-entendait ce mot, et avait évité de trop y repenser depuis.

— Je ne sais pas de quoi tu parles, fit-elle pour couper court à la conversation.

Cette fois, cependant, elle ne put s'empêcher de penser à ce qu'il avait dit, à se souvenir du dégoût qu'elle éprouvait quand un homme se forçait à boire pour trouver le courage de lui faire des avances sexuelles, quand il se comportait avec indécision ou immaturité... l'opposé exact de Ian.

Ce dernier fronça légèrement les sourcils, et elle eut l'impression de voir les pièces du puzzle s'assembler dans son cerveau.

— On peut parler d'autre chose ? demanda-t-elle en fixant obstinément les passants sur le trottoir opposé.

— Bien sûr, accepta-t-il.

Francesca le soupçonna d'avoir cédé si vite parce qu'il avait déjà obtenu les réponses qu'il désirait.

— Regarde ! s'exclama-t-elle en désignant d'un hochement de tête trois jeunes qui passaient dans la rue à scooter. J'ai toujours voulu en louer un quand j'étudiais à Paris. Ça a l'air vraiment chouette.

— Pourquoi ne l'as-tu pas fait ?

Le rouge lui monta aux joues. Elle détourna les yeux, priant pour que le serveur arrive avec leurs entrées.

— Francesca ? insista-t-il en se penchant un peu en avant.

— Je... euh... Je n... (Elle ferma un instant les yeux.) Je n'ai pas mon permis de conduire.

— Pourquoi ? demanda-t-il, perplexe.

Elle essaya de dissimuler sa honte, sans comprendre vraiment pourquoi ça la gênait tant d'aborder ce sujet avec Ian. Un grand nombre de ses amis ne conduisaient pas. Beaucoup de gens à Chicago n'avaient pas leur permis. Caden, par exemple, ne possédait pas de voiture.

— Quand j'étais au lycée, je n'en avais pas vraiment l'utilité, et mes parents ne m'y encourageaient pas. Je n'ai pas pris de cours de conduite, ajouta-t-elle rapidement en espérant qu'il ne percerait pas à jour les efforts qu'elle faisait pour lui masquer la vérité.

La vérité, c'était qu'elle était au maximum de son surpoids à seize ans. Elle remerciait Dieu tous les jours que son corps ait été assez jeune pour supporter la perte massive de poids, qu'elle avait connu deux années plus tard. À sa grande surprise, elle n'avait gardé aucune séquelle de ses années d'obésité. Les kilos avaient fondu comme s'ils avaient représenté davantage un symptôme psychologique que physique. Mais les *sweet sixteen*[1], comme l'affirmait le dicton américain, avaient été d'abominables seize ans pour Francesca. Elle s'était retrouvée à suivre les cours de conduite avec trois autres filles de sa classe, trois filles qui – par une horrible malchance – la harcelaient régulièrement. Les cours de gym représentaient déjà une torture quotidienne pour elle, et elle n'avait pas supporté l'idée de passer encore plus d'heures dans un lieu confiné avec trois filles hilares qui ricanaient en douce à chacune de ses maladresses ainsi qu'un jeune professeur de gym qui partageait vaguement leur mépris. Ses parents avaient deviné en partie la vérité, et n'avaient pas insisté pour qu'elle se rende aux cours.

L'idée les humiliait presque autant qu'elle.

— Quand je suis venue m'installer à Chicago, je n'avais absolument aucune raison de passer mon permis. Je n'avais pas l'argent pour me payer une voi-

1. « Merveilleux seize ans » en français. (*N.d.T.*)

ture, ni le parking, l'assurance et l'essence. C'est resté au point mort, expliqua-t-elle à Ian.

— Comment faisais-tu pour te déplacer ?

— Le métro, le vélo... à pied, fit-elle en souriant.

Il secoua la tête, l'air contrarié.

— Ce n'est pas acceptable.

Le sourire de Francesca s'évanouit.

— Qu'est-ce que tu veux dire ? demanda-t-elle, vexée.

Il lui jeta un regard exaspéré en constatant qu'elle était en train de prendre la mouche.

— Juste qu'une jeune femme comme toi devrait posséder les bases nécessaires pour contrôler sa vie.

— Et tu penses que conduire est une de ces bases ?

— Oui, répondit-il d'un ton si factuel que la jeune femme ne put s'empêcher de rire. Avoir son permis de conduire est une étape du développement personnel, comme faire son premier pas... ou apprendre à dominer ses impulsions, ajouta-t-il tandis qu'elle ouvrait la bouche pour protester.

L'arrivée du serveur apportant leurs entrées interrompit provisoirement leur discussion pour le moins tendue.

— Les formules des dictons ne sont pas le fait du hasard, tu sais, dit-il pensivement au bout d'un moment en fixant la salade de Francesca. Quand on parle d'être aux commandes de sa vie, de piloter son existence, d'avoir le volant bien en main...

Elle le contempla en se souvenant de tout ce qu'il lui avait dit sur son obsession du contrôle. Il lui adressa un sourire de connivence.

— Pourquoi ne me laisserais-tu pas t'apprendre à conduire ? fit-il.

— Ian..., protesta-t-elle.

Elle éprouvait à la fois un sentiment de frustration et de vulnérabilité.

— Je ne te propose pas ça pour te diriger. En fait, j'aimerais que tu aies davantage de contrôle sur ta vie, l'interrompit-il en découpant son filet de poulet d'un geste précis.

Comme elle ne répondait rien, il releva les yeux vers elle.

— Allez, Francesca..., l'encouragea-t-il. Un peu de spontanéité !

— Haha, fit-elle d'un ton sarcastique, sans pouvoir retenir un sourire. (Elle eut l'impression de fondre quand il lui rendit son sourire avec une lueur sexy et diabolique dans les yeux.) On croirait presque que tu veux m'apprendre à conduire ici, à Paris, dès qu'on aura fini de déjeuner.

— C'est parce que c'est précisément mon intention, dit-il en saisissant son téléphone.

*

* *

Ils s'attardèrent un moment au bistrot, bavardant, sirotant leur café, et attendant que Jacob arrive avec la voiture que Ian avait demandée.

— Le voilà, fit-il en désignant du regard une berline BMW noire et rutilante, avec des vitres teintées.

Francesca l'avait entendu demander à Jacob au téléphone d'amener une voiture à boîte automatique à l'adresse du café. Moins d'une demi-heure plus tard, il était là. C'était étrange de songer aux choses qu'on pouvait obtenir instantanément quand l'argent n'était pas un problème.

Elle n'arrivait pas à croire qu'elle lui avait parlé de cette histoire de permis. Elle sourit à Jacob, qui tendait les clés à Ian.

— On ne peut pas vous déposer ? demanda-t-elle au chauffeur qui s'écartait sur le trottoir.

— Je vais rentrer à pied à l'hôtel. Ce n'est pas loin, la rassura Jacob d'un ton chaleureux avant de les saluer et de tourner les talons.

Ian ouvrit la porte du côté passager à la jeune femme. Elle se sentit soulagée qu'il ne tente pas de lui apprendre à conduire dans la circulation intense des avenues parisiennes. Pourtant, elle restait convaincue qu'un désastre allait se produire.

— C'est une très belle voiture, dit-elle en prenant place à l'intérieur et en regardant Ian reculer le siège du conducteur pour l'adapter à ses longues jambes. Tu n'aurais pas pu louer une vieille guimbarde ? Et si je cassais celle-là ?

— Tu ne vas pas la casser, répondit-il en commençant à conduire dans les rues étroites. (Les nuages avaient envahi le ciel, masquant le soleil superbe dont ils avaient eu la chance de bénéficier en cette matinée d'automne.) Tu as d'excellents réflexes et de bons yeux. J'ai remarqué ça lors de notre petite séance d'escrime.

Il lui jeta un coup d'œil en biais et la surprit en train de le contempler. Elle battit des paupières et détourna les yeux. C'était seulement la deuxième fois qu'elle le voyait conduire – après cette nuit mémorable où il l'avait entraînée hors du salon de tatouage. Elle était incapable de détacher le regard de ses larges mains posées sur le volant de cuir avec légèreté et assurance, comme celles d'un amant. Bizarrement, cela lui fit penser à la façon dont il avait tenu la cravache ; un frisson la parcourut.

— L'air conditionné ne te gêne pas ? demanda-t-il avec sollicitude.

— Non, ça va. Où allons-nous ?

— On retourne au musée Saint-Germain, murmura-t-il. C'est fermé le lundi. Il y a un grand parking à l'arrière, où tu pourras t'entraîner.

Francesca s'imagina aussitôt en train de foncer dans le mur du magnifique palace, sans trop savoir si le fait qu'il appartienne au grand-père de Ian représentait une circonstance atténuante ou aggravante. En tout cas, ce serait bien la pire façon de révéler son existence au vieux comte.

Vingt minutes plus tard, elle était assise au volant de la berline, et Ian avait pris le siège passager. C'était très étrange d'être à la place du conducteur, et d'avoir Ian à son côté.

— Je crois que je t'ai expliqué toutes les bases, fit-il après lui avoir décrit toutes les pédales et les mécanismes de contrôle. Garde le pied sur le frein et démarre.

— Déjà ? gémit-elle nerveusement.

— L'objectif est de faire bouger la voiture, Francesca. Tu ne peux pas faire ça en restant garée.

Elle fit ce qu'il lui demandait, le pied vissé sur la pédale de frein.

— Maintenant, relève le pied. C'est ça. (La voiture avança de quelques centimètres sur le parking vide.) À présent, tu vas commencer à appuyer sur l'accélérateur… doucement, Francesca, ajouta-t-il tandis que la voiture se ruait en avant.

Elle appuya brusquement sur la pédale de frein, et ils furent tous les deux projetés en avant, retenus par leurs ceintures de sécurité. Bon sang…

Elle jeta un regard nerveux à Ian.

— Comme tu peux le constater, fit-il d'une voix ironique, les pédales sont très sensibles. Continue à expérimenter. C'est la seule façon d'apprendre.

Elle serra les dents et, cette fois, effleura très doucement l'accélérateur. Comme la voiture commençait à répondre à sa pression subtile, un frisson d'excitation la parcourut.

— Très bien. Maintenant, tourne vers la gauche et décris un cercle.

Elle donna de nouveau trop de gaz.

— Freine.

Une fois de plus, ils furent projetés en avant.

— Quand je dis « freine », ça veut dire « appuie légèrement sur le frein pour décélérer ». Si je veux que tu stoppes, je te dirai stop. Tu dois apprendre à ralentir, ou tu perdras le contrôle. Essaie encore une fois, dit-il gentiment.

Il se montra si patient avec elle durant la demi-heure qui suivit qu'elle en fut étonnée. Elle avait l'impression d'être une vraie calamité au volant. Ses arrêts brusques et ses accélérations soudaines finirent quand même par s'améliorer sous la tutelle bienveillante de Ian. À mesure qu'elle avait l'impression de gagner du contrôle sur le véhicule, un sentiment d'euphorie l'envahissait.

— Maintenant, va te garer sur l'emplacement là-bas, fit-il en désignant un point du parking. (La pluie commença à tomber, et de grosses gouttes s'écrasèrent sur le pare-brise tandis qu'elle effectuait un tour propre et net sur le macadam, laissant échapper un cri de triomphe.) Très bien, la complimenta-t-il en se tournant vers elle. On continuera une fois de retour à Chicago. Je vais demander à Lin de m'envoyer un manuel de code par mail pour que tu puisses réviser dans l'avion demain. D'ici à quelques semaines, tu seras prête à passer l'examen.

Francesca était si excitée qu'elle ne releva pas les plans méticuleux qu'il faisait pour régenter sa vie. Elle lâcha le volant et regarda devant elle, un grand sourire aux lèvres. Apprendre à conduire était l'expérience la plus libératrice qu'elle ait jamais connue. À moins que son enthousiasme ne soit lié au fait que Ian était son instructeur ?

— Tu vois, ce n'était pas si dur, reprit-il tandis que la pluie s'intensifiait. Éteins tes phares et arrête les essuie-glaces. Il commence à pleuvoir sérieusement. Voilà, ajouta-t-il en désignant les boutons de contrôle. Bien. On va juste essayer une dernière chose avant que la tempête nous tombe dessus. Je veux que tu fasses reculer la voiture tout en la dirigeant vers la gauche. Oui, comme ça, fit-il tandis qu'elle enclenchait la marche arrière. Pense à regarder dans les rétroviseurs. Non... non, dans l'autre sens, Francesca !

Elle paniqua, incapable de décider dans quel sens tourner le volant pour virer vers la gauche en marche arrière. Voulant freiner, elle donna en fait un grand coup d'accélérateur tout en dirigeant le volant dans la mauvaise direction. Comme le véhicule faisait une brusque embardée, elle appuya à fond sur la pédale de frein, avec pour résultat de faire décrire à la berline un tête-à-queue complet sur le macadam trempé du parking.

Une onde d'adrénaline afflua dans les veines de la jeune femme devant cette accélération inattendue... cette perte de contrôle.

Elle poussa un cri de joie.

La voiture s'immobilisa en grondant, et la chevelure de Francesca fut projetée au-dessus du volant quand la ceinture de sécurité se bloqua. Elle ressentit une étrange sensation de complicité avec la berline – comme s'il s'agissait d'une créature vivante qui venait de se rebeller. Elle éclata de rire.

— Francesca, l'interrompit Ian d'un ton sec.

Elle cessa de rire et le regarda avec des yeux écarquillés. Il avait l'air sonné, et un peu contrarié.

— Je suis vraiment désolée, Ian.

— Gare la voiture.

Était-il en colère contre elle ? Il avait horreur du désordre et il détestait quand elle perdait le contrôle...

Elle suivit prestement ses instructions avec une légère sensation d'ivresse, sans savoir si cette réaction était due à l'embardée du véhicule ou à la lueur qui était apparue dans les prunelles de Ian.

— Je t'avais dit que c'était une mauvaise idée, marmonna-t-elle en coupant le contact pour éviter de causer une nouvelle catastrophe.

— Ce n'était pas une mauvaise idée.

Ses lèvres serrées formaient une mince ligne. Francesca eut le souffle coupé quand il s'approcha d'elle. Il enfouit les doigts dans ses cheveux et tourna le visage de la jeune femme vers lui. La seule chose dont elle se souvint ensuite, c'est qu'il se pencha et s'empara de sa bouche. Le flot d'adrénaline qui avait envahi ses veines quand elle avait perdu le contrôle de la voiture n'était rien à côté de l'excitation que faisait naître en elle ce baiser inattendu. Elle se fondit dans sa chaleur, dans le goût de ses lèvres, dans la sensation de sa langue conquérante enveloppant la sienne et submergeant ses sens. Il joua avec sa bouche de manière si habile qu'elle sentit son entrecuisse s'humidifier. Il releva la tête un moment plus tard, la laissant haletante.

— Tu es si belle, fit-il d'une voix rauque.

— Je... je... Quoi ? demanda-t-elle encore tout étourdie par son baiser.

Il sourit et lui caressa doucement la joue.

— Va sur la banquette arrière, et enlève ton jean et ta culotte. Il faut que je te goûte. Maintenant.

Elle le fixa, bouche bée, avant de jeter un coup d'œil nerveux par la fenêtre de la voiture.

— Le parking est désert. Et même si un des employés du musée passait, les vitres sont teintées. Maintenant, fais ce que je t'ai demandé, ajouta-t-il doucement. Je te rejoins dans une minute.

Elle déboucla sa ceinture de sécurité, le souffle court, et ouvrit la portière côté conducteur. Une pluie drue tombait à présent, et elle referma vivement la porte avant de monter en vitesse à l'arrière. Elle se sentait à la fois troublée et extrêmement excitée en se glissant sur les confortables sièges de l'habitacle. Ian était toujours assis à l'avant, la tête baissée. Elle se demanda s'il était en train de taper quelque chose sur son téléphone portable, et en fut bientôt convaincue. Lentement, elle commença à défaire sa ceinture et à déboutonner son jean.

Quand elle l'eut ôté, ainsi que sa culotte, elle se rassit avec l'impression d'être complètement folle. Ian ne bougea pas. Le sexe de Francesca frôlait le siège, et elle se tortilla nerveusement, perturbée par la sensation agréable de sa vulve gonflée contre le cuir frais et lisse. Que faisait donc Ian ? Elle ouvrit la bouche pour lui dire qu'elle avait retiré son jean, lorsqu'il défit brusquement sa ceinture de sécurité.

Elle cessa pratiquement de respirer jusqu'à ce qu'il la rejoigne dans l'habitacle sombre, quelques instants plus tard. Il claqua la portière derrière lui. Maintenant qu'il était à son côté, l'intérieur de la voiture semblait soudain plus petit, plus intime. Un coup de tonnerre retentit dans le lointain. La pluie martelait toujours le toit de la berline.

Il la regarda et passa la main dans ses cheveux constellés de gouttes de pluie.

— Tu sais ce que je veux, dit-il calmement. Allonge-toi sur le dos et présente-moi ta chatte.

Sa voix grave résonna dans le silence pesant. Le sexe de la jeune femme se contracta et pulsa d'excitation. Elle ne put s'empêcher de repenser au plaisir divin et subtil qu'il lui avait prodigué avec sa bouche la nuit précédente. Elle fit de son mieux pour trouver la position la plus pratique pour lui. Cette fois-ci, il ne lui dit pas comment faire. Il se contenta de la regarder caler son dos contre la portière et écarter les cuisses aussi largement qu'elle le pouvait, compte tenu de l'espace confiné qui les environnait. Le cœur de Francesca battait à une cadence frénétique. Ian resta immobile, le regard scellé sur sa féminité.

Soudain, il se pencha en avant et repoussa l'un des genoux de Francesca en arrière, lui faisant lever la jambe jusqu'à ce que son pied cogne le plafond. La vision de sa tête sombre plongée entre ses cuisses était si exaltante qu'elle laissa échapper un gémissement avant même qu'il la touche.

Elle frémit quand il colla sa bouche ouverte contre sa vulve. C'était chaud, humide et insupportablement enivrant. Il appliqua une subtile pression sur son clitoris, avant d'écarter les grandes lèvres avec sa langue. Puis il se déplaça un peu, enfouissant encore davantage son visage dans l'entrejambe de Francesca, stimulant son clitoris avec plus de force que la fois précédente, le massant, l'aguichant, le pressant si rudement qu'elle lâcha un cri et se cambra brusquement.

Il la maintint immobile dans l'étau de ses mains, la forçant à subir le déferlement de plaisir qui la submergeait. Elle s'agrippa à son cou avec l'impression de brûler et de fondre contre lui. Il la dévora avidement, presque avec colère, comme si le sexe de Francesca l'avait offensé d'une manière ou d'une autre… Comme s'il voulait montrer qui était le maître.

C'est lui, songea la jeune femme à travers les brumes de l'ivresse. Sa tête heurta la vitre de la voiture avec un bruit sourd, mais elle ne sentit rien. Comment la douleur aurait-elle pu exister au milieu de l'extase ?

C'était pure folie de l'avoir pris comme amant. Quand il se serait lassé d'elle, aucun autre homme ne pourrait plus jamais la satisfaire. Sa vie sentimentale serait fichue.

Il utilisa ses doigts pour écarter encore davantage les grandes lèvres, puis leva la tête et se mit à caresser son clitoris à un rythme de plus en plus frénétique jusqu'à ce qu'elle hurle son nom. La vision de sa langue avide contre son sexe était totalement indécente... insupportablement excitante. Elle crispa les doigts dans les cheveux de Ian et poussa un gémissement aigu.

L'orgasme déferla enfin en elle, et elle resta accrochée à son cou telle une noyée agrippée à son sauveteur. Il continua à la déguster comme s'il réclamait quelque chose qui lui était dû, tandis qu'une vague de tremblements la secouait, la maintenant au paroxysme de la jouissance durant ce qui sembla à Francesca durer une éternité. Chaque fois qu'elle s'effondrait, inerte, persuadée qu'il avait tiré d'elle la moindre étincelle de plaisir, il bougeait encore la tête ou la langue et la faisait frémir à nouveau.

Après lui avoir arraché un dernier frisson, il releva enfin la tête. Les muscles du vagin de la jeune femme se contractèrent quand elle vit le visage de son amant luisant de ses fluides sexuels. Elle essaya de reprendre son souffle pendant qu'il la contemplait calmement.

— Je veux pouvoir aussi te faire ça, murmura-t-elle.

Elle était profondément sincère. C'était un cadeau extraordinaire qu'il avait le pouvoir d'offrir. Elle voulait pouvoir lui rendre la pareille.

— Tu as déjà fait ça ? Utilisé ta bouche pour donner du plaisir à un homme ?

Elle secoua la tête. Il lâcha une sorte de grognement, sans qu'elle sache si c'était une manifestation de contentement ou d'irritation. Peut-être les deux.

— C'est ce que je pensais. Tu apprendras, mais ce n'est pas le genre de leçon qu'on doit recevoir à l'arrière d'une voiture, dit-il en se redressant.

Il ferma les yeux pendant quelques secondes et posa la main sur sa bouche. Puis il l'abaissa et contempla la jeune femme. Ses yeux, d'abord perdus dans le vague, s'étrécirent quand ils se posèrent sur la fente exposée de Francesca. Il ferma de nouveau les paupières.

— Rhabille-toi, fit-il d'un ton sévère en tendant les doigts vers la poignée de la portière. Je te ramène à l'hôtel, et tu tiendras ta promesse.

À ces mots, un sentiment de fébrilité s'empara une nouvelle fois de Francesca. Elle rassembla ses vêtements à tâtons.

10

Ian resta silencieux durant le trajet de retour sous la pluie, et Francesca était trop anxieuse pour chercher un sujet de conversation. C'était comme si quelque chose d'important venait de se produire à l'arrière de la voiture, quelque chose qu'elle n'arrivait pas à définir. Une sorte de tension épaisse s'était installée entre eux. Elle aurait pu croire qu'il s'agissait simplement d'un effet de l'orage, mais elle savait pertinemment que ça n'avait rien à voir avec la météo. C'était Ian la source du phénomène.

Quand ils arrivèrent à l'hôtel et s'engouffrèrent sous le porche d'entrée, un jeune groom salua Ian par son nom. Ce dernier lui donna les instructions nécessaires en anglais pour qu'il ramène la voiture à l'agence de location et lui tendit les clés avec une liasse de billets.

— Merci, monsieur Noble, répondit le jeune homme avec un fort accent français. Vous ne pas inquiéter. La voiture sera rapportée à très rapidement. Je m'en occuper.

— « Ne vous inquiétez pas. La voiture sera très vite rendue », le corrigea Ian d'un air distrait en prenant la main de Francesca.

— Oui, comme vous dites. Ne vous inquiétez pas. La voiture sera très vite rendue, répéta le jeune garçon à voix haute, puis plusieurs fois à voix basse.

— Je n'en doute pas une seconde, Gene, fit Ian avec un petit sourire. (La conversation avec le groom semblait avoir éclairé un peu son humeur. Il remarqua les sourcils froncés et l'expression perplexe de Francesca pendant qu'ils prenaient l'ascenseur.) J'ai dit à Gene que je l'embaucherais comme commis à l'essai s'il apprenait l'anglais. Il a une tante et un oncle à Chicago, et l'Amérique est un rêve pour lui.

Elle sourit en sortant de l'ascenseur.

— Fais attention, Ian, lâcha-t-elle d'un ton badin.

Il lui jeta un regard surpris en activant la clé magnétique de la chambre.

— Tu dévoiles ton côté sensible, expliqua-t-elle.

— Tu crois ? répondit-il en lui ouvrant la porte. Je pense que c'est juste du pragmatisme. J'ai simplement pu constater que Gene est un travailleur acharné. Il essaie toujours d'en faire plus quand les autres se reposent.

— Et bien sûr, tu veux à ton service ceux qui essaient le plus de te plaire.

— Oui, dit-il en ignorant la pointe de sarcasme dans sa voix. (Il l'entraîna dans la chambre à coucher et se posta face à elle.) Tu as un problème avec ça, Francesca ?

— Avec quoi ? fit-elle d'un air perplexe.

— Avec le fait de participer à un arrangement conçu essentiellement pour mon plaisir.

— Je le fais pour mon plaisir à moi, rétorqua-t-elle en relevant le menton.

Il la regarda d'un air amusé.

— Oui, murmura-t-il en lui caressant la joue de ses doigts calleux, la faisant frissonner. Et c'est ça qui te rend si spéciale. Tu prends du plaisir à me plaire.

Elle fronça les sourcils. Quelque chose dans ce qu'il venait de dire la ramenait au sujet tabou de la domination et de la soumission.

Il lui lâcha la main en souriant.

— Je préférerais que tu ne te poses pas autant de questions, ma douce. Il n'y a aucune honte à être ce que tu es. En fait, je trouve cela exquis. Tu n'as pas vraiment compris pourquoi je voulais t'avoir à n'importe quel prix, n'est-ce pas ? Tu possèdes une qualité que seul un homme comme moi peut voir... (Il hésita en voyant l'incrédulité se peindre sur son visage et lâcha un profond soupir.) Peut-être que tu as juste besoin de temps pour accepter, en réalité. De temps, et de pratique.

Elle battit des paupières en voyant la lueur qui brillait dans ses iris.

— S'il te plaît, va te changer et mettre une robe. Brosse-toi les cheveux, et attache-les en arrière. Ensuite, tu iras t'asseoir sur le rebord du lit. Je reviens dans un petit moment. Nous aurons besoin de quelques accessoires pour cette leçon très importante.

« Tu n'as pas vraiment compris pourquoi je voulais t'avoir à n'importe quel prix, n'est-ce pas ? »

Les mots de Ian continuèrent à résonner dans la tête de la jeune femme tandis qu'elle suivait ses instructions, se brossant les dents en plus. Assise au coin du lit, dans l'attente, elle sentit l'anxiété la gagner. Elle n'était pas très à l'aise avec l'idée qu'elle désirait plus que tout satisfaire Ian sexuellement, lui donner le même genre de plaisir qu'il lui donnait à elle, mais elle devait admettre que c'était la réalité. Elle n'avait pas le droit de le blâmer pour ses préférences sexuelles alors qu'elle les partageait au plus profond d'elle-même.

Le fil de ses pensées s'interrompit quand Ian pénétra dans la chambre, vêtu seulement d'un pantalon noir, le torse et les pieds nus, un petit sac plastique à la main. Elle l'observa, le souffle coupé, fascinée par la vision de sa semi-nudité. Lui permettrait-il un jour de toucher et de caresser tous ces muscles fins et saillants, toute cette peau lisse ? Il avait de petits mamelons pointus presque toujours durcis, pour autant qu'elle eut pu le constater. Il déposa le sac sur une des chaises au pied du lit et en sortit un objet doté de lanières noires, qu'elle fut incapable d'identifier, en même temps qu'autre chose qu'elle connaissait déjà : les menottes en cuir. Il s'avança vers elle, un objet dans chaque main.

— Pourquoi faut-il que je porte des menottes pour ça ? demanda-t-elle avec une pointe de déception dans la voix.

Elle s'était dit qu'elle aurait enfin l'occasion de le toucher.

— Parce que je te le dis, fit-il doucement. Maintenant, relève-toi et enlève ta robe.

Elle se mit debout et délaça son vêtement. L'air sur sa peau nue lui parut un peu frais. Ses tétons se durcirent tandis qu'elle jetait la robe sur le lit.

— Il fait un peu froid, mais je pense que ce que j'ai prévu de faire va très vite te réchauffer. Tourne-toi. (Une fois encore, elle dut résister à l'envie de jeter un coup d'œil par-dessus son épaule pour voir ce qu'il faisait.) Joins les poignets derrière le dos. (Elle sentit son clitoris pulser quand il fixa les menottes autour.) Maintenant, retourne-toi vers moi.

Un léger hoquet échappa à la jeune femme quand elle aperçut le petit pot de crème blanche. Un liquide moite afflua entre ses cuisses. Elle commençait à s'habituer à ce produit, au point que sa seule vision faisait immédiatement réagir son corps. Ian fit une pause et sembla remarquer sa réaction en la voyant contempler le pot.

— Je connais un docteur en médecine chinoise à Chicago. C'est lui qui m'a recommandé ce stimulant, mais je ne l'avais jamais utilisé sur personne avant toi. J'ai la nette impression que tu l'approuves, dit-il en souriant légèrement.

Il s'approcha d'elle, et elle retint sa respiration, sachant ce qui allait arriver. Il plongea les doigts entre les grandes lèvres de son sexe et massa son clitoris avec la crème. Elle dut se mordre les lèvres pour s'empêcher de crier. C'était peut-être juste d'imaginer ce qui allait se passer ensuite, mais elle avait l'impression d'être déjà en feu.

Il abaissa la main, et elle le vit, inquiète, ramasser l'objet avec les lanières noires qu'elle avait remarqué un peu plus tôt. Un câble noir y était attaché, relié à une petite télécommande.

— Qu'est-ce que c'est que ça ? demanda-t-elle d'une voix un peu effrayée.

— Ça, c'est un instrument conçu pour ton pur bonheur, ma belle. N'aie pas peur, ajouta-t-il en s'avançant vers elle. C'est un vibromasseur télécommandé. (Il commença à ajuster les lanières autour de ses hanches, et elle le contempla avec un mélange de fascination et d'excitation coller une sorte de manche transparent et rigide contre sa vulve et son clitoris. Il déposa la télécommande sur le bord du lit.) Je n'aime pas te mettre dans une situation d'inconfort, mais comme tu n'as aucune expérience, ta première leçon risque d'être... un peu éprouvante. Je veux que tu ressentes du plaisir pendant que tu apprends à m'en donner. Le vibromasseur te rendra peut-être les choses plus faciles.

— Je ne comprends pas, dit-elle tandis qu'il resserrait les lanières du sex-toy.

Il recula, examinant son œuvre. C'était comme si elle portait une sorte de culotte bizarre avec un petit vibrateur logé entre ses grandes lèvres. Son sexe se contractait déjà sous l'effet de la crème et de la pression légère alors que Ian n'avait même pas encore actionné la télécommande.

Il la contempla sans rien dire pendant un moment. Elle sentit ses tétons se dresser quand le regard de Ian s'attarda dessus.

— Il se trouve que je suis très exigeant en matière de fellation.

— Oh…, souffla-t-elle, incapable de trouver autre chose à dire.

Il avait prononcé cette phrase presque sur un ton d'excuse.

— Je n'ai jamais appris à une femme à faire ça. Je suppose que ça ne va pas vraiment te rassurer, mais j'attends énormément de toi.

— Qu'est-ce que tu veux dire ?

Un sentiment de confusion l'envahissait de plus en plus. Parlaient-ils bien de la même chose ? Il avait parlé de fellation, comme elle s'y attendait, mais malgré tout…

— C'est un vrai casse-tête. Je ne peux pas changer ma nature exigeante ; je doute même que j'y parviendrais si j'essayais de toutes mes forces, quel que soit le désir que j'éprouve pour toi.

Elle sentit le rouge lui monter aux joues. Parfois, Ian pouvait dire les choses les plus gentilles du monde sans même s'apercevoir de l'effet que ses paroles avaient sur elle.

— D'un autre côté, je sais que la façon dont une femme découvre le sexe oral a un impact majeur sur le plaisir qu'elle y ressentira sur le long terme ; je dois donc me montrer très prudent.

— Je vois, murmura-t-elle.

Elle n'arrivait pas à croire qu'elle était en train d'avoir cette conversation. Elle n'avait pas vraiment réfléchi aux aspects techniques auparavant, mais le membre de Ian était... énorme. Elle croisa son regard et vit qu'il la dévisageait.

— Je suis en train de t'effrayer, soupira-t-il. Comme je te l'ai dit, je ne veux pas que tu aies peur de moi. Je fantasme en t'imaginant me prendre dans ta bouche depuis l'instant où j'ai posé les yeux sur toi. J'aurai souvent envie de ça, Francesca, et je préférerais que nous y trouvions un plaisir mutuel.

Elle ne put s'empêcher de rougir à nouveau. La crème commençait à faire effet.

— D'accord.

Il lui caressa la joue.

— Agenouille-toi, dit-il simplement.

Il l'aida à se mettre à genoux en la tenant par les épaules, car ses poignets étaient liés derrière son dos. Elle releva les yeux et avala sa salive. Son visage était directement en face de l'entrejambe de Ian. Elle le regarda, ensorcelée, déboutonner son pantalon et descendre la fermeture Éclair, dévoilant un boxer blanc immaculé. Il le fit glisser et libéra l'extrémité de son érection. Puis, il abaissa son pantalon mais ne l'enleva pas, le maintenant au-dessous de ses testicules rasés. La jeune femme se retrouva tout d'un coup face à son membre nu. Il était déjà dur – pas d'une rigidité comme elle avait déjà eu l'occasion de le voir, mais clairement dressé. Elle le trouvait magnifique. Elle s'humecta nerveusement la lèvre inférieure en fixant le gland fuselé. L'endroit le plus large avait le diamètre d'une petite prune. Ce pénis avait-il déjà vraiment été à l'intérieur de son corps ? Comment était-il possible qu'elle le prenne dans sa bouche ?

— Tu dois même rester habillé pour *ça* ? demanda-t-elle en le regardant, interdite.

Un frisson la parcourut à le voir se tenir ainsi devant elle, si grand et si autoritaire, le sexe dressé hors du boxer. C'était une vision intimidante... et extrêmement érotique.

— Oui. Tu es prête à commencer ?

Il souleva d'une main l'épaisse hampe et se caressa devant elle.

— Oui.

Il libéra complètement son membre hors du boxer, qui se retrouva dressé à l'horizontale. Les lèvres de Francesca brûlaient de désir.

— Oh ! sursauta-t-elle.

Il venait de déclencher le vibromasseur, qui frémissait désormais énergiquement contre sa vulve et son clitoris. Elle leva les yeux vers Ian, abasourdie par l'intense plaisir qu'elle ressentait. Il la dévisagea attentivement. Elle sentit un flot de chaleur remonter dans sa poitrine, ses lèvres, ses joues. C'était diaboliquement bon. Il gronda de satisfaction et se redressa devant elle, prenant son sexe en main.

— Je t'apprendrai un autre jour à utiliser à la fois tes mains et tes lèvres. Aujourd'hui, tu dois t'habituer à me recevoir dans ta bouche.

Elle se figea quand il fit un pas en avant et effleura ses lèvres avec la pointe de son érection. Elle entrouvrit la bouche.

— Ne bouge pas, ordonna-t-il fermement.

Elle resta immobile tandis qu'il suivait la courbe de ses lèvres. Le bout de chair était lisse et doux contre sa lèvre frémissante. Son parfum pénétra ses narines... un parfum viril et épicé. Elle sentit les muscles de son vagin se contracter et lâcha un doux gémissement. Le membre de Ian se durcit davantage, et la pression du gland se fit plus insistante contre sa bouche. Incapable de s'en empêcher, elle effleura du bout de sa langue la succulente chair.

— Francesca, l'avertit-il en interrompant son mouvement circulaire.

Elle le regarda anxieusement. Il fronça les sourcils.

— J'ai encore oublié ce fichu bandeau, marmonna-t-il dans sa barbe. Écarte grandes les lèvres.

Elle ouvrit la bouche du mieux qu'elle put. Il y inséra le bout de son sexe.

— Utilise-les pour recouvrir tes dents, l'entendit-elle dire à travers le battement sourd de son pouls qui martelait ses tempes. Fais-en un étau rigide. Plus tu pourras serrer, plus j'aurai de plaisir. (Elle l'entoura aussi fermement qu'elle put en entendant cela. Il grogna de plaisir.) Bien. Maintenant, enroule ta langue autour du gland.

Elle fit ce qu'il lui dit, de plus en plus excitée en voyant sa main faire des allers-retours le long du membre dur. Existait-il vision plus sensuelle que celle de Ian se caressant lui-même ?

— C'est ça. Apprends à connaître ma forme. Serre plus fort. (Elle suivit ses instructions à la lettre.) Oui. *Voilà*, fit-il d'une voix un peu plus rauque lorsqu'elle passa la langue au-dessous du gland épais et caressa la petite fente.

Elle fut récompensée par quelques gouttes de liquide salé. Son goût se répandit sur sa langue, singulier, addictif. Elle pressa avec plus de force. Il gronda doucement et s'enfonça de deux ou trois centimètres supplémentaires dans sa bouche. Il passa la main à l'arrière de la nuque de Francesca, la maintenant fermement, puis recula légèrement et fléchit les hanches de manière à imprimer un très léger mouvement de va-et-vient.

— Maintenant, suce, dit-il d'une voix tendue.

Elle l'enserra entre ses lèvres gonflées et appliqua une ferme succion.

— Oh oui... Ça, c'est une bonne petite élève, fit-il en haletant au-dessus d'elle, tout en continuant de s'enfoncer dans sa bouche.

Le vibromasseur était un supplice. Elle ne pouvait pas échapper aux vibrations constantes contre son clitoris frémissant. Comme la veille, elle sentit la brûlure se communiquer à ses tétons et à la plante de ses pieds. Ses lèvres, elles aussi, lui paraissaient hypersensibles, étirées autour du membre épais de Ian. Elles commençaient à lui faire un peu mal à force d'appliquer une pression perverse autour de son pénis triomphant. Pourtant, elle en voulait plus. Elle avait *besoin* de plus.

Elle plongea la tête vers l'avant, sentant son sexe glisser contre sa langue, emplir sa bouche. Il grogna et lui agrippa les cheveux, l'immobilisant.

— Si tu recommences à te comporter de manière impulsive, on arrêtera.

Elle rouvrit grands les yeux, et la voix dure de Ian l'atteignit malgré son intense excitation. Son membre viril pulsait à l'intérieur de sa bouche. Le vibromasseur menaçait de la faire succomber – c'était une petite chose sans pitié... Elle ne répondait plus de rien.

Elle scruta Ian avec désespoir, incapable de parler avec son sexe énorme et conquérant emplissant sa bouche. Le visage de son amant s'assombrit quand il vit son expression.

— Francesca ?

Elle commença à trembler sous l'orgasme, le souffle s'échappant de ses poumons par petits hoquets, à moitié étouffés par le membre gonflé. Elle vit les yeux de Ian s'agrandir de surprise et elle ferma obstinément les siens, submergée par la honte à l'idée qu'elle s'était montrée incapable de contrôler son insatiable appétit.

*
* *

Ian baissa les yeux sur elle sans comprendre son expression désespérée avant qu'elle commence à trembler sous le choc d'un orgasme évident. Il n'avait jamais vu une femme jouir avant lui en le prenant dans sa bouche. Il ne s'était jamais soucié de donner du plaisir à une femme avant d'obtenir le sien.

Imbécile qu'il était.

Il lâcha un grognement en sentant ses lèvres douces et chaudes frémir autour de son érection. Incapable de s'arrêter, il enfouit les doigts dans la chevelure lisse de la jeune femme et s'enfonça plus profondément en elle. Elle émit un petit jappement venu de l'intérieur de la gorge, qui se répercuta à travers son sexe, en même temps que les tressaillements délicats de l'extase. Il se retira de quelques centimètres pour la soulager un peu. Elle faillit déclencher son orgasme en continuant à le sucer tandis qu'elle le regardait fixement et qu'elle faisait décrire à sa langue de petits cercles autour de son gland.

Il voulut la réprimander mais se ravisa au dernier moment et s'enfonça à nouveau dans sa bouche. Quel idiot aurait protesté contre quelque chose d'aussi bon ? Il la laissa contrôler ses mouvements pendant un moment, dans un état d'excitation extrême ; elle plongeait et relevait alternativement la tête en un mouvement de va-et-vient énergique autour de son pénis.

— C'est bien..., murmura-t-il. Prends-moi du mieux que tu peux.

Un frisson le parcourut. L'enthousiasme évident de la jeune femme suffisait plus que largement à compenser son inexpérience. Et elle était douée. Elle s'accrochait à lui comme une sangsue. Sa succion était déjà exquise, mais il la poussa malgré tout dans ses retranchements.

— Suce-moi plus fort, dit-il en se mettant à bouger les hanches au même rythme qu'elle.

Il lâcha un grondement rauque et féroce quand elle surpassa ses attentes, et vit les joues carmin de la jeune femme se creuser tandis qu'elle resserrait autant qu'elle le pouvait la bouche autour de son membre gonflé.

C'en était trop. Il la tira doucement en arrière par les cheveux. Francesca entrouvrit langoureusement les paupières ; la vision de ses lèvres entrouvertes et de ses yeux brillants de désir mit Ian au comble de l'excitation.

— Tu dois me prendre plus profondément, fit-il d'une voix douce. Respire par le nez. Si ça te paraît inconfortable au bout d'un moment, dis-toi que je ne laisserai pas ça durer trop longtemps. Tu as compris ?

Elle hocha la tête, et il serra les dents en voyant la confiance qui se lisait dans ses yeux de velours. Il soutint son regard en s'enfonçant davantage en elle, et sentit l'anneau étroit de la gorge envelopper l'extrémité de son sexe. Un frémissement de plaisir le traversa. Elle plissa les paupières et hoqueta mais réussit à se contrôler pour ne pas le repousser. Il grogna et se retira.

— C'est ça. Respire par le nez, répéta-t-il tout en s'enfonçant à nouveau en elle.

Cette fois, il grimaça quand son membre raide se logea au fond de sa gorge.

— Je suis désolé, dit-il en se retirant.

Il se maudit intérieurement en voyant deux larmes couler sur les joues de la jeune femme.

— Est-ce que ça va ? demanda-t-il.

Elle agrandit les yeux pour le rassurer et hocha la tête, faisant rebondir son sexe érigé. Il grimaça de nouveau ; une vague de plaisir déferlait à travers lui en contemplant l'ardeur de Francesca, sa générosité. Dieu soit loué, elle était la bonté personnifiée. Il savait qu'il ne s'arrêterait pas. Il savait qu'il en était incapable.

Il souleva la tête de la jeune femme entre ses mains et la regarda fixement tout en besognant en cadence ses lèvres serrées, essuyant d'un revers du pouce les traces de larmes sur ses joues. La lueur d'excitation n'avait fait que s'intensifier dans les deux orbes sombres de ses yeux, mais il y vit quelque chose d'autre. Quelque chose qui semblait l'absoudre de ses péchés.

— Tu n'imagines même pas le plaisir que tu me donnes, confia-t-il.

Il la maintint immobile et s'enfonça de nouveau dans sa gorge. Il perdit conscience de lui-même pendant un moment ; tout l'univers se réduisit au plaisir que lui offrait la douce bouche de Francesca, qui comblait ses désirs les plus dépravés et les plus honteux. Il écarquilla les yeux en la voyant trembler au moment où il plongeait le plus profondément en elle, et commença à se retirer pour la soulager. Mais il se rendit soudain compte qu'elle ne le rejetait pas.

— *Douce Francesca...*, souffla-t-il, submergé par l'émotion et émerveillé de voir qu'elle jouissait à nouveau.

Il se répandit dans sa gorge avec un rugissement de plaisir brutal qui le déchira en deux, et eut quand même le réflexe de se retirer, finissant finalement contre son palais. Il la contempla, le visage crispé, sans pouvoir détacher le regard de ses joues enflammées. Une expression de vulnérabilité totale brillait dans les iris sombres de la jeune femme tandis qu'elle succombait à son tour à l'extase.

Sa gorge douce se contracta pendant qu'elle avalait. Il continua à jouir et à éjaculer, incapable de retenir les vagues impitoyables de plaisir qui déferlaient sur lui alors même que Francesca semblait avoir des difficultés à le contenir. Ce soupçon fut confirmé quand elle gémit et desserra momentanément la mâchoire autour de son membre. Un peu de semence se répandit à la commissure de ses lèvres.

Il lâcha un hoquet rauque et plissa les paupières, secoué par une nouvelle onde de jouissance, l'image de Francesca gravée au fer rouge dans son cerveau. Comment une fille aussi innocente pouvait-elle le rendre si vulnérable, le faire vibrer de tout son corps, le chambouler de l'intérieur jusqu'à ce qu'il se sente aussi nu, aussi fragile, aussi exposé qu'il avait voulu qu'elle le soit ? Cette pensée soudaine lui fit entrouvrir les paupières. En agrippant les cheveux de la jeune femme, il en avait libéré une partie. Ses mèches folles et soyeuses retombaient librement le long de ses épaules blanches et balayaient ses joues ; ses yeux étaient pareils à des phares obscurs. Il contempla sa beauté ardente et voluptueuse comme s'il était né aveugle et qu'il voyait pour la première fois.

Il se retira lentement de sa bouche, produisant un bruit humide de succion quand son membre se détacha de ses lèvres. La cruelle et brusque séparation d'avec sa chaleur lui fit fermer les paupières.

Aucun d'eux ne parla quand il l'aida à se relever et lui ôta les menottes. Elle gémit doucement lorsqu'il éteignit le vibromasseur.

— Je l'ai sans doute réglé un peu trop fort, fit-il d'une voix qui sonna faux à ses propres oreilles.

Peut-être parce qu'il mentait. Le sex-toy n'était pas à ce point efficace. Elle avait joui à deux reprises parce qu'il l'avait conquise, parce qu'il avait utilisé sa bouche pour prendre son plaisir, parce qu'elle était si douce, si réactive... mille fois plus que ce qu'il avait jamais osé l'espérer.

— Ian ?

Il ne put retenir un rictus en entendant le son rauque de sa voix.

— Oui ? répondit-il en évitant son regard et en commençant à ranger méthodiquement les accessoires dans le sac qu'il avait apporté.

— Est-ce que... est-ce que ça allait ?

— C'était fantastique. Tu as de nouveau dépassé mes attentes.

— Oh... C'est juste que... Tu as l'air, un peu... malheureux.

— Ne sois pas ridicule, rétorqua-t-il doucement en rajustant la ceinture de son pantalon. (Il la regarda en ignorant délibérément son extraordinaire beauté et l'expression troublée dans ses yeux noirs.) Que dirais-tu d'aller prendre une douche, pendant que j'utilise l'autre salle de bains ? Après, je nous commanderai à dîner.

— D'accord.

L'inquiétude qui perçait dans la voix de la jeune femme l'attrista profondément. Malgré tout, il s'éloigna résolument vers la porte – avant de se raviser brusquement et de se retourner vers elle. Elle n'avait pas bougé. Il écarta les bras.

— Viens par ici, dit-il doucement.

Elle se précipita vers lui. Il l'étreignit avec ferveur, respirant le parfum de sa chevelure. Le contact de ses seins fermes pressés contre ses côtes était délicieusement érotique. Il avait envie de lui dire combien ça avait été merveilleux – combien *elle* était merveilleuse – mais sans qu'il sache pourquoi, son cœur se mit à battre trop vite. Il n'aimait pas la sensation de vulnérabilité qu'il avait éprouvée à la fin... fragilisé par le besoin qu'il avait d'elle.

Il ne pouvait toutefois s'empêcher de convoiter ses lèvres. Il l'embrassa avec une retenue calculée, conscient qu'il lui causait sans doute de la peine. Le soupir qu'elle laissa échapper lui donna envie de la prendre sur le lit et de passer la nuit entière, le visage enfoui dans sa chair soyeuse et parfumée... La simple évocation de cette vision le mit à la torture.

Au lieu d'y céder, il baisa une dernière fois ses lèvres et rompit leur étreinte. Il devait se prouver à lui-même qu'il était toujours capable de se détacher d'elle.

Partie VI

PARCE QUE TU ME TOURMENTES

11

Le lendemain matin, Francesca plaça la pilule sous sa langue et but un peu d'eau pour la faire passer. Elle jeta un coup d'œil dans le miroir de la salle de bains et détourna les yeux devant son reflet. Se voir elle-même en train de prendre une pilule contraceptive lui remettait aussitôt en mémoire les événements de la veille au soir : le dîner avec Ian et le panorama incroyablement romantique, l'attitude distante de son amant et sa sollicitude feinte, la confusion, puis l'irritation qu'elle avait fini par éprouver…

… leur dernière discussion et le départ de Ian.

Pourquoi se souciait-elle de prendre cette pilule après la façon dont il s'était comporté ? Elle avait été folle d'accepter cette aventure avec lui. Quand Ian s'était détourné d'elle froidement après l'expérience particulièrement érotique qu'ils avaient connue la veille, elle avait compris à quel point elle s'était montrée naïve.

Particulièrement érotique pour Francesca, en tout cas. Pour Ian, c'était visiblement de la routine.

Ou simplement un exemple des services de qualité qu'il juge mériter.

À cette pensée, la colère l'envahit de nouveau.

D'accord, il avait passé du temps avec elle après... ce qu'ils avaient fait. Elle aurait appelé ça « faire l'amour », mais Ian aurait clairement été en désaccord. Une leçon sur l'art de la fellation ? Un épuisement mutuel ? Une humiliation telle qu'elle avait à présent du mal à se regarder dans une glace ?

Si elle considérait la situation objectivement, elle devait admettre qu'il avait non seulement passé du temps avec elle, mais qu'il l'avait même traitée avec des égards dignes d'une reine. Ils avaient d'abord pris une douche séparément dans les deux salles de bains, et il était réapparu vêtu d'un pantalon gris – qui soulignait ses longues jambes et ses hanches étroites –, d'une légère chemise bleu clair et d'une veste de sport.

— Tu es prête ? Nous allons dîner au *Cinq,* avait-il dit en se tenant sur le seuil de la chambre à coucher.

Elle avait levé vers lui des yeux angoissés.

— Je croyais que tu allais nous commander un repas dans la suite. Je ne peux pas aller au *Cinq* habillée comme ça ! s'était-elle exclamée en se souvenant de tout ce qu'elle avait lu et entendu au sujet du restaurant très sélect de l'hôtel George-V.

Pourquoi Ian avait-il modifié ses plans ? L'atmosphère de la suite était-elle soudain devenue trop intime à son goût ?

— Ça ne pose aucun problème, avait-il répondu avec brusquerie, la main tendue. J'ai demandé à ce qu'on soit servis sur une terrasse privée.

— Ian, je ne peux pas ! Pas comme ça ! avait-elle protesté en se dérobant.

— Tu *viens avec moi,* lui avait-il ordonné avec un regard amusé. Les autres clients ne nous verront pas. Et si un seul employé ose froncer les sourcils devant ton tee-shirt trop grand, il aura affaire à moi.

Cette phrase n'avait rien de rassurant, ni même de tendre, mais Francesca percevait toujours chez Ian une anxiété diffuse – qui ne l'avait pas quitté depuis la fin de leur sensuel corps-à-corps.

Dubitative, elle avait enfilé ses sandales et pris la main de Ian. Elle l'avait ensuite suivi avec réticence dans l'ascenseur et dans les couloirs de l'hôtel, sans cesser de protester tout bas. N'allait-on pas la jeter dehors séance tenante quand elle se présenterait vêtue d'un jean et d'un tee-shirt informe ? Ian ne lui avait pas répondu une seule fois, se contentant de la traîner dans son sillage.

Le maître d'hôtel du restaurant avait accueilli Ian comme un vieil ami. Francesca était restée plantée, stupide, derrière son amant, priant pour que le sol l'engloutisse, pendant que les deux hommes conversaient en français. Pourtant, le maître d'hôtel l'avait accueillie chaleureusement quand Ian l'avait présentée ; elle avait rougi quand il s'était penché pour lui faire un baisemain – comme si elle était la reine de la soirée, et non Francesca Arno, gauche et mal fagotée.

Elle était restée bouche bée quand le maître d'hôtel les avait conduits sur une terrasse privée éclairée aux chandelles, avec une vue époustouflante sur la tour Eiffel illuminée. Deux braseros réchauffaient l'air agréable et frais de ce début d'automne. La table était un régal pour les yeux, chargée de bougies, de cristal, de vaisselle dorée à l'or fin et ornée d'un bouquet enivrant d'hortensias blancs.

Elle avait regardé Ian, stupéfaite, et s'était rendu compte que le maître d'hôtel était parti. Ils étaient seuls sur la terrasse. Ian l'avait invitée à s'asseoir.

— C'est toi qui as organisé tout ça ? lui avait-elle demandé les yeux dans les yeux.

— Oui, avait-il répondu en l'aidant à s'installer.

— Tu aurais dû me laisser m'habiller pour dîner.

— Je t'ai déjà dit qu'une femme devait faire oublier ses vêtements, Francesca, avait-il dit en prenant place en face d'elle. (Ses iris avaient la même couleur que le ciel nocturne.) Quand une femme connaît son pouvoir, elle peut bien se présenter en loques, les gens la verront comme une reine.

Elle s'était raclé la gorge avec embarras.

— C'est le genre de chose qu'on enseigne au petit-fils d'un comte. Je ne vis pas dans le même monde que toi, Ian.

Ils avaient dégusté un repas somptueux, discuté de choses et d'autres, bu du vin rouge et savouré les plats de fine gastronomie. Deux serveurs étaient entièrement à leur disposition, et aucun n'avait eu l'air surpris devant l'accoutrement de Francesca. Apparemment, être l'invitée de Ian vous conférait un statut particulier. Quand elle s'était mise à frissonner sous la brise, il s'était levé et avait ôté sa veste, insistant pour qu'elle la pose sur ses épaules.

Si une personne extérieure avait assisté à la scène, elle aurait probablement cru à un dîner romantique idyllique. Mais plus le repas avançait, plus les incertitudes et l'angoisse de Francesca allaient croissant. Ian était courtois et plein de sollicitude... un compagnon parfait. Au début, elle avait cru que son malaise était dû à l'atmosphère guindée et à l'omniprésence des deux serveurs – mais avec le temps qui passait, elle comprenait que ce n'était pas lié à cela.

Il s'était clairement refermé comme une huître après la fin de leurs ébats sexuels. Pourquoi ? Est-ce qu'elle avait tout fait de travers, et était-il trop poli pour le lui avouer ?

À moins qu'il ne commence déjà à se lasser d'elle ?

Les soupçons de Francesca s'étaient confirmés à leur retour dans la suite. Il lui avait demandé si ça la dérangeait qu'il travaille un peu. Elle avait répondu par un « Bien sûr que non », mais son inquiétude commençait déjà à se transformer en colère. Elle était retournée dans la chambre et avait vérifié ses e-mails sur son téléphone.

Au bout d'un moment, il avait pénétré dans la pièce, la faisant sursauter. Sans rien dire, il lui avait tendu un sachet en papier. Il contenait une boîte de trois plaquettes de pilules contraceptives.

— On vient de me les livrer. Aaron, le pharmacien, dit que tu peux commencer à les prendre tout de suite. J'ai fait rajouter la notice en anglais.

— Comme c'est gentil de ta part.

Le sarcasme tranquille de Francesca l'avait fait ciller.

— Ça t'ennuie que je te propose de prendre la pilule dès maintenant ? J'ai avec moi les résultats d'un check-up médical récent. Je te les montrerai. Je ne veux pas que tu aies le moindre doute sur mon état de santé. Et sache que tant que nous continuerons tous les deux, je ne verrai personne d'autre.

— Ce n'est pas à ça que je pensais.

Ces mots l'avaient quand même quelque peu soulagée – elle aurait dû aborder le sujet plus tôt.

Il l'avait dévisagée.

— Tu as remarqué que j'étais un peu préoccupé ce soir ? Je suis désolé. J'avais du travail en retard. Je dois m'occuper d'une acquisition très importante, prévue de longue date, qui devrait se concrétiser la semaine prochaine.

Elle lui avait lancé un regard maussade. Elle savait que le problème n'avait rien à voir avec son travail, et il en était certainement conscient lui aussi. Le problème, c'était le contraste entre l'expérience sexuelle extraordinairement intime qu'ils avaient vécue, et l'attitude soudain distante de Ian.

Il l'avait contemplée en silence pendant un moment. Un sentiment d'appréhension avait envahi Francesca. Elle ne se sentait plus du tout d'humeur sarcastique. Elle éprouvait une envie brûlante de lui prendre la main pour le rassurer.

— Tu veux que je t'apporte un verre d'eau ?

Elle avait fermé les yeux un instant pour masquer sa déception.

— Je t'avais prévenue que j'étais un vrai goujat avec les femmes, avait-il rajouté d'une voix crispée.

— Tu m'as aussi dit que tu n'étais pas un homme bien. Mais je ne peux pas m'empêcher de remarquer que tu n'as jamais exprimé le moindre remords...

La colère était à deux doigts de la faire fondre en larmes.

— Et je suppose que tu as pensé pouvoir faire de moi un homme meilleur. (Ses lèvres pleines avaient esquissé un rictus, comme s'il buvait une potion amère.) Tiens-le-toi pour dit, Francesca, et épargne-toi ces efforts. Je suis ce que je suis, et je n'ai jamais prétendu autre chose devant toi.

Elle l'avait regardé sortir de la pièce, muette de stupéfaction, de colère et de souffrance.

C'était ce qu'il pensait ? Qu'elle voulait le changer, juste parce qu'elle ne comprenait pas son attitude distante depuis qu'ils avaient fait l'amour ?

À moins qu'il n'eût *raison* de lui faire ainsi la leçon ? Il lui avait offert cet incroyable dîner romantique devant le plus beau panorama de Paris – et il s'était montré irréprochable pendant le repas, la traitant avec tous les égards possibles.

Il ne lui avait jamais offert son cœur. Il lui avait promis des expériences et du plaisir, et il avait plus que largement tenu parole.

Toutes ces pensées n'avaient fait qu'accentuer la confusion de la jeune femme, et l'angoisse commençait à lui nouer le ventre. Elle avait essayé de lire un e-book sur son téléphone mais avait fini par renoncer, incapable de se concentrer, avant de sombrer dans un sommeil tourmenté.

Le lendemain, à son réveil, Ian n'était visible nulle part. Elle se souvenait vaguement d'avoir senti son corps dur et chaud pressé contre le sien à un moment de la nuit – ses bras autour d'elle, sa bouche embrassant le creux de son épaule. Mais elle n'arrivait plus à savoir s'il s'agissait d'un rêve ou de la réalité.

Il y avait un message posé sur la table de chevet.

Francesca,

Je suis sorti pour un rendez-vous au restaurant La Galerie. *N'hésite pas à commander un petit déjeuner à la réception. Nous devons décoller pour Chicago à 11 h 30. S'il te plaît, prépare tes affaires. Je passerai te prendre à la suite à 9 h.*

Ian

Elle fronça les sourcils en lisant le mot. Il lui donnait l'impression d'être une vulgaire valise.

À 9 h 10, elle se tenait prête dans le salon, son sac de voyage sur l'épaule. Elle ressentait une pointe de regret à l'idée de quitter la magnifique suite parisienne – où Ian lui avait tant appris sur ses propres désirs –, mais elle avait également hâte de retrouver la banalité de sa vie quotidienne.

Elle regarda sa montre en fronçant les sourcils. Toujours pas de Ian.

Bon sang.

Complètement désemparée, elle rédigea un court message lui indiquant qu'elle quittait la suite et qu'elle l'attendrait dans le hall de l'hôtel. Mieux valait patienter dans le luxueux vestibule, en regardant passer les clientes sophistiquées perchées sur leurs talons hauts.

Arrivée en bas, elle s'effondra dans un des fauteuils moelleux de l'hôtel et fouilla dans son sac à la recherche de son téléphone portable pour consulter ses SMS. Quelque chose attira son attention dans un angle de son champ de vision. Quand elle se rendit compte que c'était la haute silhouette de Ian, qui rentrait à l'instant, elle se rencogna immédiatement dans son siège, se cachant derrière les larges accoudoirs rembourrés. Il sortait juste de *La Galerie* – un des restaurants de l'hôtel –, un bras passé autour de la taille d'une élégante femme aux cheveux noirs qui semblait avoir environ la trentaine. Francesca ne pouvait pas entendre ce qu'ils se disaient, mais elle fut frappée par l'apparence... intime de leur conversation. Était-ce pour cela qu'elle avait eu le réflexe de se cacher derrière les accoudoirs du fauteuil ?

Ian fouilla dans la poche intérieure de sa veste de sport et en sortit une enveloppe, qu'il tendit à la femme. Elle l'accepta avec un sourire et se dressa sur la pointe des pieds pour embrasser Ian sur la joue. Le cœur de Francesca se mit à battre à tout rompre quand elle vit son amant poser les mains sur les épaules de la séduisante inconnue et l'embrasser sur les deux joues.

Ils échangèrent un sourire que Francesca trouva poignant, terriblement triste. La femme hocha la tête, comme pour dire à Ian que tout se passerait bien, avant de se détourner et de traverser le hall pavé de marbre blanc jusqu'à la sortie de l'hôtel. Elle rangea dans sa mallette en cuir l'enveloppe qu'il lui avait donnée. Ian resta immobile pendant un moment, suivant la femme des yeux. Son visage aux traits rudes et virils affichait une expression que Francesca ne lui avait encore jamais vue.

Il avait l'air un peu perdu.

Francesca se redressa sur son siège et fixa d'un œil vide le bouquet de fleurs extravagant qui ornait la table devant elle. Elle avait l'impression que son cœur allait se briser. C'était comme si elle avait surpris Ian dans un moment très personnel… Elle ne comprenait pas vraiment ce qu'elle avait vu, toutefois elle était certaine qu'il s'agissait d'une chose importante pour lui, une chose qui le bouleversait.

Une chose qu'il n'aurait pas voulu qu'elle voie.

Elle continua à l'épier. Quand elle comprit qu'il était sur le point de pénétrer dans la bijouterie de l'hôtel, elle se releva d'un bond et fonça vers les ascenseurs.

Lorsqu'il ressortit de la boutique quelques minutes plus tard, elle se comporta comme si elle venait juste d'arriver dans le hall.

— Salut. Je me suis dit que j'allais descendre t'attendre ici, lui lança-t-elle avec un engouement feint.

Il écarquilla légèrement les yeux en la voyant.

— Je pensais t'avoir demandé de rester dans la suite, fit-il avec une expression perplexe.

Même ainsi, il était toujours aussi séduisant. Cesserait-elle un jour d'être captivée par sa sombre et mâle beauté, comme si elle recevait chaque fois une flèche en plein cœur ?

— Oui. J'ai bien vu ton message. Je t'ai aussi laissé un mot pour te dire que je venais ici.

Les lèvres pleines de Ian esquissèrent une grimace, mais Francesca n'était pas sûre de savoir si c'était une marque d'irritation ou d'amusement.

— Je te dois des excuses pour mon retard. J'avais un rendez-vous important avec une personne très proche de ma famille, qui se trouvait en ville pour assister à une conférence. Je monte juste récupérer mes affaires et je te rejoins ici.

Elle hocha la tête, sans cesser de s'interroger sur l'identité de cette mystérieuse amie qui avait le pouvoir de percer la barrière émotionnelle qu'il s'était construite. Le bijou qu'il venait d'acheter lui était-il destiné ?

Comme elle ne pouvait pas lui poser la question, elle se détourna pour retourner s'asseoir dans le hall. Il l'arrêta en posant une main sur son bras.

— Je suis désolé pour hier soir.

Elle le regarda sans rien dire, interdite face au regret sincère qui perçait dans sa voix.

— Pour quel moment, précisément ?

— Je crois que tu le sais, répondit-il d'un ton calme. J'étais à mille lieues d'ici, hier. J'ai peur que tu te sois sentie abandonnée.

— Et ce n'était pas le cas ?

— Non. Je suis toujours avec toi, Francesca - quoi que vaille cette promesse, ajouta-t-il sombrement.

Il se pencha au-dessus d'elle et l'embrassa d'une manière à la fois tendre et passionnée. La jeune femme se faisait-elle des illusions, ou ce baiser contenait-il quelque chose que Ian était incapable d'exprimer autrement ?

Quelques instants plus tard, le cœur battant, elle le regarda s'éloigner - encore émerveillée par ce baiser, et pleine d'une ardeur qui faisait se contracter malgré elle les muscles de son sexe.

*

* *

En dépit de ses récentes excuses, elle sentit que Ian était toujours tendu pendant le trajet du retour jusqu'à l'aéroport. Elle était déchirée entre la compassion qu'elle ne pouvait s'empêcher de ressentir pour lui – en repensant à son air perdu dans le hall de l'hôtel –, et un sentiment d'irritation devant sa capacité à l'ignorer comme s'il suffisait d'appuyer sur un interrupteur.

Après qu'ils eurent embarqué, elle s'installa en face de lui dans le salon du jet privé.

— Quelle était l'acquisition importante dont tu me parlais, qui doit se conclure la semaine prochaine ? lui demanda-t-elle alors qu'il se penchait pour sortir son ordinateur portable de sa mallette.

— Ça fait plus d'un an que je courtise le propriétaire particulièrement fuyant – et pour tout dire, ennuyeux à mourir – d'une certaine société. Nous avons enfin réussi à trouver un accord, dit-il en allumant l'ordinateur. Ce n'est pas tant son entreprise en tant que telle qui m'intéresse, que le brevet sur un de leurs logiciels. J'en ai absolument besoin pour le nouveau jeu en ligne que je développe en ce moment. (Il adressa à la jeune femme un regard gêné par-dessus l'écran du portable.) Ça t'ennuie si je travaille ?

— Non, bien sûr que non, fit Francesca avec sincérité.

Il avait beau être vexant et irritant, elle n'était pas du genre à réclamer constamment son attention. Il se mit au travail dès que l'avion eut décollé – parcourant des dossiers, prenant des notes et passant de temps en temps de brefs coups de fil. Francesca consulta son propre Smartphone et vit que Lin lui avait envoyé par e-mail un manuel du « Code de la route en Illinois ». Quand Ian avait-il trouvé le temps d'en faire la demande à son assistante ? La veille au soir, lorsqu'il l'avait royalement ignorée après leur dîner romantique ?

Est-ce que ça ne voulait pas dire qu'il avait pensé à elle... au moins un petit peu ? Et est-ce que ce n'était pas précisément le genre de rêverie qu'une supposée soumise était censée avoir – se demandant en permanence si son maître pensait ou non à elle, si elle avait réussi à lui plaire ou pas ?

Révulsée par cette idée, Francesca détourna résolument son attention de l'homme charismatique qui était assis en face d'elle. Elle envoya un chaleureux message de remerciement à Lin et interrogea Ian pour savoir si elle pouvait lui emprunter sa tablette électronique.

— Pourquoi ?

— Pour lire quelque chose.

— Le code de la route que j'ai demandé à Lin de t'envoyer ?

— Non, répondit-elle sans sourciller. Un roman de gare.

Elle répondit à son regard froid par un petit sourire. Il lui tendit la tablette sans autre commentaire.

Heureusement, Francesca était capable de se concentrer presque autant que Ian sur une tâche quand elle le décidait. Durant le vol, elle mémorisa avec précision toutes les règles du manuel – étrangement déterminée à obtenir son permis de conduire, maintenant que Ian avait remis le sujet sur le tapis. Son expérience derrière le volant l'avait survoltée. Au bout d'un moment, elle en oublia à quel point il l'irritait. Sa présence silencieuse lui parut même agréable tandis qu'ils s'occupaient tous les deux de leurs propres affaires.

Elle fit une courte sieste dans la chambre à coucher. Quand elle revint dans le salon, Ian avait fait apporter des rafraîchissements. Elle sirota tranquillement son eau gazeuse tout en le regardant travailler. C'était véritablement une force de la nature. S'il avait pu vendre sa puissance de concentration, il serait devenu l'homme le plus riche du monde.

Il fait déjà partie des hommes les plus riches du monde, songea-t-elle avec ironie avant de se replonger dans son code.

Quand le pilote annonça qu'ils amorçaient la descente vers l'Indiana, Ian releva la tête et cligna les yeux, comme s'il émergeait d'un long sommeil. Il referma l'ordinateur et passa la main dans ses cheveux courts, un peu ébouriffés. Francesca songea qu'elle aurait aimé le faire à sa place.

— Tu avances bien dans le manuel ? demanda-t-il d'une voix rendue un peu rauque par cette longue période de silence.

— Très bien.

Elle n'était pas surprise qu'il ait percé à jour son petit mensonge. Peu de choses lui échappaient.

— Tu as l'air très sûre de toi, reprit-il en portant la main à son verre d'eau fraîche.

— Je ne vois pas pourquoi je ne le serais pas.

Il tendit la main vers elle sans rien dire. Elle soutint son regard et lui rendit la tablette.

Il commença à lui poser des questions sur le code. Francesca donna chaque fois les bonnes réponses sans hésiter. Quand le pilote les informa qu'ils s'apprêtaient à atterrir, Ian éteignit la tablette et la rangea dans son étui. Son superbe visage était toujours indéchiffrable, mais Francesca avait l'impression qu'il était satisfait.

— J'ai des réunions cet après-midi, et je dois passer toute la journée de demain au bureau, mais je vais demander à Jacob de te donner des leçons de conduite. Encore quelques heures au volant, et tu seras prête à passer le permis.

La jeune femme réprima son exaspération – Ian avait parlé comme s'il venait d'ajouter « permis de Francesca » à sa liste mentale des tâches en attente.

— Cet *après-midi* ? Quelle heure est-il à Chicago ?

Il jeta un coup d'œil à sa Rolex.

— À peu près la même heure que celle où nous avons quitté Paris : onze heures quarante.

— Waouh ! C'est comme si on s'était télétransportés !

Il répondit par un sourire inattendu. L'avion commença à descendre en piqué, accentuant le nœud dans l'estomac de la jeune femme. Quand Ian souriait, il semblait toujours plus accessible. Elle mourait d'envie de lui poser des questions sur la femme qu'il avait rencontrée avant leur départ, de lui demander pourquoi cette entrevue semblait tant l'affecter... de lui réclamer une clé pour résoudre enfin l'énigme de sa personnalité.

Or Ian avait déjà tout autre chose en tête.

— Tu m'as dit une fois que tu te considérais comme un désastre financier ambulant. Qu'est-ce que tu prévois de faire avec l'argent du tableau ?

La jeune femme resserra les doigts sur l'accoudoir et sursauta quand le train d'atterrissage heurta la piste. Ian ne cilla même pas.

— Qu'est-ce que tu veux dire par « faire » avec cet argent ? Je prévois de l'utiliser pour mes études, pour mon avenir.

— Bien entendu, mais je doute que tu aies besoin de cent mille dollars dans l'immédiat, non ?

Elle secoua la tête.

— Pourquoi ne me laisserais-tu pas en investir la majeure partie ?

— Non, répondit-elle abruptement.

Devant le ton inflexible qu'elle avait employé, une expression incrédule apparut sur le visage de son amant. N'importe qui aurait sauté de joie à la perspective de voir Ian Noble – le magnat de la finance – s'occuper de son patrimoine.

— Tu ne peux pas laisser une telle somme sur un simple compte bancaire, reprit-il comme s'il énonçait la chose la plus évidente au monde. Ça n'aurait absolument aucun sens.

— Ça a du sens pour moi ! Les personnes dans mon genre n'aiment pas investir leur argent, Ian.

— Les personnes dans ton genre ? Tu veux dire les idiots ? Parce que c'est ce que tu seras, si tu laisses un montant aussi exorbitant dormir sur un compte-chèques.

Ses yeux bleu cobalt flamboyaient. Elle se pencha en avant, prête à lui renvoyer une réplique cinglante, mais se ravisa au dernier moment. Elle se rencogna dans son siège et regarda Ian droit dans les yeux.

— Qu'y a-t-il ? demanda-t-il d'un ton suspicieux.

— Je l'investirai moi-même si tu m'apprends comment faire.

La lueur de méfiance dans le regard de Ian se transforma en amusement.

— Je n'ai pas le temps de te donner des leçons. (Elle haussa les sourcils.) Pas en matière de finance, en tout cas, ajouta-t-il avec un sourire enjôleur.

Le pouls de Francesca s'affola. Seigneur, qu'il était beau ! L'avion s'immobilisa sur la piste, et il défit sa ceinture de sécurité.

— Tu as vraiment envie d'apprendre la finance ?

— Bien sûr. J'ai besoin de toute l'aide possible.

Sans répondre, il referma sa mallette, se releva, passa sa veste de sport et tendit la main vers la jeune femme. Elle défit à son tour sa ceinture, et il l'attira tendrement à lui.

— Je verrai si je peux trouver un peu de temps malgré tes autres leçons, murmura-t-il avant de poser les lèvres sur celles de Francesca.

Le contraste entre sa froideur passée et son ardeur présente fit naître en elle une vague de désir qui se répercuta à travers tout son corps.

Une heure et demie plus tard, elle était de nouveau entourée par les gratte-ciel de Chicago, qui se dessinaient avec netteté sur le ciel bleu pâle. La jeune femme ressentait une impression étrange. La ville était semblable à ce qu'elle avait toujours été, rien n'avait changé, et elle se sentait pourtant différente. Quand Jacob quitta l'autoroute pour s'engager sur North Avenue, elle se prépara psychologiquement à retrouver son ancienne vie. C'était difficile de faire correspondre la nouvelle Francesca avec son passé. Paris l'avait changée.

Ian l'avait changée.

Même s'il la quittait le lendemain, regretterait-elle d'avoir connu cette initiation sensuelle, cette ouverture à un monde nouveau ?

— Est-ce que tu viendras peindre demain après tes cours ? lui demanda Ian, assis en face d'elle sur la banquette en cuir de la limousine.

— Oui, fit-elle en rassemblant ses affaires.

Jacob venait de s'arrêter devant la maison qu'elle partageait avec Davie et les autres à Wicker Park. Elle jeta un coup d'œil en biais à Ian ; elle prenait conscience qu'ils allaient tous les deux retourner à leurs vies respectives, et cette pensée l'emplissait de mélancolie. Jacob frappa poliment à la portière, et l'homme d'affaires se pencha en avant pour répondre par quelques coups rapides. La porte demeura fermée.

— Si tu veux, nous pouvons dîner ensemble jeudi soir.

— Très bien, répondit-elle, à la fois enchantée et troublée par cette proposition.

— Et vendredi et samedi, j'aimerais simplement te voir.

Francesca sentit le rouge lui monter aux joues et éprouva un profond soulagement. Vu le ton qu'il venait d'employer, il était évident qu'il n'allait pas la laisser tomber dans les jours à venir.

— Samedi soir, je travaille au bar.

— Dimanche, alors.

Elle hocha la tête.

— J'ai demandé à Jacob de t'emmener conduire cet après-midi, et aussi demain. Tu pourras convenir avec lui d'un rendez-vous pour demain. Aujourd'hui, il passera te prendre à seize heures. Tu as peut-être envie de te reposer avant.

— Je ne pense pas, rétorqua-t-elle avec ironie. Je vais aller courir un peu, et j'ai du travail à rendre.

Il la contempla en silence, le visage plongé dans les ombres de l'habitacle. Elle avala sa salive et serra son sac contre elle.

— Merci. Pour Paris, souffla-t-elle.

— Merci à toi, répondit-il simplement.

Elle s'éloigna d'une démarche gauche.

— Francesca...

Il plongea la main dans la poche intérieure de sa veste et lui tendit une petite boîte en cuir. Elle reconnut la marque du bijoutier de l'hôtel George-V.

Il était entré dans la bijouterie ce matin pour lui acheter un cadeau à elle – pas à la mystérieuse femme.

— Je t'avais dit lors de notre arrivée à Paris que je trouverais quelque chose pour tes cheveux, mais tu ne m'as pas laissé t'emmener faire les boutiques. J'espère que ça te plaira. Je ne suis pas habitué à choisir ce genre d'accessoire sans les conseils de Lin.

Elle ouvrit la boîte, le cœur battant, et resta bouche bée. Dans un écrin de velours noir brillaient huit grandes épingles à cheveux, chacune ornée d'un croissant de lune en pierres précieuses. Piqués dans un chignon, ils transformeraient sa chevelure en tourbillon de diamants. Ce n'était pas seulement somptueux, c'était aussi un cadeau raffiné et très personnel.

Elle fixa Ian avec des yeux grands comme des soucoupes.

— J'ai parlé au bijoutier de tes cheveux incroyables, et il m'a certifié qu'avec ce nombre d'épingles, même ta crinière ne s'échapperait pas. (Comme elle ne répondait rien, il plissa les paupières.) Francesca ? Ça te plaît, n'est-ce pas ?

Elle faillit refuser ce présent qu'elle soupçonnait avoir coûté une fortune, mais elle perçut une nuance de doute dans la voix de Ian, d'habitude assurée. Cette fois...

— Tu plaisantes ? Ian, elles sont magnifiques, dit-elle d'une voix tremblante en contemplant les épingles. Ce ne sont pas de vrais diamants, hein ?

— Si c'est de la verroterie, je me suis fait rouler, répondit-il d'un ton bourru. Tu les porteras ? Jeudi soir au dîner ?

Elle contempla son visage ombrageux. Pourquoi n'arrivait-elle jamais à lui dire non ? Ce n'était pas par désir de lui plaire. C'était autre chose... une envie de lui dire à quel point elle aimait son cadeau, combien elle le trouvait beau...

Combien *il* l'émerveillait.

— Oui, répondit-elle en se demandant si des cheveux piquetés de diamants iraient bien avec un jean.

Le sourire franc qu'il lui adressa aurait suffi à lui seul pour qu'elle accepte. Elle se força à détourner les yeux de son visage et posa la main sur la poignée de la porte d'entrée.

— Et... Francesca ?

Elle se retourna vers lui, le souffle court.

— Juste pour que tu saches, dit-il avec un sourire qui semblait se moquer de lui-même. Si je n'étais pas obligé de m'occuper de cette maudite acquisition, je t'aurais déjà emmenée dans ma chambre à coucher, et nous serions en train de poursuivre tes leçons.

*

* *

Les jours qui suivirent filèrent à toute vitesse. Entre ses cours, ses devoirs à la maison, la peinture chez Ian et ses leçons de conduite avec Jacob, Francesca n'eut pas une minute à elle. Les cours avec Jacob s'avérèrent plus amusants que prévu. Le chauffeur était d'une compagnie très agréable. De plus, il possédait deux qualités essentielles pour rester assis sur le siège passager pendant que Francesca conduisait une des luxueuses voitures de Ian : des nerfs à toute épreuve et le sens de l'humour. Le mercredi matin, elle se lança pour la première fois dans les rues de la ville. Après s'être arrêtée devant le *High Jinks* et avoir coupé le moteur, elle lança à Jacob un regard plein d'espoir, auquel ce dernier répondit avec un grand sourire.

— Je pense que vous êtes prête à passer l'examen dès que vous le déciderez.

— Vous en êtes vraiment sûr ?

— Parfaitement. Nous trouverons un centre en banlieue. Ce sera nettement plus facile qu'ici, en pleine ville.

— Je me sens coupable de vous avoir autant accaparé cette semaine, fit-elle en rassemblant ses affaires.

Elle travaillait ce soir-là au *High Jinks,* et Jacob avait proposé qu'elle s'y rende elle-même en voiture.

— Mon travail consiste à faire ce que Ian me demande, répondit-il avec une lueur amusée dans les yeux. Et il m'a chargé de faire en sorte que vous obteniez votre permis... et aussi de veiller coûte que coûte à votre sécurité durant les leçons.

Elle baissa la tête pour dissimuler son plaisir devant le sous-entendu de cette phrase.

— Ce n'était pas une mince affaire, hein ? s'enquit-elle en songeant au nombre de fois où elle avait failli les écrabouiller tous les deux contre un obstacle.

Jacob eut un petit rire.

— C'était un changement agréable dans ma routine quotidienne. En plus, Ian a quasiment élu domicile dans son bureau depuis notre retour de Paris, pour régler les derniers détails d'une opération financière. Il n'a pas eu besoin de moi.

Francesca fut heureuse de recueillir ces maigres informations. Elle n'avait pas eu la moindre nouvelle de Ian depuis qu'il l'avait déposée devant chez elle à leur retour à Chicago. Son absence ne faisait qu'exacerber l'excitation et l'appréhension qu'elle éprouvait à l'idée de dîner avec lui – ou, tout simplement, de le voir – le lendemain soir.

Elle passa la journée du jeudi à attendre désespérément un appel de sa part pour lui indiquer le lieu et l'heure du rendez-vous. Malgré tout, elle fit de son mieux pour se concentrer sur le tableau tout au long de l'après-midi. Elle comptait sur Mme Hanson pour informer Ian qu'elle se trouvait à l'atelier. Lentement, à mesure qu'elle s'immergeait dans sa toile, toute son anxiété reflua peu à peu – jusqu'à ce qu'elle trouve finalement la concentration dont elle avait besoin.

Quand une crampe musculaire commença à se manifester dans son épaule, il était déjà presque dix-neuf heures. Elle baissa le bras et contempla le résultat de son travail.

— C'est incroyable.

Elle fut parcourue d'un frisson au son de cette voix tranquille et familière, et se retourna brusquement. Il se tenait juste devant la porte fermée de l'atelier, vêtu d'un costume sombre assorti d'une cravate bleu pâle. Ses cheveux étaient un peu ébouriffés, comme s'il venait de rentrer à pied du bureau sous la brise du lac Michigan. Francesca se dirigea vers une table pour nettoyer ses pinceaux – elle avait besoin d'un peu de temps pour rassembler ses esprits après la surprise que Ian venait de lui faire.

— Ça commence à prendre forme. J'ai du mal à saisir exactement la lumière que je veux sur l'immeuble de Noble Enterprises. Et il faudra aussi que j'aille voir le hall d'accueil pour me rendre compte de la luminosité ambiante… voir à quoi le tableau ressemblera une fois qu'il sera accroché.

Du coin de l'œil, elle le vit s'approcher d'elle comme un fauve élancé et puissant. Après avoir plongé ses pinceaux dans le dissolvant, elle se retourna vers lui. Ses iris bleus l'hypnotisèrent instantanément.

Comme chaque fois.

— Le tableau est extraordinaire. Mais c'est de toi que je parlais. C'est incroyable de te regarder travailler. C'est presque surprendre une déesse pendant qu'elle crée une petite partie du monde, fit-il avec un sourire penaud – comme pour s'excuser d'avoir une pensée aussi saugrenue.

— Tu l'aimes vraiment ? Le tableau ?

Ian était maintenant tout proche ; elle pouvait sentir son parfum de savon anglais, la fragrance subtile de son après-rasage, et une trace infime de la brise du soir. Une vague de désir monta en elle.

— Oui. Mais ce n'est pas une surprise pour moi. J'étais certain que tu ne pouvais peindre que quelque chose de brillant.

— Je me demande comment tu peux bien le savoir, fit-elle en détournant les yeux avec embarras.

— Je le sais parce que tu es talentueuse, répondit-il en la prenant par le menton.

Il se pencha au-dessus d'elle et l'embrassa. Cette fois, pas de caresse sur ses lèvres, pas de jeu. Il plongea presque immédiatement la langue dans sa bouche comme s'il était assoiffé d'elle. Une vague de chaleur et de plaisir afflua entre les cuisses de la jeune femme à mesure qu'elle s'imprégnait de sa chaleur et de son odeur, à mesure qu'elle se laissait conquérir par lui.

Lorsqu'il releva la tête un peu plus tard, Francesca souleva lentement les paupières, encore ivre de son baiser. Quand il commença à déboutonner un par un les boutons de sa blouse de travail, elle écarquilla grands les yeux.

— Mme Hanson…

— J'ai verrouillé la porte derrière moi.

Une délicieuse moiteur envahit son sexe quand les doigts de Ian plongèrent dans la douce vallée qui séparait ses seins. Il tordit légèrement le poignet, et l'attache frontale du soutien-gorge de Francesca se détacha d'un coup. D'un geste impatient, il repoussa les bonnets avant de plonger les yeux dans ceux de la jeune femme.

— Pourquoi est-ce que je ne peux pas m'empêcher de te désirer autant ?

— Ian…, commença-t-elle, bouleversée par son propre désir, avant qu'il l'interrompe en penchant la tête pour capturer un téton entre ses lèvres.

Elle lâcha un hoquet en sentant une vague de plaisir envahir le creux de ses cuisses et leva les mains pour s'agripper à ses cheveux. Il joua un peu avec son téton, l'agaçant avec sa langue, la faisant gémir. Puis il passa à l'autre sein, le massa tendrement, pinça doucement le mamelon entre ses doigts. Francesca rejeta la tête en arrière, s'abandonna au désir conquérant de son amant.

Il se redressa au bout d'un moment pour scruter ses seins légèrement rosis par le plaisir.

— Ils sont si beaux..., murmura-t-il en stimulant les deux pointes à la fois. Je pourrais passer un jour entier à vénérer chaque parcelle de ton corps et, même alors, ça ne suffirait pas. En plus..., poursuivit-il d'une voix soudain plus dure, je perds chaque fois le contrôle quand je suis avec toi.

— Ce n'est pas grave de perdre parfois le contrôle, Ian..., murmura-t-elle.

Il la transperça du regard tout en continuant à jouer d'une main avec l'un de ses seins. Il commença à déboutonner le jean de Francesca, sans détacher les yeux de ceux de la jeune femme.

— Je veux te voir *toi* perdre le contrôle. Tout de suite.

Il ne fit pas descendre son jean, se contenta de défaire la boutonnière pour glisser ses doigts sous sa culotte.

— Oh..., gémit-elle lorsqu'il enfouit la main au creux de ses cuisses et commença à titiller son clitoris.

Il lâcha un grognement de satisfaction.

— Tu es déjà trempée... Tu as aimé ce que je viens de faire ? chuchota-t-il en épiant ses réactions à ses caresses.

— Oui..., murmura-t-elle.

— Pose les mains sur tes seins. Presse-les. Ça me donnera du plaisir, ajouta-t-il quand il perçut son hésitation.

Il n'avait pas besoin d'en dire plus. Elle rassembla ses seins entre ses paumes et les pétrit – découvrant le contact de sa propre chair d'une façon entièrement nouvelle sous le regard brûlant que Ian posait sur elle. Il continuait à masser son clitoris avec une habileté diabolique. De son autre main, il entoura le menton de Francesca et caressa sa joue avec son pouce. Le contraste entre la douceur de ce geste et les manœuvres de ses doigts experts au creux de son sexe décupla inexplicablement l'excitation de la jeune femme. Ian baissa les yeux et la regarda jouer avec son propre corps, se caresser pour lui donner du plaisir... et, de plus en plus, en prendre.

— Oui, voilà... Pince les tétons, fit-il d'une voix de plus en plus rauque, accentuant la pression de ses doigts entre les cuisses de la jeune femme. Maintenant, soulève-les – présente-moi tes jolis seins roses.

Francesca battit des paupières, submergée par une déferlante de désir. Elle prit sa poitrine en coupe et la souleva, sans trop savoir ce qu'il attendait. Il plongea brusquement la tête et prit dans sa bouche un téton, puis l'autre, leur prodiguant une douce succion. C'était plus que Francesca n'en pouvait supporter. Quand elle sentit la morsure des dents de Ian sur l'un de ses mamelons gonflé par le plaisir, elle succomba à l'orgasme. Un flot brutal et intense de jouissance la traversa de part en part. Quand elle revint à elle, les doigts de Ian remuaient toujours entre ses cuisses ; il la dévorait des yeux. Lentement, il détacha la main de sa fente.

— Pardonne-moi. Je pensais que je pourrais attendre que nous ayons dîné, mais te regarder peindre est le plus puissant aphrodisiaque au monde.

Elle baissa brièvement la tête et vit qu'il commençait à défaire son pantalon.

12

Quand il libéra son sexe à l'air libre, elle comprit pourquoi il avait dû écarter autant sa ceinture. Son érection était énorme et rigide. Elle sentit son clitoris pulser d'excitation. À l'instant où elle déchiffra l'expression du visage ombrageux de son amant, elle tomba immédiatement à genoux. Pas de menottes, cette fois. Pas de vibromasseur.

Seulement le désir érigé de Ian... et le sien.

Il enfouit les doigts dans sa chevelure quand elle saisit son pénis d'une main. Elle était émerveillée par son poids, par sa chaleur, par sa vitalité sauvage. Elle utilisa l'autre main pour lui caresser la cuisse – qui semblait elle aussi dure comme l'acier, recouverte de poils bruns bouclés. Elle s'enivra de la sensation de virilité brute et musquée qu'il dégageait. Il gronda de plaisir quand elle effleura la couronne écarlate de son membre avec sa joue, puis avec ses lèvres. Ses testicules semblaient ronds et massifs sous les doigts de la jeune femme.

Elle soupira de plaisir et le prit enfin dans sa bouche, écartant au maximum les lèvres pour s'adapter à la circonférence de son érection. Alors, l'univers entier s'évanouit. Seules existaient désormais les sensations qu'engendraient en elle la chair dure et vibrante qui s'enfonçait entre ses lèvres, le membre épais qui glissait dans son poing serré, le goût salé de sa chair sur sa langue... jusqu'à ce qu'elle brûle d'envie de le goûter encore une fois.

Elle le prit profondément, pas parce qu'il le lui demandait mais parce qu'elle le voulait. Elle en ressentait l'envie impérieuse.

À travers les brumes du désir, elle se rendit compte qu'il murmurait son nom d'un ton désespéré, presque égaré. Ses lèvres et sa mâchoire commençaient à lui faire mal, et sa gorge était ravagée par ses coups de reins, mais elle le suça encore plus fort, comme pour le soulager de sa souffrance... même si ce n'était que pour un bref et explosif instant.

L'état de quasi-transe dans lequel elle se trouvait se dissipa quand il enfonça son énorme érection encore plus profondément dans sa bouche. Lorsqu'il se répandit enfin au fond de sa gorge, Francesca, les yeux écarquillés, se sentit à la fois à sa merci et en sécurité – parce qu'elle lui faisait confiance. Il se retira légèrement en poussant un râle guttural et continua à jouir sur sa langue, les doigts crispés dans sa chevelure, faisant aller et venir les lèvres de Francesca en une lente caresse sur son pénis. Elle avala jusqu'à la dernière goutte le liquide suave et musqué, et sentit l'étau des doigts de Ian dans ses cheveux se détendre.

— Relève-toi, fit-il d'une voix rauque.

Elle laissa glisser avec réticence son membre hors de sa bouche – elle aurait voulu continuer à le sucer, à le lécher, à jouer avec la chair moins dure mais toujours aussi épaisse, à se familiariser avec sa forme. Il l'aida à se relever et se pencha au-dessus d'elle pour l'embrasser avec une extraordinaire passion, mêlée de tendresse.

— Tu es si douce…, dit-il un peu plus tard en reprenant son souffle. Merci.

— De rien, répondit-elle avec un petit sourire espiègle.

Elle était sincèrement heureuse d'avoir réussi à combler ses besoins. Il se pencha sur son visage et lui caressa la bouche.

— Tu m'as encore fait perdre le contrôle de moi-même, Francesca.

Le sourire de la jeune femme s'atténua un peu quand elle vit l'ombre qui obscurcissait son regard.

— Je ne vois pas où est le mal. C'est un problème pour toi ?

Il battit des paupières, et l'ombre se dissipa.

— Je ne pense pas. Mais nous avons un programme à respecter, murmura-t-il en penchant la tête pour couvrir de baisers sa joue et son oreille.

Elle tressaillit et sentit le creux de ses cuisses se réchauffer à nouveau.

— Dieu que tu sens bon…, reprit-il dans un souffle, ses lèvres brûlantes collées contre le cou de la jeune femme.

— Ian ? Quel programme ? articula-t-elle avec difficulté.

Il releva la tête, et elle regretta aussitôt d'avoir posé la question.

— Nous avons une réservation pour dîner à vingt heures trente.

— On peut se permettre d'arriver un peu en retard, non ? chuchota-t-elle en enfouissant les doigts dans les cheveux épais de Ian.

Il la laissait si rarement le toucher… Elle détestait l'idée de devoir arrêter juste à cause d'un programme à respecter.

— Malheureusement, non, fit-il avec regret tout en s'écartant d'elle pour reboutonner son pantalon.

Elle fit de même avec le sien. Il la prit par la main et l'entraîna hors de l'atelier.

— Nous dînons avec le propriétaire de la société que je veux acheter. J'ai de bonnes raisons de penser que ce soir, Xander LaGrange va cesser de jouer à ce stupide jeu du chat et de la souris avec moi, et signer enfin ce maudit contrat de vente. J'ai suffisamment assoupli mes conditions pour que même ce vieux rapiat ne puisse plus refuser, marmonna-t-il alors qu'ils traversaient la galerie principale de la résidence.

— Oh..., s'étonna Francesca tout en trottinant pour suivre les rapides enjambées de son amant.

Elle était surprise qu'il la convie à un repas d'affaires aussi important, et elle se demanda avec angoisse si c'était sage de sa part. Ses parents auraient sûrement jugé ce choix inconséquent.

— Où est-ce que tu as réservé pour le dîner ?

— Au *Sixteen,* répondit-il en l'entraînant dans la chambre à coucher avant de refermer la porte derrière eux.

Elle cligna les yeux avec incrédulité.

— Ian... C'est un des restaurants les plus cotés de la ville ! s'exclama-t-elle au bord de la panique. Je n'ai rien à me mettre pour un endroit de ce genre... et c'est dans une heure ! Tu as réservé une salle privée comme la dernière fois ?

— Non.

Sans rien ajouter, il l'invita à le suivre dans une pièce qu'elle ne connaissait pas. Il alluma la lumière, et elle découvrit, émerveillée, une rangée d'étagères impeccables. Il s'agissait en fait d'un véritable dressing, plus grand que la chambre de Francesca, et tout en longueur. Le parfum de l'après-rasage de Ian flottait dans l'air, mélangé à une autre odeur agréable et épicée. La jeune femme remarqua les cintres en bois de cèdre impeccablement alignés dans leur penderie, et une rangée de casiers à chaussures longue à n'en plus finir. Elle prit conscience que la seconde senteur qu'elle avait humée venait du bois des cintres.

Ian désigna d'un geste l'une des penderies, et Francesca regarda l'endroit qu'il lui montrait sans comprendre ce qu'elle voyait.

Pourquoi y avait-il des robes dans cette rangée ? Et des chaussures et accessoires féminins ?

Elle sentit un nœud se former dans sa gorge et se retourna vers Ian, estomaquée.

— Il est hors de question que je porte les vêtements d'une autre femme ! s'écria-t-elle, touchée au cœur qu'il ait même osé lui suggérer de mettre des vêtements ayant appartenu à l'une de ses anciennes maîtresses.

Il sembla un peu décontenancé par sa réaction.

— Ce ne sont pas les affaires d'une autre femme. Ce sont les tiennes.

— Qu'est-ce que tu racontes ?

— Marguerite les a fait livrer hier. C'est du prêt-à-porter, dit-il sur un ton d'excuse, mais elle les a fait retoucher d'après tes mensurations.

— Marguerite..., répéta lentement Francesca comme si elle prononçait un mot d'une langue étrangère pour la première fois. Pourquoi Marguerite aurait-elle fait ça ?

— Parce que je le lui ai demandé, évidemment.

Ils se dévisagèrent en silence pendant plusieurs secondes.

— Ian, je t'ai dit très clairement que je ne voulais pas que tu m'offres de vêtements, annonça-t-elle d'un ton indigné.

— Et je t'ai dit qu'en certaines occasions, je t'inviterais à m'accompagner dans des endroits où l'on ne peut pas être en jean, Francesca. Ce soir, il s'agit d'une de ces occasions. Je t'avais aussi demandé de porter tes nouvelles épingles à cheveux, ajouta-t-il si sèchement qu'elle en resta bouche bée. Où sont-elles ?

— Que... dans mon sac, répondit-elle d'un ton rageur. À l'atelier.

Il hocha la tête.

— Je vais aller te les chercher. Pendant ce temps, tu vas prendre une douche et te préparer. Tu trouveras de la lingerie fine là-dedans, fit-il en indiquant d'un mouvement du menton une petite commode en bois précieux.

Il était déjà sur le seuil.

— Ian...

Il se retourna et la transperça du regard.

— Je n'ai pas envie de me disputer avec toi à ce sujet. Est-ce que tu veux m'accompagner ce soir ? demanda-t-il calmement.

— Je... oui, tu sais bien que je veux.

— Alors prépare-toi et choisis l'une de ces robes. Tu ne peux pas assister à un dîner d'affaires en jean.

Il la laissa plantée là, bouillonnant de colère. Elle réfléchit à un moyen de contourner sa demande mais ne trouva rien. Ce qu'il disait était vrai. Elle ne pouvait pas accompagner Ian Noble dans l'un des plus prestigieux restaurants de Chicago habillée comme ça. Avec ses misérables frusques.

C'était surtout la maladresse de son amant qui la mettait hors d'elle, en réalité. Bizarrement, son attitude avait fait resurgir des souvenirs de son père – de l'impatience et du vague dégoût dont il faisait preuve autrefois envers elle quand elle devait se montrer en société. Elle se sentait mortifiée, blessée et cela ne fit qu'accroître son ressentiment envers Ian.

« Pour l'amour de Dieu, Francesca, si tu es incapable de dire une chose intelligente, pourquoi est-ce que tu ne fermes pas la bouche ? Et pas en te gavant de nourriture comme tu le fais depuis le début de la soirée. »

Elle avait douze ans quand son père l'avait prise à part dans la cuisine et avait prononcé ces mots. Elle se souvint du sentiment de honte et de révolte qui l'avait submergée alors – un cocktail d'émotions familier. Francesca ne s'était jamais gavée en public. C'était son père qui, obsédé par son poids, semblait la foudroyer du regard chaque fois qu'elle avalait la moindre bouchée. Ça avait toujours été ainsi.

Son père la voyait comme une tache honteuse à la surface du monde, et elle s'était assurée de coller parfaitement à cette image. Ian avait sciemment ignoré ses préférences en matière de vêtements et s'était entêté à suivre son propre programme. Francesca avait cru qu'il la comprenait, qu'il ressentait même de l'empathie pour elle.

Elle ouvrit d'un geste brusque l'un des tiroirs de la commode et caressa rêveusement les exquises culottes en soie, les bas et les corsets.

Il avait dit vouloir qu'elle s'approprie sa sexualité, qu'elle la considère comme un pouvoir. Tout cela n'était-il qu'une manipulation de plus pour parvenir à ses fins ?

Elle sortit du tiroir une paire de bas en soie noire. Eh bien, si Ian voulait l'exposer comme une bête de foire, il n'allait pas être déçu du résultat.

*

* *

Il était en train de nouer sa cravate quand elle sortit de la salle de bains cinquante minutes plus tard. Leurs regards se croisèrent dans le reflet du miroir devant lequel il se tenait. Il baissa lentement les yeux sur elle et sentit tous les muscles de son corps se crisper sous l'effet du désir.

Elle était si provocante qu'elle semblait à la limite de l'illégalité - vêtue d'une robe noire au profond décolleté en V, qui soulignait sa taille de guêpe, les courbes lascives de ses hanches et celles de ses cuisses longues et minces. Il se rendit compte, avec un mélange de regret et de possessivité, que ses lèvres pulpeuses étaient encore gonflées à cause du traitement qu'il leur avait fait subir un peu plus tôt. Un homme expérimenté saurait précisément à quoi s'en tenir en voyant cela, et l'idée de placer ainsi Francesca dans une situation embarrassante face à Xander LaGrange le mit subitement mal à l'aise. Ses cheveux de cuivre rose étaient rassemblés en chignon, fixés avec ce que Ian soupçonnait être les épingles de diamants qu'il lui avait offertes Elle portait des pendants d'oreilles tout simples. Il était incapable de détacher les yeux de sa peau ivoirine au-dessus du profond décolleté - qui laissait découvertes la majeure partie de sa poitrine et ses épaules d'albâtre. Ian n'arrivait pas à croire qu'il s'agissait d'une robe de prêt-à-porter. On aurait cru qu'elle avait été créée pour elle seule.

Un pur concentré d'élégance sensuelle.

— Choisis une autre robe, s'il te plaît, fit-il en se forçant à détourner les yeux pour finir de nouer sa cravate.

— Nous sommes déjà en retard, répondit Francesca.

Il la contempla et se demanda si c'était grâce à ses longs cils de nymphe qu'elle parvenait à éviter ainsi son regard. Elle était en train de vérifier le contenu d'une minaudière en cuir qu'elle tenait à la main. Une vague de suspicion envahit Ian, malgré le désir que le spectacle qu'il avait sous les yeux faisait naître en lui. Elle n'avait quand même pas choisi cette robe ridiculement sexy pour lui faire payer le fait qu'il lui ait acheté des vêtements, n'est-ce pas ? Les talons de douze centimètres et les bas en résille lui inspiraient des visions de ses jambes en train de l'enserrer pendant qu'il la chevauchait sauvagement pour obtenir sa soumission... jusqu'à l'extase ultime.

Il fronça les sourcils et retourna dans le dressing. Xander LaGrange était un coureur de jupons. En vérité, cet homme lui était insupportable, et Ian ne pouvait imaginer pire torture que de satisfaire ses caprices uniquement pour pouvoir conclure la vente selon les termes qu'il souhaitait. Il avait demandé à Francesca de l'accompagner à cette soirée cérémonieuse, destinée à sceller leur accord, parce qu'il craignait de laisser échapper des paroles dures ou grossières face au doucereux LaGrange – et de ruiner ainsi toutes ses chances de parvenir à ses fins. Avec Francesca à son côté, il serait moins focalisé sur le comportement suffisant de LaGrange, qui était persuadé d'avoir mené les négociations à son avantage. Il lui serait plus facile de se contrôler si elle était là. La fraîcheur de la jeune femme tempérait son caractère.

Sauf qu'il n'avait jamais prévu d'emmener une déesse du sexe à un dîner où Xander LaGrange était présent.

Ian revint dans la chambre avec un gilet en mailles noires légères orné d'un fermoir ciselé de pierres précieuses.

— Si tu tiens absolument à garder cette robe, alors mets ce gilet. Ça couvrira toute cette...

Il s'interrompit, les yeux fixés sur le large décolleté. Les seins de la jeune femme restaient décemment couverts, même si le tissu laissait apparaître une quantité impressionnante de chair. La façon dont la robe moulait et soulignait sa poitrine, cependant, représentait l'équivalent visuel d'une confiserie sexuelle. Par contraste, le tissu noir rendait sa peau extraordinairement blanche et lisse, extraordinairement nue.

— ... peau, acheva-t-il en ignorant de toutes ses forces la raideur soudaine de son sexe. Je vais avoir une petite discussion avec Marguerite. Je lui avais parlé d'« élégance sexy », pas de « provocation sexuelle à vous en décrocher la mâchoire ».

— Je ne vois pas ta mâchoire se décrocher, répondit-elle d'un ton badin en se tournant pour qu'il l'aide à enfiler le gilet.

Comme il hésitait un instant, elle jeta un coup d'œil par-dessus son épaule et surprit Ian en train de contempler ses fesses pulpeuses.

— Elle se décroche intérieurement, marmonna-t-il en ajustant le vêtement. (Il la prit par les épaules et la tourna face à lui, la détaillant de la tête aux pieds.) Tu n'aurais pas, par hasard, choisi cette robe pour me faire passer un message, n'est-ce pas ?

— Quel genre de message ça pourrait être ? répondit-elle avec un petit hochement de menton.

— Un message de défiance.

— Tu m'as demandé de choisir l'une des robes, et c'est ce que j'ai fait.

— Attention, Francesca, fit-il d'une voix calme et inquiétante en caressant du pouce le menton de la jeune femme.

Il vit qu'elle frissonnait et sentit une vague de chaleur envahir son entrejambe. Elle allait vraiment finir par le rendre fou.

— Attention à quoi ?

— Tu sais ce que je pense de l'impulsivité. Et tu connais les conséquences de ce genre de chose, ajouta-t-il calmement avant de la prendre par la main et de l'entraîner hors de la suite.

*
* *

Le *Sixteen* était situé dans la tour de l'Hôtel International Trump. La salle du restaurant était décorée dans un style moderne où dominaient les teintes boisées, surplombée par un énorme chandelier en cristal Swarovski. Ils s'installèrent à côté de l'immense baie vitrée qui offrait un magnifique panorama sur la ville – certains gratte-ciel semblaient si proches qu'on avait l'impression qu'il suffisait de tendre la main pour les toucher.

Francesca se dit d'abord que le meilleur qualificatif pour décrire Xander LaGrange était « raffiné », mais elle changea rapidement d'avis pour « mielleux ». Elle apprit que Ian et lui se connaissaient depuis les bancs de la fac et étaient de vieux rivaux – c'était du moins le point de vue de Xander.

— Vous étiez à l'université ensemble ? demanda-t-elle lorsque Xander fit allusion au temps immémorial depuis lequel Ian et lui se connaissaient.

— J'étais déjà en fin d'études quand Ian est arrivé, expliqua Xander. Et pourtant, tous les étudiants en sciences informatiques avaient du mal à sortir de son ombre. Ian et moi avons eu le même mentor. Le professeur Sharakoff me demandait de trier ses papiers, quand il proposait à Ian de coécrire un livre avec lui.

— Tu exagères, Xander, intervint calmement Ian.

— Je pensais être au-dessous de la vérité, répondit LaGrange avec un petit sourire de façade.

LaGrange était un homme au milieu de la trentaine, avec de courts cheveux blond sable qui grisonnaient vers les tempes. Au premier abord, c'était un compagnon de table charmant. Cependant, Francesca perçut immédiatement la tension latente qui crépitait entre Ian et lui. Au bout de quelques minutes de conversation, elle comprit que même si Ian faisait assaut de courtoisie, il méprisait LaGrange. Elle le devinait à son attitude, à sa posture rigide et crispée.

LaGrange, quant à lui, transpirait la jalousie à l'égard de Ian, une jalousie à la limite de l'hostilité. Ses sourires éclatants faisaient presque penser à des rictus, et elle se demanda si cette jalousie n'était pas le véritable motif de ses réticences à accepter les conditions du contrat que Ian lui proposait.

— Tu veux de l'eau gazeuse ? lui demanda Ian quand le serveur arriva pour prendre leurs commandes.

— Non. Je vais prendre du champagne, je pense, fit-elle en rendant à Xander son faux sourire de connivence.

Elle était d'humeur audacieuse ce soir... presque euphorique. C'était peut-être la robe noire sexy, ou le panorama étourdissant, ou la lueur appréciatrice dans les yeux de Xander lorsqu'il la regardait – ou la tranquille menace de Ian quand ils avaient quitté la chambre à coucher –, mais, quoi qu'il en soit, elle se sentait mutine et... excitée.

Était-ce le pouvoir dont Ian lui avait parlé ?

— Où as-tu trouvé cette superbe rose, Ian ? s'aventura LaGrange, les yeux rivés sur Francesca, après que Ian eut commandé une bouteille de champagne.

Ce dernier expliqua que Francesca avait remporté le concours de peinture destiné à sélectionner l'artiste qui réaliserait le grand tableau de son hall d'accueil.

— Non seulement belle, mais talentueuse, la complimenta Xander. (Il adressa à Ian un regard que Francesca trouva prédateur.) Je crois que je comprends pourquoi tu l'as invitée à se joindre à nous.

Francesca détourna immédiatement les yeux vers Ian. LaGrange était-il en train d'insinuer que Ian la considérait comme une plante décorative destinée à faciliter leurs négociations ? Elle s'interrogea sur les raisons qui avaient poussé son amant à la convier à ce dîner. Une ombre passa furtivement sur le visage de Ian.

— J'ai amené Francesca parce que les préparatifs de notre contrat m'ont tenu si occupé que je n'ai pas eu l'occasion de la voir beaucoup ces derniers temps.

— Et je ne t'en fais en rien le reproche, assura LaGrange en gardant les yeux rivés sur le visage et la poitrine de la jeune femme. (Le serveur déboucha le champagne, et Francesca revint à son humeur légère.) La présence d'une aussi jolie femme ne peut qu'être bénéfique à notre accord.

Francesca rougit d'embarras.

Avait-elle vraiment senti Ian se raidir à côté d'elle ? Elle se dit qu'elle s'était trompée quand il commença à discuter d'un ton aimable avec LaGrange au sujet des derniers détails du contrat. Elle comprit qu'un des obstacles majeurs à la conclusion de l'affaire était la volonté de LaGrange d'être payé partiellement en parts dans la société de Ian, alors que ce dernier insistait pour un simple versement financier. Elle imaginait très bien pourquoi Ian refusait de céder à une tierce personne une forme de contrôle - même relativement faible - sur l'entreprise qu'il avait fondée. Apparemment, il avait finalement proposé à LaGrange une somme tellement importante que ce dernier ne pouvait refuser.

— Aucun homme sain d'esprit ne pourrait décliner une telle offre, Ian, concéda finalement Xander en levant sa coupe pour porter un toast. Te voici donc l'heureux propriétaire d'une nouvelle société.

Le sourire de Ian quand il se joignit au toast parut à Francesca un peu forcé.

— Lin Soong a fait livrer ce matin à mon domicile tous les papiers nécessaires. Nous pourrons nous y rendre après le dîner pour prendre un dernier verre et nous occuper de cette paperasse.

La conversation reprit un tour plus mondain. LaGrange interrogea Francesca sur sa peinture et ses cours, et elle répondit avec bien plus de ferveur qu'à son habitude – probablement sous l'effet du champagne. Ian lui jeta un regard en coin quand le serveur vint remplir sa coupe pour la troisième fois, mais elle ignora délibérément ce discret avertissement. Tout au contraire, elle approuva chaleureusement LaGrange quand il proposa de commander une autre bouteille.

Alors qu'elle dégustait sa délicieuse entrée de loup de mer, elle fut prise d'une envie pressante et s'excusa pour se rendre aux toilettes. Ian se leva et tira sa chaise.

— Merci, murmura-t-elle en croisant son regard. (Il fronça les sourcils quand elle commença à ôter le gilet.) J'ai un peu chaud, expliqua-t-elle en respirant trop fort.

Il n'avait pas d'autre choix que de l'aider à enlever le gilet, mais elle remarqua la tension qui l'habitait. Elle ramassa sa minaudière et se dirigea vers les toilettes, à la fois excitée et embarrassée par le nombre de regards qui se tournaient vers elle tandis qu'elle traversait la salle. Elle pria pour que Ian l'ait remarqué. L'intérêt que lui portaient les hommes était encore plus enivrant que le champagne.

Est-ce que c'était le genre de chose qu'une belle femme expérimentait tous les jours ? *C'est incroyable,* se dit-elle tout en souriant à un homme d'une quarantaine d'années qui la dévorait des yeux. Ce dernier trébucha et dut se raccrocher au bras de sa compagne pour regagner son équilibre.

LaGrange eut l'air de trouver tout cela très amusant quand elle retourna à la table.

— Je suppose que vous provoquez souvent ce type d'accident, Francesca ? murmura-t-il en la scrutant à travers sa coupe de champagne.

— Jamais, répondit-elle ingénument. Sauf une fois – j'ai trébuché au milieu de l'avenue Michigan pendant un semi-marathon et je me suis foulé la cheville.

LaGrange éclata de rire comme si elle venait de dire la chose la plus spirituelle du monde. Il n'était pas si antipathique, en fin de compte. Ian se montrait trop intransigeant. Elle sourit à Xander tout en jetant un regard en coin à Ian. Son sourire s'évanouit quand elle remarqua la lueur inquiétante dans ses prunelles – cet éclat sombre qui lui faisait toujours penser à l'approche d'un orage.

Le reste du dîner fila dans un tourbillon sensuel où se mêlaient la nourriture exquise, le scintillement des chandeliers, les regards appréciateurs et suggestifs de LaGrange, la sensualité sombre et intense de Ian à côté d'elle… un tourbillon de plus en plus puissant. Elle rit davantage qu'elle ne l'aurait dû, but plus que de raison, prit un plaisir déraisonnable à voir le regard appréciateur que Xander et les autres hommes présents dans le restaurant posaient sur elle. Elle éprouvait une joie délicieuse à sentir Ian présent à son côté pendant qu'ils bavardaient, et à savoir qu'il était tout aussi conscient de sa présence à elle. C'était extraordinairement excitant de se dire qu'elle avait séduit un homme tel que lui – et qu'elle disposait d'une sorte de pouvoir sur lui, rien que par la magie de sa sexualité.

Quand elle se pelotonna sur sa chaise à la fin du dîner pour siroter une tasse de café, elle se rendit compte que sa robe étroite était remontée sur ses cuisses – révélant le laçage dentelé d'un des porte-jarretelles. Elle vit Ian suspendre son geste alors qu'il tendait la main vers sa propre tasse, et river les yeux sur son entrejambe.

Abasourdie par sa propre audace, elle glissa un doigt sous la bande de tissu du porte-jarretelles et caressa sa peau d'un geste lent, sensuel, évoquant irrésistiblement les va-et-vient de l'acte sexuel. Elle risqua un coup d'œil innocent sur le visage de Ian, et vit un brasier à peine contenu flamboyer dans ses yeux.

Elle avala sa salive et fit redescendre la robe. C'était comme si ce simple regard avait suffi à l'embraser tout entière.

*

* *

Ian demeura silencieux durant le trajet du retour dans la limousine. Elle fit de son mieux pour entretenir la conversation avec Xander, espérant que ce dernier ne prendrait pas ombrage du silence de son hôte. Ian ne lui avait-il pas demandé de venir à ce dîner pour charmer LaGrange, afin de faciliter un peu leurs négociations ? Eh bien, c'est ce qu'elle avait fait, n'est-ce pas ? Xander semblait absolument ravi du dîner, et empressé de signer.

Un peu trop empressé, même, lorsqu'il bouscula Jacob devant la portière de la limousine pour aider Francesca à s'extraire du véhicule. Sa main descendit jusqu'aux hanches de la jeune femme avant de se retrouver sur ses reins par un mystérieux hasard. Francesca sursauta et s'écarta immédiatement, révulsée par ce contact. Elle jeta un coup d'œil par-dessus son épaule et vit une lueur glaciale briller dans les yeux de Ian.

Merde. Il l'a remarqué.

Elle resta muette dans l'ascenseur qui montait à l'appartement. L'ivresse due au champagne était en train de se dissiper, et elle prit brutalement conscience du comportement inconséquent qu'elle avait eu durant la soirée.

Ian se montrait d'une politesse de marbre. Il était peut-être furieux contre elle – c'était toujours difficile à dire, avec son expression perpétuellement stoïque. LaGrange, quant à lui, continuait son bavardage inepte, et ne semblait pas remarquer l'humeur massacrante de Ian, ni les regrets tardifs et honteux de la jeune femme.

— Je vais vous laisser parler affaires, annonça Francesca quand ils arrivèrent devant la porte d'entrée. Xander, j'ai été enchantée de vous rencontrer.

LaGrange lui prit la main et la serra entre les siennes.

— Non, je vous en prie ! Restez avec nous pour la fin de soirée. J'insiste.

— Je ne peux vraiment pas, répliqua-t-elle d'un ton poli mais ferme. J'ai une journée chargée à la fac demain. Bonne nuit.

Elle se détourna et prit la direction de la chambre à coucher. Elle avait soudain hâte d'enlever cette robe.

— Mais non, enfin, vous ne pouvez p…

— Attends-moi dans la chambre, je te prie, fit Ian avec son accent britannique sec et autoritaire, coupant court aux protestations de LaGrange.

Une vague de rébellion gonfla dans la poitrine de la jeune femme quand elle croisa le regard de son amant. Comment osait-il lui parler ainsi en présence d'un tiers ? Elle redressa le menton d'un air de défi, mais se souvint alors à quel point elle s'était comportée de manière stupide. Stupide et totalement inconsciente. Elle jeta un coup d'œil à LaGrange qui affichait une expression offensée. Était-ce à cause de Francesca, ou simplement parce que Ian lui avait coupé la parole ? Elle adressa un hochement de tête à Ian et tourna les talons. Elle se sentait soudain fébrile.

Elle avait voulu lui faire payer sa maladresse. Mais peut-être était-elle allée trop loin ?

Il lui reprocherait propablement son comportement provocant et frivole durant la soirée. Mais au fond, ne l'avait-il pas cherché ? songea-t-elle une fois arrivée dans la suite de Ian. Elle ne pouvait pas le laisser régenter sa vie comme ça.

Une fois dans la salle de bains, elle commença à ôter les épingles de son chignon, essayant de se convaincre qu'elle avait eu raison de défier son amant d'une si subtile façon. Il n'avait pas respecté son refus de se faire offrir des vêtements. Il l'avait de toute évidence invitée au dîner pour qu'elle charme Xander et le mette dans de bonnes dispositions pour signer leur contrat. Comment osait-il lui en faire ensuite le reproche ?

Eh bien, il saurait maintenant qu'il avait intérêt à ne pas retenter l'expérience, se dit-elle avec un mélange de rage et d'anxiété en finissant de défaire le chignon. Ses cheveux retombèrent en cascade sur ses épaules, et elle passa la main derrière son dos pour descendre la fermeture Éclair de sa robe.

Elle se figea en entendant un bruit de pas à l'extérieur de la suite. Elle hésita à sortir de la salle de bains pour voir s'il s'agissait de Ian.

Son cœur se mit à battre plus vite quand elle entendit la porte de la chambre claquer, puis le son d'une serrure qu'on verrouillait.

Elle jeta un regard de côté et aperçut son amant qui l'observait, planté sur le seuil de la pièce.

— Garde la robe, fit-il d'une voix dure. (Elle avait suspendu son geste, la main toujours dans son dos, près de la fermeture.) Viens par là.

Sa chemise était déboutonnée, ses muscles crispés, son expression rigide. Le regard de Francesca fut attiré par la boucle brillante de la ceinture de Ian, et la bosse éloquente au niveau de son entrejambe lui sauta aux yeux. Elle sentit son cœur battre la chamade.

— Xander est déjà parti ? demanda-t-elle en sortant de la salle de bains, d'une voix plus timide qu'elle ne l'aurait voulu.

— Oui. Et pour de bon.

Elle s'arrêta à quelques pas de lui.

— Qu'est-ce que tu veux dire par « pour de bon » ? Ça signifie que maintenant qu'il t'a vendu sa société, tu n'auras plus à le voir ?

— Non. Ça signifie que je lui ai dit de reprendre son foutu contrat et d'aller se torcher le cul avec.

Francesca cligna les paupières et crut pendant quelques secondes ne pas avoir bien entendu. Avait-il vraiment pu prononcer une phrase aussi vulgaire avec son impeccable accent britannique ? Elle resta interdite en remarquant la lueur féroce qui brillait dans ses prunelles.

— Ian... Tu n'as quand même pas... Tu voulais absolument obtenir ce logiciel pour ta compagnie, tu avais tellement travaillé pour signer ce contrat... (Un nœud atroce se forma dans son estomac.) Oh non... Tu n'as quand même pas dit ça à Xander LaGrange à cause de la façon dont je me suis comportée ce soir, n'est-ce pas ?

— J'ai dit à Xander LaGrange d'aller se faire foutre et je lui ai collé le visage contre l'ascenseur simplement parce que je ne peux plus supporter cet immonde salopard, siffla Ian entre ses dents tout en s'approchant d'elle.

Elle releva la tête et vit la fureur qui couvait dans ses yeux. Elle faillit reculer, mais il l'arrêta en l'attrapant par le poignet.

— Et aussi parce qu'il a eu l'outrecuidance de demander un ajout dans le contrat.

— Quel ajout ?

— Toi. (Il ignora le hoquet de surprise de Francesca.) Il n'était pas totalement égoïste. Il a dit que je pouvais le regarder pendant qu'il scellerait notre contrat dans ta chatte.

Une expression horrifiée se dessina sur le visage de la jeune femme.

— Ce sont ses mots, Francesca. Pas les miens.

Elle le regarda avec angoisse et incrédulité. Elle n'arrivait pas à croire que Xander LaGrange soit une telle ordure… et pourtant. Si elle n'avait pas flirté avec lui aussi ouvertement, si elle n'avait pas essayé de défier Ian, Xander n'aurait jamais osé faire une telle proposition. Ian aurait obtenu son contrat. Elle sentit les larmes lui monter aux yeux.

Oh non. Elle avait ruiné tous ses plans. Il avait peut-être mérité une petite vengeance pour sa maladresse envers elle, mais elle n'avait jamais voulu que les choses dégénèrent ainsi.

— Ian… je suis désolée. Je ne voulais pas… Tu ne penses quand même pas que je l'ai fait expr…

Il passa une main derrière sa nuque, la maintint immobile et lui imposa le silence d'un regard autoritaire.

— Je sais que tu ne voulais pas saborder le contrat. Tu n'es pas à ce point rancunière. Qui plus est, tu es même trop naïve pour avoir eu conscience de ce que tu faisais. La proposition que Xander a osé me faire était juste l'étincelle qui a mis le feu aux poudres. À la seconde où ce trou-du-cul t'a touchée, notre accord était caduc. Je l'ai juste fait monter à la résidence pour l'en informer. Avant que j'en aie eu le temps, il a eu l'audace de me faire cette demande abjecte et y a gagné un départ plus... abrupt que je ne l'avais prévu.

— Je n'arrive pas à y croire, murmura-t-elle d'une voix horrifiée.

— C'est parce que tu n'as aucune idée de ce qui peut se passer dans la tête d'un homme comme LaGrange. Tu as joué avec le feu. Tu as le corps et le visage d'une déesse, et l'âge mental d'une gamine de six ans à qui on vient d'offrir un nouveau jouet.

De la colère affleura sous la honte de Francesca.

— Je ne suis pas une gamine. J'essayais juste de te prouver que je refuse que tu me traites en tant que telle, Ian !

— Tu as raison, fit-il en resserrant la prise sur son poignet. (Il commença à entraîner la jeune femme vers l'autre extrémité de la suite. Elle avait de la peine à le suivre, perchée sur ses talons hauts.) Tu veux jouer à des jeux de femme, tu veux griller des allumettes devant moi pour voir si je brûle ? Eh bien, j'espère que tu es prête à en assumer les conséquences, Francesca.

Il tendit la main vers un tiroir et en sortit un jeu de clés d'un geste brusque.

Elle sentit un mélange d'anxiété, de regret et d'excitation envahir sa poitrine, lui coupant le souffle. À quoi servaient ces clés ? Il la traîna par le poignet et la fit pénétrer dans une petite pièce sans fenêtre qui devait faire environ six mètres sur quatre. L'un des murs était recouvert de tiroirs encastrés en bois de cerisier. Ian claqua la porte derrière eux, et elle regarda autour d'elle. Le mur du fond était recouvert d'un miroir, et une sorte de mobile bizarre constitué de cordes, de sangles, et de lanières en nylon noir, était fixé au plafond. Elle contempla l'installation, stupéfaite, et sentit son pouls marteler ses tempes.

— Va te placer devant le canapé et enlève ta robe.

Elle détacha les yeux de l'effrayant mobile et se rendit compte qu'un divan pelucheux faisait face au miroir. Un élégant chandelier pendait au plafond – bizarrement, il ne semblait pas inconvenant dans une telle pièce. *C'est tellement typique de Ian d'associer le cristal et les jeux coquins.* Il y avait aussi d'autres choses, comme deux crochets fixés au mur, un tabouret haut à la courbure bizarre, une barre horizontale contre l'une des parois et une banquette matelassée.

— Ian, qu'est-ce que c'est que cet endroit ?

— C'est ici que tu recevras tes châtiments les plus sévères, répondit-il avant de s'avancer vers l'un des tiroirs.

La jeune femme ouvrit grands les yeux quand elle remarqua plusieurs tapettes et accessoires avec des lanières de cuir. Sa bouche devint sèche lorsque Ian saisit le manche de la tapette de cuir noir qu'elle connaissait si bien.

Oh non.

— Je n'avais vraiment pas l'intention de saborder ton contrat..., souffla-t-elle.

— Je t'ai déjà dit que je le savais. Je ne te punis pas parce que Xander LaGrange est un salopard vicieux. Je te punis parce que tu m'as tourmenté toute la soirée. Ne t'ai-je pas demandé de retirer ta robe ?

Il se tourna vers elle avec une lueur d'amusement dans les yeux, la tapette à la main. Comme Francesca ne cillait pas, la lueur disparut.

— La porte n'est pas fermée à clé, Francesca. Tu peux t'en aller si tu le veux. Mais si tu choisis de rester, tu feras ce que je te dirai.

Elle traversa la pièce et s'arrêta devant le divan, haletante. Alors qu'elle ôtait sa robe, elle remarqua que son reflet dans le miroir était excessivement pâle. Elle vit Ian ouvrir un autre tiroir pendant qu'elle se débarrassait du tissu qui lui collait à la peau.

Ce n'était pas pour rien qu'on appelait ça une *robe fourreau.*

Elle hésita après avoir retiré le vêtement.

— J'enlève tout ça aussi ? demanda-t-elle d'une voix tremblante en désignant le soutien-gorge, la culotte, les porte-jarretelles et les vertigineux escarpins.

— Juste le soutien-gorge et la culotte, répondit-il en sortant d'autres objets du tiroir et en s'approchant derrière elle.

Son corps faisait écran, de sorte qu'elle ne pouvait distinguer ce qu'il était en train de déposer sur la banquette en plus de la tapette. Elle enleva ce qu'il lui avait demandé et aperçut juste une chose avant qu'il ne lui bloque totalement la vue en revenant vers elle : un objet qui ressemblait à un tube conique en caoutchouc noir, terminé par un anneau, du côté le plus large.

Elle jeta un coup d'œil à la main de son amant, et son clitoris pulsa d'excitation quand elle aperçut le petit pot de crème blanche. Il remarqua sans doute son expression – ou peut-être le durcissement de ses tétons – car un sourire se dessina sur sa bouche dure.

— Oui. Je suis d'une faiblesse coupable quand il s'agit de toi, Francesca. Je ne peux pas supporter l'idée que tu éprouves seulement de la douleur, fit-il en dévissant le couvercle du pot. (Il plongea un doigt dedans et regarda la jeune femme dans les yeux.) Même maintenant – alors que tu mérites pourtant une sévère punition.

Elle avala péniblement sa salive.

— Je suis vraiment désolée, Ian, fit-elle sincèrement – pas à cause de la tapette noire posée sur la table, ni de l'étrange plug noir qu'elle avait aperçu.

Il fronça les sourcils et recula un peu. Elle gémit quand il inséra un doigt entre les lèvres de son sexe et commença à étaler la crème sur son clitoris avec une précision experte qui la fit frémir.

— Je te gâte trop, dit-il en retirant sa main.

— J'aurai du mal à croire ça dans quelques minutes, quand mes fesses seront en feu, marmonna-t-elle.

Il releva les yeux vers son visage et lui adressa un sourire diabolique. Une onde de chaleur envahit l'entrecuisse de la jeune femme.

Il retira sa veste et se tourna vers la table. Elle admira le jeu souple de ses muscles tandis qu'il retroussait les manches de sa chemise, découvrant ses avant-bras puissants et sa montre en or. Un nœud commença à se former dans son estomac.

Il était sérieux.

Quand il se retourna vers elle, elle essaya tout de suite de voir ce qu'il avait dans la main.

— Curieuse ? murmura-t-il.

Elle hocha la tête.

— Comme j'ai l'intention de te mettre un bandeau dans un petit moment, je vais t'expliquer ce qui va se passer, reprit-il calmement en lui montrant la paire de menottes qui lui était déjà familière. Je vais t'attacher les poignets et te mettre sur mes genoux avant de te punir avec la tapette. Une fois que tes fesses seront joliment rouges et brûlantes… (Il leva le plug en caoutchouc noir qui ressemblait un peu à une matraque et un flacon de gel transparent) je lubrifierai ce plug anal et je te préparerai à me recevoir.

Le cœur de Francesca s'arrêta de battre pendant quelques secondes.

— Tu vas faire *quoi* ?

— Tu m'as bien entendu, dit-il en reposant le lubrifiant et le plug anal sur le divan. (Il désigna du regard les poignets de la jeune femme.) Place-les devant toi.

Elle suivit ses instructions comme si elle était sur pilote automatique et joignit les poignets devant son bas-ventre.

— Tu sais certainement que les hommes adorent ça, ajouta-t-il devant son expression estomaquée.

— Même si ce n'est pas le cas des femmes ?

— Certaines d'entre elles aiment ça. Et même beaucoup.

Elle songea à l'énorme pénis de Ian, et son opinion fut faite. Ce serait une véritable punition d'avoir ce membre dans son anus, malgré le stimulant clitoridien qui commençait déjà à la faire frémir de plaisir. Ian se rapprocha de la table et revint avec un long foulard de soie – le bandeau. Elle lui jeta un dernier regard quand il leva les mains pour l'ajuster sur ses yeux.

Une fois qu'il eut bien fixé le foulard et qu'elle fut complètement aveuglée, il la mena jusqu'au divan. Elle crut entendre son puissant corps tomber sur les coussins. Il la guida sur ses genoux. Entravée par ses poignets liés, elle s'effondra misérablement sur ses cuisses.

— Je suis désolée, souffla-t-elle.

— Il n'y a pas de problème. Tu te souviens de la position que je t'ai apprise ? murmura-t-il au-dessus d'elle.

Elle hocha la tête et fit glisser sa poitrine à l'extérieur de sa cuisse jusqu'à ce que la courbe inférieure de ses seins repose sur ses muscles durs, étirant ses mains entravées au-dessus de sa tête, ses fesses nues rebondissant sur l'autre cuisse. Son sexe se contracta quand elle sentit son membre dressé contre ses côtes et son ventre, et perçut sa chaleur à travers le tissu du pantalon de Ian.

— Ian, tu ne pourras pas faire rentrer ça à l'intérieur de mon...

Il fit claquer sa main sur ses reins, et elle sursauta sur ses genoux.

— C'est ce que je vais faire, ma douce, l'entendit-elle dire. Et je vais apprécier chaque seconde. Maintenant, tiens-toi tranquille.

Elle se mordit la lèvre pour s'empêcher de crier quand il commença à frapper son postérieur et, occasionnellement, ses cuisses, en de rapides coups cuisants. Son clitoris pulsa d'excitation. Elle décida qu'elle préférait la fessée à la tapette. Elle aimait le contact de la peau de Ian, la façon dont sa main se réchauffait en même temps que ses fesses, dont son membre se dressait contre ses flancs à chaque tape ferme sur la courbe inférieure de ses fesses. Elle ne vivait plus que dans l'attente du prochain coup.

Elle adorait les moments où il faisait une pause pour caresser sa croupe enflammée de sa large main, apaisant la brûlure. Elle gémit lorsqu'il s'empara brusquement d'une de ses fesses pour la pétrir sans ménagement en arquant le bassin – collant son érection contre les côtes de la jeune femme.

— Pourquoi est-ce que tu me tourmentes autant, ma beauté ? murmura-t-il d'un ton rude.

— Je me pose la même question pour toi, marmonna-t-elle d'une voix à demi étouffée, le visage pressé contre les coussins du divan.

Il la relâcha avec un grognement.

— Tu es comme une épine perpétuelle dans ma chair, fit-il sombrement.

— Je suis désolée, souffla-t-elle en regrettant le contact de sa main.

Qu'est-ce qu'il trafiquait ? Elle tordit le cou pour essayer de percevoir la moindre chose qui répondrait à sa question. Un cri étranglé jaillit de sa gorge quand il posa sa large main entre ses fesses pour les maintenir écartées. Elle sentit une pression froide et dure contre son anus.

— Je ne pense pas que tu sois réellement désolée, dit Ian derrière elle. (La pression s'accrut, et l'extrémité du plug s'introduisit dans son orifice étroit.) Je crois que tu aimes me tourmenter autant que j'aime te punir.

— Ian..., geignit-elle quand il enfonça davantage le plug en elle, puis commença à imprimer des mouvements de va-et-vient au cylindre de caoutchouc en le maintenant fermement. Le lubrifiant permettait au sex-toy de glisser librement malgré l'étroitesse du passage.

— Ça va ? demanda-t-il d'une voix rauque.

Francesca ouvrit la bouche pour répondre, le visage toujours enfoui dans les coussins du canapé.

— C'est très... étrange, articula-t-elle d'une voix tremblante.

Elle n'arrivait pas à trouver les mots adéquats pour décrire ce qu'elle ressentait – l'appréhension de se trouver à sa merci, la honte de lui laisser accès à une partie aussi intime de son corps, l'excitation de sentir ses terminaisons nerveuses s'affoler, un plaisir inimaginable qui vibrait dans son clitoris...

Il la fit crier de surprise en enfonçant soudain le plug en elle.

— Ça fait mal ? demanda-t-il en maintenant l'objet en place.

Elle secoua la tête contre le sofa, trop bouleversée pour parler. La crème clitoridienne faisait maintenant pleinement effet. Comme si Ian avait senti cela, il glissa une main entre ses cuisses et écarta ses grandes lèvres, puis caressa la petite pointe de chair. Elle frémit sur ses genoux.

— Tu commences à comprendre pourquoi une femme peut aimer ça ? fit-il en recommençant à faire aller et venir le plug dans son anus. Au moins autant qu'un homme.

Un gémissement jaillit de la gorge de Francesca. Elle était incapable de répondre. Ian accentua son geste tout en caressant son clitoris. S'il continuait comme ça, elle succomberait bientôt à l'orgasme.

Malheureusement, ce n'était pas dans ses plans. Il retira sa main, et le sex-toy glissa hors des fesses de la jeune femme. Elle laissa échapper un gémissement d'insatisfaction et sentit les doigts de son amant s'agiter autour de ses poignets. Il défit les menottes et lui ôta le bandeau. Elle cligna les yeux, éblouie par la lumière du chandelier de cristal qui lui paraissait éclatante après les ténèbres du bandeau. Ian la prit par la main.

— Relève-toi. Je vais t'aider.

Elle apprécia son aide, encore désorientée par la lumière et l'interruption brutale du plaisir. Elle se tint devant lui, frustrée, excitée et vacillante sur ses hauts talons. Il leva vers elle des yeux animés par une lueur de désir et d'excitation. Ses longues jambes légèrement écartées dévoilaient de façon flagrante l'intensité de son érection.

— Tu as aimé ça, n'est-ce pas ? s'enquit-il en la dévisageant.

— Non, murmura-t-elle, sachant très bien que ses joues roses et ses tétons durcis la trahissaient.

Il se contenta de sourire et se releva. Elle le regarda, incapable de dissimuler son désir languissant, tandis qu'il écartait doucement les cheveux de son visage. Elle soupira en sentant sa main caresser son dos.

— Encore rebelle même face à la défaite ? Tu ne cesseras jamais de m'étonner, ma belle. Suis-moi, murmura-t-il en lui prenant la main.

Elle s'exécuta et s'arrêta brusquement quand elle aperçut son reflet dans le miroir.

Par contraste avec le porte-jarretelles noir, sa peau semblait extrêmement pâle – faisant ressortir la toison cuivrée entre ses cuisses. Ses cheveux retombaient en désordre sur ses épaules, et ses tétons arboraient une couleur rose sombre. Les globes blancs de sa poitrine se soulevaient régulièrement au rythme de son souffle.

Elle se figea devant son image transfigurée par le désir.

— Tu vois ? lui chuchota Ian à l'oreille en se collant derrière elle. (Elle frémit en sentant son souffle chaud contre ses tempes.) Tu le vois, n'est-ce pas ? À quel point tu es belle...

Il passa la main sur son ventre en un geste possessif. Les lèvres de Francesca s'ouvrirent, mais elle ne parvint à articuler aucun mot.

— Dis-le, murmura-t-il, le souffle rauque. Que tu vois toi aussi ce que je vois quand je te regarde.

— Je le vois, répondit-elle d'une voix blanche, presque émerveillée, comme si Ian possédait un miroir magique.

— Bien. Ce n'est pas le genre de pouvoir avec lequel on joue, n'est-ce pas ?

Francesca mit du temps à comprendre que le petit sourire de Ian n'était pas une marque de moquerie ou de suffisance. Non... Il triomphait à cause de ce qu'elle percevait dans le miroir, parce qu'elle l'avait admis. Pourquoi se souciait-il du fait qu'elle se trouve belle ou non ?

Il la mena jusqu'à l'étrange installation qui pendait au plafond, mélange de sangles et de lanières intriquées. Le cœur de la jeune femme se mit à battre follement. Ian appuya sur la barre noire horizontale et fit bouger le mobile de façon à faire descendre une sorte de cercle de cuir rembourré à un peu plus d'un mètre du sol. *Une seconde...* Ces bandes de cuir pouvaient très bien servir à suspendre un corps dans l'air. Si celle circulaire servait de support à la tête, la sangle plus large au torse et la plus basse aux cuisses... les boucles plus étroites pouvaient être utilisées pour emprisonner les poignets et les chevilles.

Cette personne serait totalement immobilisée, sans défense. Francesca releva les yeux vers Ian, qui tenait toujours le harnais. La lueur du chandelier se reflétait dans ses prunelles bleues. L'expression d'incrédulité de la jeune femme disparut à mesure que l'angoisse lui nouait la poitrine.

Oh non.

Elle était déjà totalement sans défense avec Ian Noble... et ça n'avait rien à voir avec les liens physiques.

Il tendit la main vers elle et lui fit signe d'approcher.

Francesca sentit son anus se contracter ; une chaleur moite envahit le creux de ses cuisses.

Il lui prit la main, l'attirant vers lui.

— Il est temps que tu apprennes que, chaque fois que tu joueras avec le feu, tu finiras à ma merci.

Il la souleva doucement et fermement du sol, et fit glisser son corps, tourné vers le bas, à travers les boucles du harnais. Il ajusta les sangles rembourrées sous ses hanches, son torse et son front. Elle laissa échapper un cri aigu en sentant l'installation fléchir sous son poids lorsqu'il la lâcha.

— Chhh, souffla-t-il en lui caressant le dos. Le mobile est fixé à une poutre d'acier à l'intérieur du plafond. Il n'y a absolument aucun risque. Détends-toi.

Elle finit par expirer lentement et se rendit compte, une fois installée, qu'elle se sentait effectivement en sécurité. Troublée, excitée et un peu effrayée, mais certaine que Ian veillait à ce qu'il ne puisse rien lui arriver de grave. Il lui caressa les mollets, puis les chevilles. Elle jeta un coup d'œil en biais, mais elle ne pouvait rien voir à travers l'épais rideau de sa chevelure. Elle sentit son amant glisser d'abord l'un de ses pieds à travers une boucle de nylon, puis l'autre, et resserrer les lanières autour de ses chevilles. Il lui avait attaché les pieds un peu plus bas que le corps de sorte que ses jambes soient sous le niveau de ses hanches – un peu comme si elle se trouvait à genoux, mais suspendue dans l'air. Après avoir fixé ses chevilles, il passa devant elle et lui attacha les poignets de manière similaire, laissant ses bras retomber dans une position de prière au-dessous de sa poitrine.

Devant ses gestes experts et précis, Francesca comprit qu'il avait une grande expérience avec l'étrange installation.

— Je vais chercher quelque chose pour tes cheveux.

Pendant plusieurs minutes particulièrement angoissantes, il disparut. Puis, ses mains habiles balayèrent ses cheveux de son visage, soulevant leur impressionnante masse. Elle vit dans le miroir qu'il tordait ses cheveux sur eux-mêmes pour les rassembler avec une grande pince. Elle n'arrivait pas à détacher les yeux du reflet de la puissante silhouette de son amant, ni de sa propre image, nue et suspendue dans l'air, vulnérable à tout ce que Ian déciderait de lui faire.

Il remarqua peut-être son expression anxieuse, car il passa ses longs doigts sur sa nuque et croisa son regard dans la glace.

— N'aie pas peur, dit-il.

Elle battit des paupières et discerna dans les yeux de son amant quelque chose qui lui donna du courage. De la passion. De la tendresse. Un désir visible de la posséder, mais pas d'une façon qu'elle devait craindre ou détester. Elle hocha la tête, le souffle coupé.

Il s'avança vers la table. Quand il se retourna, il tenait la tapette. À la vue de l'instrument de punition, elle ressentit un pincement d'excitation dans son entrejambe. Elle se rendit compte à quel point son postérieur était vulnérable, suspendu ainsi à un mètre du sol. Elle retint sa respiration quand Ian s'arrêta derrière elle et leva la tapette. Elle sentit la caresse exquise de la fourrure sur sa chair encore brûlante.

Il agrippa les sangles qui retenaient ses hanches et les maintint en place. Les yeux écarquillés, elle vit dans le miroir qu'il écartait la tapette à quelques centimètres de ses fesses et la faisait tournoyer dans l'air. Quand elle s'immobilisa dans sa main, la face de cuir était dirigée vers les reins de Francesca.

— Je vais te donner dix coups, dit-il d'un ton bourru en posant le plat de la tapette contre ses fesses.

La peau de la jeune femme s'échauffait déjà à cette sensation, au contact du cuir noir pressé contre la surface blanche de son postérieur.

Il leva la tapette et frappa. Elle hoqueta sous l'impact, et son corps s'arqua légèrement en avant malgré l'étau des mains de Ian autour d'elle. Un cri de surprise jaillit de sa gorge quand le deuxième coup atterrit, embrasant ses nerfs. Ian garda la surface de cuir pressée contre sa chair.

— Je t'ai dit que tu étais en sécurité, et ce sera toujours le cas. Mais ça ne veut pas dire que tu n'auras pas mal du tout. Il s'agit tout de même d'une punition.

Elle gémit quand le troisième coup toucha la courbe inférieure de ses fesses. Ian émit un grognement rauque et sourd, et il utilisa de nouveau le cuir pour la masser.

— J'adore faire rougir ton petit cul, marmonna-t-il en lâchant un autre coup.

Celui-là fut assez fort pour faire sursauter Francesca d'une dizaine de centimètres, bien que Ian la retienne.

— Tu vas tenir le compte, Francesca. Je perds ma concentration.

Elle fixa ses traits durs au moment où il disait cela, le cœur battant à cent à l'heure. Entre ses cuisses, la crème tourmentait son clitoris. Ian, perdre sa concentration ? Il leva le bras, et la jeune femme écarquilla les yeux dans l'attente du coup.

Smack.

— Cinq, couina-t-elle.

Elle n'arrivait pas à détacher le regard du miroir : la façon dont la chemise de Ian moulait son torse quand il levait le bras, ses yeux focalisés sur elle tandis qu'il faisait pleuvoir les coups, la force brute de ses bras qui la maintenaient en place durant sa punition.

Il frappa encore plusieurs fois, avant de lâcher un juron à mi-voix. Il relâcha alors sa prise sur le harnais qui entourait les hanches de la jeune femme. Libéré de son étreinte, le corps de Francesca se balança d'avant en arrière. Elle le remarqua à peine tant elle était occupée à contempler son amant dans le miroir. Il enroula d'un geste preste la dragonne de la tapette autour de son poignet et commença à défaire son pantalon. Il l'abaissa juste assez pour libérer son sexe sous l'élastique du boxer blanc et le caressa.

— Ian...

À la vue de sa puissante érection, un afflux de chaleur envahit l'entrecuisse de la jeune femme. Ian ôta la dragonne de son poignet et serra à nouveau le manche.

— Oui ? répondit-il d'une voix rauque d'excitation.

— Je n'en peux plus…, lâcha-t-elle sans trop savoir ce qu'elle voulait dire.

C'était plus de tension qu'elle ne pouvait en supporter ; elle avait l'impression qu'elle allait prendre feu. Pourquoi cette position suspendue, de totale vulnérabilité, l'excitait-elle autant ?

— Je ne fais que te rendre la monnaie de ta pièce, dit-il sombrement en assurant de nouveau sa prise sur ses hanches.

Il leva une nouvelle fois la tapette.

— Huit ! cria Francesca.

Ses reins la brûlaient, et elle ne pouvait détacher les yeux du membre dressé de Ian, qui se balançait à l'horizontale quand le coup atterrissait, et venait heurter doucement la hanche de la jeune femme.

Quand le « dix » jaillit enfin de ses lèvres, le creux de ses cuisses était trempé, elle haletait désespérément, et ses fesses étaient comme deux braises. Ian caressa sa chair avec la surface de fourrure pour apaiser la douleur, et relâcha le harnais. Elle étouffa un gémissement quand il saisit l'une de ses fesses pour la pétrir avidement entre ses doigts.

— Ça va être si bon de baiser ton petit cul, ma beauté… Si chaud. Tu vas finir par me faire fondre.

Elle crut discerner un sourire sur ses lèvres dures.

— Est-ce que ça fera mal ? demanda-t-elle en tremblant.

Il interrompit sa caresse lascive et croisa les yeux de Francesca dans le miroir.

— Un peu au début, peut-être. Mais mon intention est de te punir pour ton comportement, pas de te torturer.

— Et… mettre ton sexe dans… c'est une partie de ma punition ?

Il la lâcha et se détourna d'elle pour s'approcher de la table. Elle essaya de distinguer ce qu'il faisait dans le miroir – mais le dos de Ian et son propre corps lui bloquaient la vue. Quand il se retourna, il tenait un plug noir luisant. Elle était sous le choc. Celui-ci était plus grand que le précédent. Entre ce sex-toy intimidant et l'érection triomphante de Ian, Francesca ne savait pas où poser le regard.

— Je ne considère pas la sodomie comme autre chose qu'un plaisir, dit-il en se rapprochant d'elle. Savoir si toi, tu la verras comme une punition ou comme un échange mutuel de plaisir, est encore à déterminer.

Il crocheta l'avant-bras droit dans les sangles du harnais, les maintenant fermement, puis il utilisa la tranche de sa main pour écarter les fesses de la jeune femme et effleura son anus avec l'extrémité pointue du plug.

— Tends les mains et caresse ton clitoris, ordonna-t-il d'une voix crispée.

Elle plongea ses mains liées vers son pubis. Sa fente était nichée juste au-dessous de la bande de cuir rembourrée. Elle introduisit un doigt sous le harnais et l'enfouit entre ses deux grandes lèvres. Elle était trempée. À la seconde où elle toucha la petite pointe de chair, une vague de plaisir la traversa.

Ensuite... il y eut un bref élancement de douleur, qui disparut presque aussitôt.

Elle hoqueta et se rendit compte que Ian avait enfoncé le plug à l'intérieur de son anus. Elle frotta son clitoris avec plus de vigueur. Son corps entier était en feu. Oh... elle allait bientôt jouir.

Ian lui attrapa les poignets et tira ses mains en arrière. Elle laissa échapper un gémissement de protestation.

Ian avait une expression amusée.

— Je pense que nous avons la réponse à notre question, non ?

Elle se mordit la lèvre et jeta un coup d'œil nerveux à son reflet. Il avait entièrement inséré le plug de caoutchouc à l'instant où elle s'était abandonnée au plaisir. La base plate du sex-toy était collée contre son postérieur.

Suspendue, sans défense dans l'air telle une boule de nerfs et de chair tremblante, Francesca se figea en voyant ce qui se passait dans la glace. Ian était en train de se déshabiller. Il ôta ses chaussures et ses chaussettes, puis retira sa chemise. Elle eut le souffle coupé à la vision de sa taille mince, de ses abdominaux musclés et de son large torse. Son appréhension et son désir étaient si grands qu'elle avait l'impression que ses poumons étaient en feu.

Oui.

Il fit descendre son pantalon et son boxer le long de ses longues jambes. Elle le vit enfin intégralement nu.

Elle ferma les paupières un moment. Splendide, il était la virilité incarnée. Elle avait presque mal rien qu'à le regarder, dans l'état d'excitation intense où elle se trouvait. Un cri jaillit de ses lèvres quand son corps se mit soudain à tourbillonner dans l'air. Elle écarquilla grands les yeux en voyant les murs défiler autour d'elle. Quand le tournoiement s'arrêta enfin, elle releva le front au-dessus du harnais. Ian se tenait à quelques centimètres devant son visage, la main crispée sur la corde qui retenait sa poitrine. Elle leva les yeux vers lui.

— C'est tout l'intérêt de la suspension, fit-il devant son expression ahurie. Je peux te mettre dans la position que je veux, en moins de temps qu'il n'en faut pour le dire.

Il saisit son membre et le dirigea vers la bouche de la jeune femme. Son intention était claire. Le sommet de son sexe glissa d'un coup dans sa bouche. Elle enserra son gland, puis son pénis entier contre sa langue, en observant le visage de son amant par en dessous. Il poussa un grognement sourd, la contemplant tout son soûl.

Comment était-il possible qu'elle se sente à la fois vulnérable et totalement maîtresse d'elle-même ?

Il fit décrire au corps de la jeune femme un mouvement de va-et-vient. Il continua pendant un moment, possédant sa bouche, la contrôlant totalement, mais n'abusant jamais de son pouvoir, glissant seulement de quelques centimètres contre sa langue, d'avant en arrière, jusqu'à ce que son membre écartèle totalement les lèvres serrées de Francesca.

— C'est si bon..., murmura-t-il en reculant un peu, retirant son sexe de la bouche de la jeune femme. Trop bon, en fait, ajouta-t-il d'une voix crispée. Prépare-toi, ma belle.

Brusquement, il la retourna dans la direction inverse. Il fit ensuite glisser vers le bas la bande de cuir qui soutenait ses hanches, de sorte qu'elle supporte à présent les cuisses de la jeune femme.

— Oh ! geignit-elle quand il la souleva sans effort par la taille.

D'une main, il maintint doucement le plug enfoncé.

— Fais passer tes pieds de l'autre côté à travers la sangle du bas, de manière à te retrouver en position assise.

Elle fit de son mieux pour exécuter ses instructions, guidée par les mains expertes de Ian, et réussit finalement à adopter la position qu'il désirait. Une fois qu'elle fut stabilisée et qu'il eut ajusté les sangles, celle frontale retomba, faute de tension. Le harnais médian soutenait à présent ses côtes, et elle était assise dans celui inférieur, les genoux pliés, les mains liées devant son ventre. Après avoir vérifié toutes les attaches, Ian fit glisser le harnais inférieur plus loin, à mi-chemin de ses cuisses.

Son excitation et sa parfaite maîtrise étourdissaient Francesca. Elle avait l'impression de participer à une sorte de version estampillée « triple X » d'un numéro du Cirque du Soleil.

Il fit glisser le plug noir lubrifié hors de son anus, arrachant à la jeune femme un hoquet de surprise. Il déposa le sex-toy sur le sol. Pantelante, presque hypnotisée, elle le regarda lubrifier son membre turgescent jusqu'à ce qu'il luise sous la lumière. Il passa derrière elle et attrapa les différentes lanières du dispositif, attirant le corps de la jeune femme à lui.

Elle se retrouva dans une sorte de position assise suspendue, le dos tourné à Ian, la poitrine en oblique… les fesses totalement exposées, enserrées dans les sangles du harnais comme une offrande.

Elle n'arrivait plus à respirer. Elle sentit le sommet épais et glissant du pénis dressé caresser ses fesses brûlantes, puis appuyer contre l'orifice de son anus.

— Ian…, lâcha-t-elle entre ses dents serrées.

— C'est maintenant que tu vas t'embraser, ma belle, fit-il en un rugissement sourd.

Il relâcha sa prise sur les sangles et attrapa le rebord de la bande de cuir rembourrée qui soutenait les cuisses de Francesca. Elle ne pouvait rien faire, condamnée à aller à la rencontre de son érection. Il arqua le bassin et s'introduisit en elle d'une seule poussée. Elle cria quand son membre s'enfonça de plusieurs centimètres entre ses fesses ; une douleur vive la traversa de part en part. Il s'immobilisa quelques secondes, tendu comme un arc.

Elle observa avec fascination le reflet de son amant dans le miroir. On aurait dit qu'il venait juste d'achever une tâche éreintante. Tous les muscles de son corps étaient bandés à l'extrême, leurs contours clairement dessinés, et la sueur faisait luire son abdomen et son torse haletant. Les muscles puissants de ses fesses et de ses cuisses étaient eux aussi tendus, comme s'il effectuait un numéro d'équilibriste. À cet instant, il offrait une vision extraordinaire : un ouragan sexuel sur le point de se déchaîner. La partie de son sexe qui n'était pas encore plongée en elle était d'une largeur intimidante. Elle le sentait pulser dans son étroit orifice. Elle n'avait jamais éprouvé la sensation de leurs deux chairs si proches, si fondues l'une à l'autre.

— Est-ce que ça va ? fit-il d'une voix haletante.

— Oui.

Elle se rendit compte que sa réponse était sincère. La douleur initiale avait disparu, remplacée par un plaisir fascinant et interdit. Ses joues et ses lèvres étaient empourprées. Son clitoris pulsait.

— Tant mieux, parce que ton petit cul est un véritable brasier, souffla-t-il en s'enfonçant davantage en elle. (Un cri rauque jaillit de la gorge de Francesca. Il commença à imprimer un mouvement de va-et-vient avec son bassin.) Oh, seigneur, c'est bon de te prendre sans préservatif...

Francesca gémissait de plaisir sous cette nouvelle sensation érotique, et à la vision de Ian qui s'abandonnait enfin à l'ivresse. Il n'y avait plus de douleur, mais une jouissance intense et insupportable qui ne faisait que croître. Les terminaisons nerveuses de l'étroit canal de chair étaient si sensibles qu'elle pouvait percevoir chaque nuance de son membre. Le plaisir se communiquait peu à peu à son clitoris – l'orgasme approchait. Bouche bée, elle contemplait son reflet dans le miroir tandis que le pénis de Ian s'enfonçait encore et encore, de plus en plus profondément dans son corps à chaque poussée. Enfin, le sexe de son amant vint cogner contre ses fesses.

Il la maintint contre lui et lâcha un grondement sauvage. Francesca était au bord de la folie. Elle se mit à trembler alors que l'orgasme la submergeait, d'autant plus intense qu'il avait été retenu si longtemps.

À travers les brumes de la volupté, elle entendit Ian pousser un juron étouffé. Il continua à la prendre pendant qu'elle jouissait, asservissant ses reins avec une féroce avidité. Ses hanches cognaient en rythme contre la chair brûlante de Francesca tandis qu'il manœuvrait la suspension – et le corps de la jeune femme –, se délectant sans retenue.

Francesca n'aurait pas pu endurer ce supplice exquis beaucoup plus longtemps. Elle était totalement à sa merci, secouée par l'orgasme, les muscles de son anus crispés autour du membre conquérant de Ian.

Il plongea en elle une dernière fois. Le grognement qu'il poussa alors avait quelque chose de désespéré, alors même qu'il avait le contrôle total de la situation. Il passa un bras autour de la taille de Francesca, l'attirant à lui en une étreinte ultime. Elle laissa échapper un cri en sentant le large pénis contre les parois de son orifice. Il poussa un rugissement, pencha la tête, grimaçant, et pressa les lèvres contre le dos de la jeune femme. Elle se mordit les lèvres et serra les paupières en le sentant exploser en elle, dans un dernier mouvement de va-et-vient. Francesca sentit son souffle brûlant sur son dos, et des larmes lui montèrent aux yeux – des larmes qui n'étaient pas de douleur, mais engendrées par un sentiment nouveau.

Était-elle tombée amoureuse de cet homme ?

Comment pouvait-elle expliquer autrement la confiance totale et absolue qu'elle avait en lui, son désir de se soumettre entièrement à sa volonté ?

À quoi d'autre pouvait être due l'euphorie qu'elle éprouvait en le contemplant dans le miroir, totalement abandonné au plaisir ? Soit elle était amoureuse, soit elle devenait folle.

Quelle que fût la réponse à cette question, Ian avait eu raison tout à l'heure. Elle était complètement à sa merci.

PARTIE VII

PARCE QUE J'EN AI BESOIN

13

Ian la détacha, puis l'aida doucement à s'extraire du harnais. Il tremblait encore sous l'effet d'un mélange d'émotions qu'il n'arrivait pas tout à fait à identifier. Quand les pieds de la jeune femme touchèrent le sol, il la prit immédiatement dans ses bras, soupirant de plaisir au contact de sa peau nue et soyeuse pressée contre la sienne.

Il lui souleva délicatement le menton et l'embrassa passionnément, en se demandant comment il pouvait ressentir à la fois un désir si puissant – presque douloureux – et une tendresse aussi profonde. S'était-il montré trop dur avec elle ? Elle était tellement douce, féminine, délicate, songea-t-il en caressant distraitement ses courbes généreuses. Il avait adapté son comportement à celui de Francesca. Au moment où elle enserrait son sexe entre ses fesses tout en tremblant sous les secousses de l'orgasme, quelques minutes plus tôt, il ne la voyait plus comme délicate.

Elle représentait un mystère pour lui – un mystère fascinant, inquiétant et doux auquel il était incapable de résister.

Il s'arracha à ses lèvres un peu plus tard et la prit par la main pour l'entraîner hors de la pièce. Il referma la porte derrière eux et mena la jeune femme dans la salle de bains. Sans dire un mot, il fit coulisser la porte de la cabine de douche et ouvrit le robinet. Quand la température fut assez chaude, il s'écarta un peu et fit signe à Francesca de rentrer. Elle le suivit et referma la paroi derrière eux.

Elle semblait elle aussi d'humeur maussade, comme s'il lui avait transmis son propre trouble, car elle resta silencieuse dans les minutes qui suivirent, pendant qu'il lavait méticuleusement son corps splendide. Il sentait son regard posé sur lui, tandis que ses mains glissaient sur sa peau satinée. Des volutes de vapeur s'enroulaient autour d'elle pendant qu'il la lavait, qu'il la vénérait. Une petite partie de lui avait encore envie de fuir, comme il l'avait fait à Paris, lorsque la douceur et la générosité de Francesca l'avaient bouleversé.

L'expérience qu'il venait de vivre avec elle avait entamé ses défenses, cependant. Il avait l'impression qu'il risquait de devenir fou s'il essayait de lui résister.

Il se lava lui-même avec plus de hâte, quoique autant de méticulosité, et coupa le robinet. Après les avoir séchés tous deux avec une grande serviette, il prit de nouveau la jeune femme par la main et la conduisit jusqu'au lit. Il écarta les draps et se tourna vers elle pour ôter la pince qui maintenait toujours sa chevelure. Ses lourdes mèches retombèrent en cascade sur ses épaules et sur son dos. Ian plongea immédiatement les doigts dans leur masse soyeuse, savourant leur contact.

Les grands yeux sombres de Francesca lui nouaient les tripes.

— Viens dans le lit, murmura-t-il.

Elle s'allongea sur le côté, face à lui. Il s'étendit, son ventre effleurant le sien, et rabattit le drap et la couverture sur eux. Il caressa la douce courbe de sa hanche dans le silence de plus en plus lourd qui s'était abattu sur eux. Ni l'un ni l'autre ne semblait se décider à parler, alors même qu'il sentait l'attention de la jeune femme fixée sur lui.

Au bout d'un moment, elle tendit la main pour lui effleurer les lèvres. Il ferma les yeux, cherchant désespérément un refuge intérieur contre la marée de sentiments nouveaux qui l'assaillait.

Il permettait rarement à une femme de le toucher de manière si intime, or il laissa faire Francesca. Ses doigts avides et irrésistibles le tourmentèrent pendant plusieurs minutes tandis qu'elle explorait son visage, son cou, ses épaules, son torse et son ventre. Lorsqu'elle griffa doucement l'un de ses mamelons avec ses ongles, il laissa échapper un soupir de plaisir. Il soutint son regard quand elle entoura son sexe de sa main, un peu plus tard.

Ses doigts étaient si délicats. Pourquoi eut-il l'impression qu'elle pansait une blessure profonde au fond de lui quand elle commença à bouger le bras pour caresser son pénis ?

Incapable de supporter plus longtemps cette douce torture, il tendit un bras en arrière pour trouver un préservatif dans le tiroir de la table de chevet – priant pour que le jour où Francesca aurait pris la pilule assez longtemps afin d'éviter tout risque de grossesse arrive vite, et qu'il puisse la prendre peau contre peau.

Quelques instants plus tard, il était allongé sur elle ; leurs ventres se soulevaient en rythme, comme en tandem, et le membre dressé de Ian était profondément enfoncé dans son vagin étroit et chaud. Quand il rouvrit ses paupières crispées, il la découvrit en train de le contempler.

— Est-ce que je me suis mal comporté envers toi, Francesca ? demanda-t-il d'une voix rude.

Elle ne répondit pas pendant un long moment, mais à l'expression sombre qui luisait dans ses prunelles, Ian sut qu'elle comprenait qu'il ne parlait pas seulement de la soirée, mais de tout le reste – son incapacité à résister au charme d'une femme aussi belle, talentueuse et sensible qu'elle, en sachant pertinemment qu'il risquait de ternir sa lumière avec ses ténèbres… peut-être même de la blesser de manière définitive.

L'idée qu'elle puisse un jour le rejeter était comme un coup de poignard.

— Est-ce que ça change quelque chose ?

Les muscles du visage de Ian tressautèrent au son de cette douce réponse. Il recommença à bouger, à lui faire l'amour en de longs et profonds coups de reins, frémissant sous les ondes de l'orgasme.

Non. Ça ne changeait rien.

Il ne pouvait pas rester loin d'elle, quelles que fussent les conséquences pour elle… ou pour lui.

*

* *

Après avoir fait l'amour, il la serra contre lui et ils parlèrent comme des amants – du moins, à la façon dont Francesca imaginait que des amants parlaient, vu qu'elle n'en avait elle-même aucune expérience. C'était quelque chose d'enivrant, de l'entendre évoquer son enfance au Belford Hall, le domaine de son grand-père dans le Sussex. Elle avait envie de lui poser des questions sur la période où il avait vécu avec sa mère dans le nord de la France – qui devait certainement être à l'opposé du luxe et des privilèges dont il avait bénéficié en tant que petit-fils d'un comte – mais elle n'arriva pas à trouver le courage.

Avec anxiété, elle amena le sujet Xander LaGrange. Ian se montra malgré tout catégorique : le comportement de Francesca n'était pas la cause première de l'issue malheureuse de leurs négociations.

— C'était juste le bouquet final, dit-il. J'ai détesté devoir courtiser cet homme pour obtenir les droits sur ce logiciel. Je l'ai toujours méprisé, même quand je n'étais qu'un étudiant de dix-sept ans. Ça me révulsait d'être obligé de le flatter. J'ai tout fait pour éviter de le rencontrer en personne pendant des semaines. (Il ferma les yeux, comme pour mieux se souvenir.) En fait, j'étais censé dîner pour la première fois avec lui le soir où je t'ai rencontrée, au cocktail chez *Fusion*. J'ai appelé Lin pour annuler.

Le cœur de Francesca bondit dans sa poitrine.

— J'avais cru que ça t'ennuyait quand Lin s'est approchée de toi chez *Fusion,* que tu n'avais pas envie de gaspiller ton temps à me parler.

Il passa doucement sa main sur sa nuque alors qu'elle relevait les yeux vers lui.

— Qu'est-ce qui t'a fait penser ça ?

— Je ne sais pas. J'imaginais juste que tu avais plus intéressant à faire que de me rencontrer.

Il eut un petit rire qui réconforta Francesca. Il lui pressa doucement la tête, et elle se laissa aller avec soulagement contre lui.

— Je ne dis pas de choses que je ne pense pas, Francesca. J'ai eu envie de te rencontrer à l'instant où j'ai vu ton book lors de ta candidature et où j'ai compris que c'était toi qui avais peint *Le Chat,* fit-il en raccourcissant le nom du tableau accroché dans sa bibliothèque... le tableau où elle l'avait représenté sans le savoir.

Elle colla sa bouche contre sa peau et l'embrassa, touchée au cœur par la petite parcelle de vérité qu'il venait de lui révéler. Elle le sentit crisper les doigts dans ses cheveux.

— Mais comment vas-tu faire pour le logiciel dont tu as besoin pour ta start-up ? demanda-t-elle au bout d'un moment.

— Je ferai ce par quoi j'aurais dû commencer, répondit-il d'un ton bourru en lui massant le cuir chevelu, faisant naître en elle des frissons de plaisir. Je créerai mon propre logiciel. Ça représente un certain effort, et ça prendra plus de temps que prévu, mais j'aurais dû y penser tout de suite au lieu de me coltiner ce salaud. Une affaire avec un homme comme LaGrange ne peut pas être bonne. Je me suis menti à moi-même.

Plus tard, elle lui parla de l'époque où elle avait commencé à comprendre qu'elle était une artiste, alors qu'elle participait à un camp pour enfant en surpoids, à l'âge de huit ans.

— Je n'ai pas perdu un seul kilo dans ce camp, au grand désespoir de mes parents. Mais j'ai appris que j'excellais au dessin et à la peinture, murmura-t-elle, toujours allongée contre le torse de Ian tandis qu'il lui caressait les cheveux.

— Tes parents avaient l'air obsédés par ton poids, commenta Ian.

Sa voix douce et grave faisait vibrer son poitrail, et la sensation se communiquait à l'oreille de Francesca. Elle lui caressa le bras, émerveillée par la dureté et la densité de ses muscles.

— Ils étaient surtout obsédés par le fait de me contrôler. Mon poids ne représentait qu'une des choses qu'ils pouvaient manipuler.

Elle crut sentir Ian se crisper sous sa joue.

— Ton corps est devenu un champ de bataille.

— C'est ce que tous les psychologues me disaient.

— Je peux très bien imaginer ce que ces mêmes psychologues diraient de ta relation avec moi.

Elle releva la tête et croisa son regard. Les lampes étaient réglées au minimum dans la chambre à coucher, et elle n'arrivait pas à distinguer son expression.

— Parce que tu aimes tant que ça contrôler les choses ?

Il opina du chef.

— Je t'ai dit que j'avais presque rendu folle mon ex-femme.

Le cœur de Francesca s'emballa tandis qu'elle contemplait sa beauté mâle et rude. Elle savait qu'il parlait très rarement de son passé.

— Est-ce que… est-ce que tu te souciais tellement d'elle que tu t'inquiétais en permanence de son bien-être ?

— Non.

Elle fronça les sourcils devant cette réponse rapide et catégorique. Il eut une légère grimace et détourna le regard.

— Je n'étais pas amoureux d'elle, ou rien de ce genre, si c'est ça que tu veux savoir. J'avais vingt et un ans, j'étais toujours étudiant, et notre relation était une stupide erreur. Quelque temps avant, j'avais eu une dispute avec mes grands-parents. Une grosse dispute. Je ne leur avais pas parlé depuis des mois. Je suppose que j'étais plus vulnérable alors face à une femme comme Elizabeth. Je l'avais rencontrée à une levée de fonds à l'université de Chicago – ma grand-mère était aussi venue y assister, dans l'espoir de se réconcilier avec moi. Elizabeth était une danseuse classique de talent et appartenait à une famille américaine aisée. Elle avait grandi dans l'idée que le statut social est un élément essentiel, et qu'il fallait courtiser des personnes comme ma grand-mère.

— Et toi, dit doucement Francesca.

— C'est à ça qu'Elizabeth a pensé en premier – avant même que nous soyons mariés, avant même me connaître. Elle a compris plus tard l'erreur qu'elle avait faite. Elle voulait un mariage de rêve avec un prince charmant, pas se retrouver coincée avec un bâtard diabolique, dit-il avec un sourire amer. Elizabeth était peut-être vierge, mais elle était loin d'être innocente dans l'art d'obtenir ce qu'elle voulait. Elle a décidé de me piéger dans ses filets, et j'ai été assez stupide pour la laisser faire.

— Elle… elle a fait exprès de tomber enceinte ?

Ian hocha la tête, et son regard croisa de nouveau celui de Francesca.

— Je sais que beaucoup d'hommes disent ça, mais dans mon cas, c'est la stricte vérité. Après qu'elle est tombée enceinte et que je l'ai épousée, j'ai découvert ses vieilles boîtes de pilules dans la salle de bains. Les plaquettes n'étaient qu'à moitié consommées. Quand je l'ai interrogée là-dessus, elle a reconnu qu'elle avait arrêté la pilule au début de notre relation. Elle prétendait que c'était parce qu'elle voulait un enfant de moi, mais je ne la croyais pas. Ou plus exactement, je crois qu'elle voulait effectivement tomber enceinte pour que je l'épouse, mais que, dans le fond, elle n'avait pas réellement envie d'être mère.

Francesca sentit son cœur se glacer à ces mots.

— Est-ce que tu as peur que je fasse la même chose ? Avec la contraception, je veux dire ?

— Non.

— Pourquoi en es-tu si certain ? s'enquit Francesca, bien qu'elle fût déjà soulagée par la rapidité et l'assurance de la réponse de Ian.

— Parce que je sais mieux déchiffrer la personnalité de quelqu'un à trente ans qu'à vingt.

— Merci, murmura-t-elle doucement. Qu'est-ce qui est arrivé quand tu as interrogé Elizabeth ?

— J'étais convaincu qu'elle essaierait de nuire au bébé maintenant que j'avais découvert ses manigances. La grossesse avait servi ses intérêts. Nous étions mariés. Elle était très belle, physiquement en tout cas, et sa vie était consacrée à la danse. Malgré son calcul intéressé, je crois qu'elle détestait l'idée de voir son corps déformé par la grossesse... qu'elle détestait les changements que la maternité apporterait à sa vie. Elle n'avait pas du tout un caractère maternel. Je pensais qu'elle allait faire quelque chose pour mettre fin à cette grossesse – ça ne m'aurait pas étonné d'elle, en tout cas. (Il regarda Francesca droit dans les yeux.) Ce n'était pas de protéger Elizabeth qui m'obsédait tant. C'était de protéger l'enfant qu'elle portait. Et, effectivement, je suis devenu maniaque du contrôle. Tu sais comment je peux être.

— Mais tu m'as dit une fois qu'elle a essayé de te faire porter la responsabilité de la perte du bébé, se souvint-elle.

Il hocha la tête.

— Elle a dit que c'était parce que je la harcelais tous les jours pour qu'elle prenne soin d'elle, parce que j'essayais de contrôler ses activités quotidiennes et son planning. Elle avait l'impression que je restreignais sa liberté, que je l'emprisonnais entre les murs de ma propre anxiété. Elle avait entièrement raison sur ce point. C'est ce que je fais quand je m'inquiète pour quelqu'un, et je m'inquiétais pour ce bébé.

— Même si c'est vrai, ça ne me semble pas une raison suffisante pour provoquer une fausse couche. Ça arrive à une femme enceinte sur cinq, non ? C'était peut-être tout simplement naturel ? Pourquoi faudrait-il absolument que ce soit lié à ton comportement ? demanda Francesca.

Elle se sentait à la fois perplexe et irritée par cette Elizabeth. Ça avait l'air d'être une garce manipulatrice.

— On ne le saura sans doute jamais. De toute façon, ça n'a plus d'importance.

Francesca n'était pas d'accord ; ça en avait – et même beaucoup. Cela expliquait pourquoi Ian était si pessimiste, si cynique dans sa façon de voir ses relations avec les femmes.

— Pourquoi l'as-tu épousée si tu n'étais pas réellement amoureux d'elle ? ne put-elle s'empêcher de demander.

Il haussa légèrement les épaules, et elle ne résista pas au désir de caresser ses bras. Elle avait envie de le consoler, de ne pas détacher les mains de lui. Qui savait quand il la laisserait de nouveau le toucher de manière aussi intime ?

— Je ne permettrai jamais que l'un de mes enfants soit un bâtard.

Les mains de Francesca se figèrent. C'était seulement la deuxième fois qu'il faisait allusion à ses origines illégitimes devant elle. Elle se souvenait qu'il s'était défini comme « bâtard » dès le soir de leur rencontre, au cocktail donné en son honneur.

— Ton père…, chuchota-t-elle, fascinée par la lueur qui brillait dans les iris de son amant. (Était-ce un avertissement ? Un message implicite pour qu'elle cesse de l'interroger à ce sujet ? Elle décida de continuer malgré le risque potentiel.) Tu sais qui il était ?

Il secoua la tête. À présent, elle percevait nettement la tension dans ses muscles, mais il ne chercha pas à s'écarter d'elle. Elle prit le parti de pousser son avantage ; après tout, il n'avait pas essayé de la fuir comme il l'avait fait à Paris.

— Est-ce que tu as été tenté de savoir qui il était ? Est-ce que tu en as envie aujourd'hui ?

— Seulement dans la mesure où obtenir cette information me permettrait de buter ce salopard.

Francesca en resta bouche bée. Elle ne s'était pas attendue à une telle agressivité.

— Pourquoi ?

Il baissa un instant les paupières, et elle se demanda si elle était allée trop loin. Allait-il finir par se défiler ?

— Qui que ce soit, il a abusé de ma mère. Je ne sais pas si c'était par un viol tel que la justice actuelle le définit, ou s'il a simplement séduit une femme malade et vulnérable, mais quoi qu'il en soit, je porte de toute évidence les gènes d'un putain de dégénéré.

— Oh, Ian, murmura-t-elle, le cœur débordant de compassion.

Son amant avait dû vivre un cauchemar quand il était petit. Un cauchemar qui n'avait pas cessé.

— Et tu ne l'as jamais revu ? reprit-elle. Il n'est jamais revenu ?

Il secoua la tête, les paupières toujours closes.

— Et ta mère, elle n'a jamais...

Il rouvrit les yeux et regarda la jeune femme fixement.

— Chaque fois que j'abordais le sujet quand j'étais enfant, son état d'anxiété s'aggravait. Elle retombait dans des comportements obsessionnels et compulsifs. Au bout d'un moment, j'ai évité le sujet de l'identité de mon père comme la peste. Mais au fond de moi, je me suis mis à le haïr. C'est lui qui a fait ça à ma mère, qui a aggravé sa maladie. Je ne sais pas comment, mais j'en suis absolument sûr.

— Mais elle était déjà malade... schizophrène...

— Oui, sauf qu'il suffisait de mentionner mon père devant elle pour provoquer une nouvelle crise, une crise terrible.

Francesca ne pouvait pas supporter la tristesse qui se lisait sur son visage. Ça lui fendait le cœur. Elle le serra aussi fort qu'elle put.

— Oh, Ian, je suis désolée...

Il gronda un peu sous son étreinte puis lâcha un petit rire. Il recommença à lui caresser les cheveux.

— Et tu penses que c'est en me serrant comme un boa constrictor que ça va arranger les choses ?

— Non, chuchota-t-elle en lui embrassant le torse. Mais ça ne peut pas faire de mal.

Il l'étreignit à son tour et la fit basculer sur le dos, venant s'allonger sur son ventre.

— Non... Tu ne pourras jamais me faire de mal, murmura-t-il avant de l'embrasser comme il savait si bien le faire, lui faisant tout oublier l'espace d'un instant.

Même la souffrance qu'elle percevait en lui.

*

* *

Francesca savait qu'elle se souviendrait de cette nuit passée dans le lit et les bras de son amant durant toute sa vie. Ça avait été une expérience sublime de le voir s'ouvrir à elle, même un tout petit peu. Par le passé, il lui avait pourtant dit qu'il ne voulait qu'une relation purement physique et que tout ce qui l'intéressait était leur complémentarité sexuelle.

Or, cette nuit, il y avait eu davantage que du sexe entre eux. C'est du moins l'impression qu'avait eue Francesca...

Elle se réveilla sous les rayons du soleil qui filtraient à travers les rideaux. Elle cligna paresseusement les yeux et se rendit compte qu'elle était seule dans le grand lit luxueux où elle avait passé tant d'heures intensément érotiques avec Ian la veille.

— Ian ? appela-t-elle d'une voix encore embrumée par le sommeil.

Il sortit de la salle de bains, superbe, vêtu d'un pantalon bleu et d'une chemise blanche amidonnée, assortis d'une cravate en soie noire à rayures bleu clair et de la ceinture à boucle dorée qui attirait toujours le regard de la jeune femme vers ses fines hanches. L'avait-elle vraiment vu entièrement nu la veille, à travers son reflet dans le miroir tandis qu'il la possédait ?

Ou tout cela n'avait-il été qu'un rêve ? Ses étreintes, la façon dont il lui avait fait l'amour la nuit dernière...

— Bonjour, fit-il en s'approchant du lit tout en ajustant un bouton de manchette de ses doigts habiles.

— Bonjour, répondit-elle d'un air hébété.

Elle lui sourit, heureuse de sentir la lumière du soleil sur sa peau et de pouvoir contempler son amant.

— Je crains de devoir quitter la ville pour un moment. Je ne sais pas avec certitude quand je reviendrai.

Le sourire bienheureux de Francesca disparut. Les mots qu'avait prononcés Ian rebondissaient à l'intérieur de son crâne comme un écho de fusillade.

— J'ai parlé à Jacob, et il va aussi te donner des leçons de moto. J'aimerais que tu puisses passer les deux permis, voiture et moto, en même temps. Lin va t'envoyer le manuel du permis deux-roues. Je te laisse ma tablette numérique pour que tu puisses l'étudier, fit-il en désignant du doigt la table basse.

Ses manières brusques ne firent qu'accentuer la confusion et le choc que ressentait Francesca.

— Euh... Ian ? Tu peux m'expliquer la partie « Je quitte la ville, et je ne sais pas quand je reviendrai » ? l'interrogea-t-elle en se redressant dans le lit, appuyée sur un coude.

— J'ai reçu un coup de téléphone ce matin. (Évitait-il sciemment de croiser son regard ?) Je dois m'occuper d'une affaire urgente.

— Ian, ne fais pas ça.

Il se figea brusquement en entendant la sécheresse de son ton, les doigts toujours posés sur la boutonnière de sa chemise. Ses yeux flamboyèrent.

— Ne fais pas quoi ?

— Ne pars pas.

La jeune femme n'avait pu empêcher ces mots de jaillir de sa bouche.

Un silence pesant s'abattit sur eux pendant un long moment.

— Je sais que tu te sens probablement mal à l'aise à cause d'hier soir, mais ne t'enfuis pas, plaida-t-elle, étonnée par sa propre audace.

Avait-elle secrètement redouté ce moment toute la nuit, alors qu'ils parlaient, faisaient l'amour et s'ouvraient l'un à l'autre ? Avait-elle su dès le début qu'il la fuirait forcément après lui avoir dévoilé tant de choses aussi intimes ?

— Je ne suis pas sûr de savoir de quoi tu parles, répondit-il en baissant les bras. Je n'ai pas d'autre choix que de partir, Francesca. Tu comprends certainement que certaines affaires m'obligent à m'éloigner de temps en temps.

— Oh, je comprends très bien, répliqua-t-elle d'une voix pleine d'émotion. Ta fuite d'aujourd'hui n'a rien à voir avec celle de la dernière fois.

— Non. Ça n'a strictement rien à voir, fit-il d'un ton dur. Qu'est-ce qui te prend, Francesca ?

Elle baissa les yeux vers les draps, refusant qu'il voie les larmes qui embuaient ses yeux. Elle aurait voulu cracher de colère, de douleur.

— Oui, qu'est-ce qui peut bien me prendre ? fit-elle avec amertume. Stupide et naïve petite Francesca. Pourquoi est-ce que je ne me souviens pas que tout ceci n'est que du sexe, un arrangement avec toi ? Oh, et avec ta queue, bien sûr. N'oublions pas cette intervenante capitale dans la partie.

— Tu dis vraiment n'importe quoi. J'ai reçu un coup de téléphone. Je dois partir. Ça n'est pas plus compliqué que ça.

— Pourquoi ? C'est quoi, cette urgence ? Dis-moi.

Il cligna les yeux, visiblement décontenancé par la brusquerie de sa demande. Elle remarqua que les commissures de ses lèvres avaient pâli sous l'effet de la colère.

— Parce que je le dois. Il y a certaines choses dans la vie qu'on ne peut éviter, et il s'agit d'une de ces choses. C'est la seule raison pour laquelle je pars. Et ça devrait être suffisant pour toi. En plus, ta réaction stupide ne me donne aucune envie de t'en dire davantage, ajouta-t-il entre ses dents tout en se détournant d'elle.

Une vague de colère gonfla la poitrine de Francesca. C'en était trop pour elle, de se voir ainsi congédiée, en particulier après l'intimité qu'ils avaient partagée la veille, alors qu'elle avait cru qu'il s'ouvrirait enfin.

— Si tu pars maintenant, je ne t'attendrai pas. Ce sera fini entre nous.

Il fit brusquement volte-face, les narines frémissantes de colère.

— Tu me mets au défi, Francesca ? Tu cherches à me pousser à bout ? Tu es vraiment revancharde à ce point ?

— Comment oses-tu me dire ça alors que c'est toi qui fuis à cause de ce qui s'est passé entre nous ? s'exclama-t-elle en s'asseyant, raide, sur le lit, tirant le drap sur sa poitrine.

— La seule chose qui s'est passée entre nous, c'est que tu te comportes comme une gamine capricieuse alors qu'une affaire urgente exige ma présence.

— Alors dis-moi de quoi il s'agit. Aie au moins cette courtoisie envers moi, Ian. À moins que tu considères que, vu les règles de cette putain de relation, et à cause de ma nature soi-disant soumise, je n'ai même pas le droit de te demander ça ?

Il prit la veste qu'il avait déposée sur une chaise. Ce n'est qu'à ce moment qu'elle remarqua la valise à roulettes posée à côté de son attaché-case. Il s'apprêtait réellement à partir. Elle se sentait complètement impuissante. Il enfila le vêtement en la fixant d'un regard glacial.

— Comme je te l'ai déjà dit, ton attitude puérile ne me donne aucune envie de te donner plus d'explications. (Il prit sa valise.) Je t'appellerai ce soir. Tu seras peut-être revenue à la raison d'ici là.

— Ne te donne pas cette peine. Je n'aurai pas changé d'avis. Je peux te le garantir, fit-elle d'un ton aussi digne et froid que possible.

Le visage de Ian devint blême. La jeune femme eut soudain envie de retirer ce qu'elle venait de dire, mais son caractère têtu et sa fierté l'empêchaient de le faire.

Il hocha la tête, les lèvres pincées, et quitta la chambre, claquant la porte derrière lui avec un bruit fracassant qui retentit horriblement dans les oreilles de Francesca.

Elle ferma les yeux, submergée par une vague de désespoir.

*

* *

Trois jours plus tard, elle était assise dans une salle de l'école de conduite de Deerfield, dans la banlieue de Chicago, en train d'étudier le manuel du code de la route pour deux-roues sur la tablette numérique de Ian. Oui, elle envisageait toujours de continuer à le fréquenter pour une relation purement sexuelle, et non, il n'avait pas essayé de la recontacter depuis son départ le dimanche précédent, prenant sans doute au mot ce qu'elle lui avait dit sous le coup de l'émotion. Elle essayait de se convaincre que cette issue la soulageait or, malheureusement, sa méthode d'autopersuasion ne fonctionnait pas si bien que ça.

Pourquoi une ombre était-elle apparue sur le visage de Ian quand elle lui avait demandé de ne pas la rappeler ? Elle n'avait vu cette expression chez lui qu'à une seule autre occasion, quand il avait paniqué en comprenant qu'elle était vierge – on aurait dit que c'était lui qui se sentait abandonné, et pas l'inverse. La jeune femme ne cessait de ruminer cette pensée, comme si une main invisible enserrait en permanence son cœur.

Non, elle n'allait pas perdre son temps à réfléchir à ça. Elle n'avait aucune chance de déchiffrer les méandres obscurs et complexes de l'âme de Ian. C'était même stupide d'essayer.

Elle se surprit elle-même en continuant à prendre ses leçons de conduite avec Jacob, vu la façon dont Ian et elle s'étaient quittés. Mais, étrangement, l'idée d'obtenir son permis était presque devenue une obsession. Peut-être qu'une partie d'elle-même croyait à ce que son amant lui avait dit. Qu'il s'agissait d'une étape essentielle dans le développement d'un adulte, qu'elle avait repoussée à cause des traumatismes émotionnels de son enfance et son adolescence. L'envie dévorante qu'elle avait de conduire correspondait peut-être à un désir de prendre pleinement le contrôle de sa vie pour la première fois. Les leçons se passaient bien. Et le tableau était bientôt terminé.

Pour la première fois dans sa vie, elle avait effectivement l'impression de commencer à contrôler quelque chose, et pas seulement de se débrouiller pour survivre au jour le jour. Elle voulait être aux commandes de la vie de Francesca Arno, comme Ian le lui avait suggéré. Et si cette vie était destinée à être pitoyable, eh bien… elle saurait au moins qui en était responsable.

Elle commençait à avoir mal aux yeux à force de lire sur la tablette. Elle avait déjà passé l'examen du code de la route, mais il restait encore celui moto.

— Vous vous sentez prête ? demanda Jacob qui lisait le journal assis à côté d'elle.

Le dossier de la jeune femme était complet, et ils patientaient dans les locaux de l'école depuis presque deux heures pour que Francesca puisse passer l'examen.

— Pour la partie écrite, oui, répondit-elle. Mais j'aurais peut-être dû m'entraîner plus d'une journée sur la moto de Ian ?

— Vous allez très bien vous en tirer, la rassura Jacob. Vous êtes bien plus à l'aise sur un deux-roues que derrière le volant, et vous avez pourtant passé brillamment votre permis voiture.

Elle lui lança un regard ironique.

— J'ai failli échouer à l'examen de conduite. La première chose que j'ai faite après avoir démarré, c'est couper la route d'un autre conducteur.

— Mais cela a été votre seule erreur, lui rappela aimablement le chauffeur.

Quelqu'un prononça son nom.

— Souhaitez-moi bonne chance, dit-elle d'une voix angoissée à Jacob, tout en se relevant.

— La chance ne sera pas nécessaire. Vous êtes parfaitement capable d'y arriver, la rassura-t-il avec bien plus de confiance qu'elle n'en éprouvait elle-même.

Elle passa l'épreuve pratique sur la moto de Ian : un superbe engin rutilant de fabrication européenne.

Jacob lui avait révélé que Ian avait toujours été passionné de moto.

— Je crois qu'il m'a dit qu'il aimait les réparer quand il était adolescent. Il a un talent incroyable pour ça. Je suppose que ça a un rapport avec les maths, avec le cerveau qu'il a ; un vrai ordinateur ! En tout cas, il est capable de réparer un moteur presque aussi vite que moi, et j'ai quasiment deux fois son âge, avait dit le chauffeur avec une pointe de fierté dans la voix.

Elle avait aussi appris de Jacob que Ian possédait des parts dans une société française novatrice et de plus en plus populaire, qui fabriquait des motos et des scooters de luxe.

La seule raison pour laquelle elle avait accepté de poursuivre les leçons avec Jacob était l'une des choses que Ian avait dites au sujet des scooters durant leur séjour à Paris : un tel véhicule resterait abordable pour son budget limité et conviendrait parfaitement à ses déplacements en ville, sans même parler de son besoin d'indépendance et de son désir de mieux contrôler sa vie. Son plan était d'en acheter un à bas prix une fois qu'elle aurait son permis – et tant pis si c'était une façon de profiter de la générosité de Ian après qu'il l'eut abandonnée.

Elle avait accepté les cent mille dollars qu'elle avait gagnés en tant que lauréate du prix. Elle prendrait tout ce qu'il lui avait offert avant de le quitter, comme il l'avait quittée elle.

C'était en tout cas ainsi qu'elle tentait de voir les choses. Cela la réconfortait de se dire qu'elle se comportait aussi durement avec Ian qu'il l'avait été avec elle.

Le salaud. Quitter Chicago juste après qu'elle se fut mise à nu devant lui, après lui avoir fait croire qu'il se dévoilait enfin.

— Alors ? demanda Jacob qui patientait debout dans la salle d'attente quand elle revint après l'épreuve pratique.

Il la dévisagea avec anxiété. Une expression sombre se lisait sur le visage de la jeune femme.

— Ne vous en faites pas. Vous pourrez repasser l'épreuve dès que vous aurez repris quelques heures de cours.

Un large sourire apparut sur les lèvres de Francesca.

— Je vous faisais marcher. J'ai réussi. Et vraiment haut la main, cette fois.

Il la serra brièvement dans ses bras et la félicita. Elle éclata de rire, à la fois heureuse et soulagée. Elle avait réussi ! Mieux vaut tard que jamais.

Jacob la quitta pour aller ranger la moto de Ian dans le compartiment arrière de la limousine – Francesca n'en avait pas cru ses yeux quand son amant lui avait montré l'énorme espace disponible qu'offrait le véhicule une fois la table centrale repliée. La jeune femme s'assit dans la salle d'attente ; quand on l'appellerait, elle irait apposer sa photo sur son permis. Dans le Département des Véhicules Motorisés, mieux valait savoir patienter. Après quelques minutes d'inactivité, de plus en plus fébrile, elle alluma la tablette de Ian, soulagée de pouvoir enfin lire autre chose pour passer le temps que les règles du code de la route. Elle ouvrit le navigateur Internet, et plusieurs adresses de sites vinrent s'afficher automatiquement dans la fenêtre de recherche... de toute évidence, des sites que Ian visitait régulièrement. Avec un léger sentiment de culpabilité, elle étudia l'historique de navigation. Quand Ian trouvait-il le temps de surfer sur Internet ? La plupart des domaines ne la surprenaient pas – des entreprises et des professionnels sur lesquels il se renseignait.

L'un d'entre eux pourtant ne collait pas. Elle cliqua sur le lien en jetant un coup d'œil nerveux vers la porte pour s'assurer que Jacob n'allait pas la surprendre en train de fouiner dans les affaires de Ian.

Le Centre de Recherche et de Traitement Génétique – le laboratoire d'un institut hautement réputé, situé au sud-est de Londres, dans un superbe domaine arboré. Francesca contempla la photo du bâtiment ultramoderne au milieu du paysage champêtre. Il lui fallut lire en détail d'autres pages du site pour comprendre que le laboratoire était connu pour ses avancées dans le domaine du traitement de la schizophrénie.

Elle pensa à la mère de Ian, et son cœur se fendit. Est-ce qu'il s'intéressait aux progrès de la médecine concernant cette maladie cruelle en souvenir d'Helen Noble ? Peut-être finançait-il personnellement une partie des recherches ?

— Jacob ? Ça vous dit quelque chose, le Centre de Recherche et de Traitement Génétique ? demanda-t-elle d'un ton innocent au chauffeur quand il vint se rasseoir à son côté, quelques minutes plus tard.

— Pas du tout. Pourquoi ?

— Vous ne saviez pas ? C'est une sorte de laboratoire et d'hôpital à la fois. Vous n'avez jamais entendu Ian le mentionner ?

Jacob secoua négativement la tête.

— Jamais. Où est-ce qu'il se trouve ?

— Au sud-est de Londres.

— C'est logique, alors, commenta Jacob d'une voix distraite tout en feuilletant son journal. Si c'est l'une des sociétés britanniques que possède Ian, il ne m'en a sans doute jamais parlé.

— Pourquoi donc ?

— Il ne m'emmène jamais quand il part à Londres. Il dispose de sa propre voiture et de son propre appartement au centre-ville.

— Oh, fit Francesca d'un ton toujours léger, espérant être parvenue à dissimuler à Jacob sa curiosité dévorante. Et il y a d'autres endroits où il conduit lui-même et ne vous emmène pas ?

Jacob la dévisagea quelques instants.

— Non, pas vraiment, maintenant que j'y pense. Je l'accompagne partout sauf à Londres. Mais ce n'est pas vraiment surprenant. Ian est anglais après tout, non ? Cela semble logique qu'il n'ait pas besoin de chauffeur là-bas. C'est d'ailleurs pour ça que je suis avec vous aujourd'hui.

— Effectivement, opina la jeune femme.

Son pouls s'était mis à marteler ses tempes. Ian était à Londres. Ian ne lui en avait rien dit, bien sûr, et, soit Mme Hanson l'ignorait elle-même, soit Ian lui avait dit de tenir sa langue.

Quelque chose sonnait bizarrement dans ce que lui avait dit Jacob. Ian Noble était chez lui partout. Il pouvait conduire dans n'importe quelle ville, sans avoir besoin des services d'un chauffeur. C'était uniquement une question de confort. Il était le Chat qui marche tout seul, après tout. Pour lui, tous les endroits se ressemblaient. Elle se souvenait très bien d'avoir cherché à capturer cet aspect de sa personnalité, des années plus tôt, quand elle l'avait peint à son insu. C'était précisément ça qui lui avait évoqué la nouvelle de Rudyard Kipling. Elle savait d'expérience que, où qu'il aille, il se montrait sûr de lui, à l'aise, maître de son environnement... obstinément seul.

Alors, pourquoi Londres serait-il différent ? Pourquoi laissait-il derrière lui Jacob, le chauffeur en qui il avait toute confiance ?

Elle releva brusquement la tête en entendant son nom.

— Ça y est, fit-elle en dissimulant à peine son enthousiasme.

Elle se retint de toutes ses forces de presser encore Jacob de questions sur Ian et Londres.

— C'est vous qui conduisez pour le retour, dit ce dernier.

— Et comment que je vais conduire, répondit-elle avec un sourire triomphant.

*

* *

L'après-midi suivant, elle était assise sur une banquette dans le hall d'accueil de Noble Enterprises. L'endroit produisait une impression de modernité à la fois sobre, luxueuse et épurée – grâce au sol de marbre beige rosé, aux boiseries précieuses et aux murs brun clair. Le gardien qui occupait le bureau circulaire au centre du hall ne cessait de lui jeter des regards soupçonneux. Elle était là depuis presque deux heures, à étudier la lumière sur le grand mur vierge où son tableau serait accroché, prenant de temps en temps des photos avec son téléphone portable.

Elle voulait être sûre de saisir correctement la luminosité de l'endroit où il trouverait sa demeure définitive.

Le gardien décida finalement qu'elle n'avait rien à faire là et quitta son bureau pour se diriger vers elle. Francesca se releva et rangea son téléphone dans une poche arrière.

Elle n'avait pas envie de devoir se justifier.

— Je m'en vais, assura-t-elle au jeune homme à la carrure impressionnante et au visage massif.

Le regard de ce dernier semblait davantage inquiet qu'agressif, cependant.

— Y a-t-il quelque chose que je puisse faire pour vous aider, mademoiselle ?

— Non, répondit-elle en s'écartant. (Lorsqu'il fit mine de la suivre, elle soupira.) Je suis l'artiste chargée de peindre la toile qui sera accrochée ici, répondit-elle en désignant du doigt le grand mur vide qui surplombait le bureau du gardien. J'observais les nuances de la lumière à l'intérieur du hall.

Comme le gardien la scrutait d'un œil sceptique, elle jeta un regard en biais et vit le panneau du restaurant *Fusion*.

— Euh... Excusez-moi. Je vais juste faire un tour chez *Fusion* pour aller dire bonjour à Lucien.

Durant une seconde, elle eut l'impression que le gardien allait la suivre alors qu'elle obliquait vers le restaurant mais, quand elle observa autour d'elle après s'être approchée du bar luxueux, les portes de verre étaient toujours fermées, et le jeune homme n'était nulle part en vue. Elle poussa un soupir de soulagement.

— Francesca !

Elle reconnut l'accent français de Lucien.

— Salut, Lucien. Oh, Zoe ! Ça va ? salua Francesca, heureuse de revoir la belle jeune femme qui avait essayé de la mettre à l'aise pendant le cocktail donné en son honneur.

Zoe et Lucien se tenaient côte à côte. Il était quinze heures trente, un mardi après-midi, et le restaurant était désert à l'exception d'eux trois. Francesca eut un instant d'hésitation en voyant Lucien écarter subitement le bras de la taille de Zoe, et l'expression quelque peu coupable qui se lisait sur leurs visages. Pourquoi cherchaient-ils à dissimuler leur relation ?

— Ça va, fit Zoe en lui serrant la main. Le tableau avance bien ?

— Aussi bien que possible. J'ai un peu de mal avec la lumière. Je suis venue m'asseoir dans le hall d'entrée pour étudier la luminosité qui baignera le tableau dans la journée, mais le gardien a plus ou moins fini par me faire quitter les lieux, dit-elle avec un sourire penaud. Je me suis faufilée ici pour lui échapper.

Lucien gloussa.

— Tu veux quelque chose à boire ? lui lança-t-il en se dirigeant vers le grand bar en noyer. De l'eau gazeuse avec du citron, c'est ça ?

— Oui, répondit la jeune femme, agréablement surprise que Lucien se souvienne de ses goûts.

Zoe s'assit à côté d'elle sur l'un des tabourets et lui posa d'autres questions au sujet du tableau. Francesca remarqua que Lucien n'avait pas demandé à Zoe ce qu'elle voulait boire et avait directement posé une bouteille de bière ambrée devant elle.

— Alors vous deux, vous êtes ensemble ? demanda Francesca quelques minutes plus tard tout en sirotant sa limonade.

Elle regretta sa question en voyant les deux jeunes gens afficher une expression quelque peu ahurie.

— Je veux dire... Je pensais juste que ça avait l'air... Laissez tomber, bafouilla-t-elle en avalant une autre gorgée avant de reposer son verre sur le comptoir. Ne faites pas attention à moi. Je n'arrête pas de dire des choses stupides.

Lucien éclata de rire, et Zoe adressa à Francesca un sourire hésitant.

— Ce n'est pas ça, reprit Lucien. Oui, Zoe et moi, on sort ensemble. On essaie juste de déjouer les radars, c'est tout.

— Les radars ? fit Francesca, confuse.

— Ian, pour résumer, poursuivit Lucien sans cesser de sourire.

— Ian ? Pourquoi essayez-vous de le lui cacher ?

— Il n'apprécie pas trop les relations entre les employés de Noble Enterprises, en particulier entre un cadre et une non-cadre.

— Je n'arrête pas de répéter à Lucien que je suis aussi cadre, intervint Zoe en le foudroyant du regard – c'était visiblement un sujet très sensible au sein du couple. Je n'ai pas le sentiment que nous enfreignions des règles. Nous appartenons à deux filiales totalement différentes de l'entreprise. Ça ne poserait certainement aucun problème à Ian.

— Et qu'est-ce que ça change, si ça lui en pose un ? lâcha brusquement Francesca en fronçant les sourcils. Pourquoi tout le monde n'arrête pas de lui faire des courbettes comme s'il était le roi, et nous ses sujets ? Vous avez le droit de vivre votre vie en suivant vos désirs, pas les caprices de Ian.

Un silence pesant s'ensuivit. Francesca mit un moment à se rendre compte que Lucien regardait derrière elle, et que Zoe était en train de se tourner lentement sur son tabouret, les traits figés.

Francesca ferma les yeux et prit une grande inspiration.

— Ian est derrière moi, hein ? murmura-t-elle à Lucien.

Le regard contrit que lui lança le jeune chef lui tint lieu de réponse.

Elle se retourna à son tour sur son tabouret, saisie par une vague d'anxiété. L'homme d'affaires se tenait entre l'entrée du restaurant et la zone du comptoir où elle s'était installée avec Zoe. En le voyant, elle sentit ses défenses se fissurer. Il lui avait tant manqué qu'elle en eut le souffle coupé. Il portait un costume noir impeccable qui soulignait à la perfection les lignes masculines de son corps élancé, l'une des chemises blanches amidonnées qu'il affectionnait, et une cravate argentée. Son visage était semblable à un buste de marbre : superbe, froid, impassible. Ses yeux flamboyaient néanmoins, tandis qu'il la dévisageait – il ne regardait qu'elle – depuis la pénombre de la salle à l'éclairage tamisé.

— Depuis quand es-tu rentré ? demanda Francesca, la bouche sèche.

— Je rentre à peine. Mme Hanson m'a dit que tu comptais venir voir le grand hall. Comme je ne te voyais pas, je me suis dirigé vers mon bureau et Pete – le gardien – m'a parlé d'une jeune femme qui était restée assise toute une partie de l'après-midi devant lui, en prenant de temps en temps des photos, et qui lui avait dit étudier la lumière. (Francesca crut distinguer un sourire amusé se dessiner sur les lèvres de Ian quand il prononça ces mots.) J'ai eu l'impression qu'il avait du mal à décider si tu étais une menace potentielle ou une apparition féerique.

— Oh... je vois, fit Francesca.

Elle se sentit bizarrement troublée, comme s'il avait réussi à la toucher avec son compliment détourné. Elle lança un regard gêné à Zoe. Venait-elle de mettre le couple dans l'embarras ?

— Vous prenez une pause, mademoiselle Charon ? demanda Ian avec une gentillesse bourrue.

Zoe descendit de son tabouret et lissa sa chemise en rougissant.

— Je prenais une pause, mais il est temps que je retourne au bureau.

Ian hocha la tête et regarda vers Lucien.

— Oui. Il vaut toujours mieux être discret pour ce genre de chose, fit-il en regardant le jeune chef droit dans les yeux.

Lucien opina silencieusement. Francesca comprit que Ian venait juste de signifier au couple qu'il ne ferait rien pour contrarier leur relation, tant qu'ils ne la criaient pas sur tous les toits.

— Puis-je te parler un moment ? Il y a quelque chose que je voudrais te montrer, dit Ian à Francesca.

Zoe se glissa derrière eux ; elle souhaitait clairement profiter de l'occasion pour s'éclipser.

— Je... D'accord, répondit Francesca.

Elle se sentait quelque peu piégée par la situation, sans parler des yeux fascinants de Ian et du soulagement qu'elle avait à le revoir. Avait-elle vraiment cru qu'elle pouvait le chasser de son esprit et de son âme si facilement à cause de sa colère ? Qu'était la colère, face aux sentiments inexplicables et profonds qu'elle ressentait pour lui ?

Elle dit au revoir à Lucien en lui lançant un regard d'excuse pour ce qui s'était passé. Le jeune homme lui répondit par un sourire rassurant.

— Où allons-nous ? demanda Francesca à Ian après qu'ils eurent quitté *Fusion* pour se diriger vers la sortie de l'immeuble, en face des ascenseurs.

Elle avait cru qu'il la conduirait à son bureau, mais il la précéda jusqu'au coin de la rue.

— On retourne à la résidence. Il y a quelque chose que je veux te montrer là-bas.

Elle s'arrêta brusquement et le scruta. Une expression étrange traversa le visage stoïque de Ian, et elle se demanda s'il se souvenait de lui avoir dit quelque chose de très similaire quelques semaines plus tôt... la soirée où ils s'étaient rencontrés ici même, au siège de Noble Enterprises.

— Je ne veux pas rentrer à l'appartement avec toi, dit-elle avec raideur.

Avait-il perçu que son timbre sonnait faux ? En tout cas, c'était le cas pour Francesca. Une partie d'elle avait très envie de rentrer à la résidence avec lui. Pourquoi diable le trouvait-elle si irrésistible ? Il était comme une drogue à laquelle elle s'était accoutumée, et même pire. Pire, parce que c'était son âme qui était impliquée. Pire, parce qu'une part de l'âme de Ian... était hantée aussi.

— J'espère pouvoir te faire changer d'avis sur ce que tu m'as dit juste avant que je parte, dit-il d'une voix calme en marchant devant elle.

Les nuages étaient venus masquer le soleil faiblissant, et les yeux de son amant semblaient particulièrement lumineux avec le ciel sombre et bas en arrière-plan. Ils se tenaient sur le trottoir, au milieu des passants, mais c'était comme si on avait refermé une bulle autour d'eux.

— Ça n'avait rien à voir avec un caprice comme tu me l'as reproché la semaine dernière, Ian. Tu m'as quittée sans me donner d'explication.

— Je suis revenu. Je t'avais dit que je le ferais.

— Et je t'avais dit que je ne serais plus disponible quand ça arriverait.

Quand elle prononça ces mots, une lueur flamboya dans les iris de Ian. D'une certaine façon, elle savait avant de parler qu'il détesterait cette phrase.

« J'aime savoir que vous êtes disponible pour moi. »

Francesca éprouva une sorte de trouble. Elle détourna les yeux en direction du fleuve.

— Le tableau avance bien.

— Je sais. Je suis venu voir tes progrès quand je suis repassé chez moi en rentrant. C'est spectaculaire.

— Merci, répondit-elle en évitant toujours son regard.

— Jacob m'a dit que tu avais réussi tes deux épreuves de conduite. Il est très fier de toi.

Elle ne put s'empêcher de sourire. C'était aussi un véritable motif de fierté pour elle – de profonde fierté. Elle devait cela à Ian.

— Effectivement. Merci pour m'avoir encouragée à le faire. (Elle contempla fixement ses chaussures.) Ton voyage à Londres s'est bien passé ?

Comme il ne répondait pas immédiatement, elle releva les yeux vers lui.

— Je ne me souviens pas de t'avoir dit où j'allais.

— Tu ne l'as pas fait. Je l'ai deviné. Pourquoi est-ce que tu te rends toujours seul là-bas ? ne put-elle s'empêcher de demander. Jacob m'a dit que tu ne l'emmenais jamais.

Elle vit le visage de Ian s'assombrir.

— Ce n'est pas la faute de Jacob, reprit-elle. Il ne savait pas non plus où tu étais. Je lui ai juste posé des questions sur tes voyages, et c'est là qu'il m'a dit qu'il ne t'accompagnait jamais à Londres. J'en ai déduit que tu devais y être, vu qu'il était avec moi à Chicago.

— Pourquoi t'es-tu montrée si curieuse ?

Elle encaissa le coup. Pourquoi, en effet, si elle proclamait que Ian ne l'intéressait plus ?

— Qu'est-ce que tu veux me montrer à la résidence ?

Le regard froid qu'il lui lança lui prouva qu'il se rendait parfaitement compte qu'elle avait éludé sa question. Il la prit par la main et l'entraîna à sa suite.

— C'est une chose qui doit être vue, pas décrite.

Elle hésita quelques secondes. Envisageait-elle vraiment de lui pardonner son départ abrupt et sans explication du dimanche précédent ?

Elle soupira et lui emboîta le pas.

Elle ne s'avouait pas vaincue, mais exactement comme lors de leur première nuit, elle ne trouvait pas la force de lui résister. Peut-être à cause des jours interminables qu'elle avait passés sans lui, ou parce que sa soudaine réapparition l'avait forcée à baisser la garde, ou tout simplement parce que le revoir l'emplissait d'une vague étourdissante de chaleur et de joie.

Quelle qu'en fût la raison, elle n'avait pas la force de lui résister cet après-midi-là.

14

Quand Francesca sortit de l'ascenseur, une impression d'étrangeté la saisit en apercevant le vestibule de la résidence. Elle avait désormais l'habitude de ce lieu, mais tant de choses avaient changé depuis la première fois où elle avait pénétré dans son monde... L'appréhension qu'elle ressentit en entrant dans l'appartement feutré, liée à la présence de Ian juste derrière elle, n'était que trop familière.

— Par là, dit-il de sa voix grave et calme, semblable à une caresse sur sa nuque.

La fébrilité de Francesca ne fit que croître pendant qu'elle le suivait jusqu'à la bibliothèque – la pièce où Ian avait accroché le tableau *Le Chat qui marche tout seul*.

Quand il lui ouvrit la porte et l'invita à entrer, la première chose qu'elle remarqua fut la présence d'un autre homme qui lui présentait son profil, concentré sur sa tâche.

— Davie ? s'exclama-t-elle, éberluée de rencontrer son ami dans cet endroit inattendu.

Davie lui jeta un regard par-dessus son épaule et sourit. Il reposa le tableau qu'il était en train de préparer et se tourna vers elle. Le regard de Francesca faisait des allers-retours entre l'apparition surprenante de son ami et le tableau qu'il avait posé en équilibre sur une table contre le mur.

— Oh, mon Dieu ! Où est-ce que tu l'as retrouvé ?

Elle resta interdite en contemplant la toile représentant un panorama urbain de Chicago, où apparaissaient les immeubles Wrigley, Union and Carbide, et le Mather Tower. Elle avait peint ce tableau quand elle avait vingt ans et l'avait vendu pour deux cents dollars à une galerie en banlieue. Ça lui avait fendu le cœur de s'en séparer, mais elle n'avait pas eu le choix à l'époque.

Avant que Davie n'ait le temps de répondre, elle se mit à tourner sur elle-même, toujours stupéfaite. Elle n'arrivait plus à respirer.

Ses tableaux encerclaient toute la bibliothèque. Davie les avait alignés sur les murs ; il y en avait une bonne quinzaine – tous vendus plusieurs années auparavant par la jeune femme. Ils se déployaient comme des pétales autour du *Chat qui marche tout seul*, trônant au milieu. Elle n'avait jamais vu autant de ses œuvres rassemblées. Elle avait dû s'en séparer une par une, avec l'impression d'arracher chaque fois une petite part de son âme. Au fond, elle s'en était toujours un peu voulu de ne pas avoir su conserver près d'elle les trésors les plus précieux, les plus sacrés de son art.

Et maintenant, ils étaient tous là, devant elle.

Elle en tremblait d'émotion.

— Cesca, fit Davie à voix basse.

Il s'approcha d'elle, le visage sérieux.

— C'est toi qui as fait ça ? demanda-t-elle fébrilement.

— C'est une commande, répondit le jeune homme.

Elle suivit son regard entendu.

Ian se tenait sur le seuil de la bibliothèque. Il la contemplait d'un regard intense qui renfermait une lueur d'inquiétude – et aussi quelque chose d'autre, de plus sombre... de la tristesse.

Oh non. Elle était capable de se défendre contre son arrogance. Contre sa manie de vouloir tout contrôler. Contre son autoritarisme.

Mais pas contre cette expression anxieuse et un peu perdue qu'elle lisait à présent sur son beau visage viril. C'était trop pour elle. Toutes ses émotions refoulées explosèrent d'un coup dans sa poitrine, comme un orage qui couvait depuis trop longtemps.

Elle se rua hors de la pièce.

*

* *

— Laissez-moi faire, ordonna Davie à Ian quand ce dernier se tourna pour rattraper Francesca.

Ian sentit son estomac se nouer face à l'angoisse qui se lisait sur le visage de la ravissante jeune femme. Il détestait se sentir impuissant. Il avait organisé toute sa vie pour éviter cette sensation déplaisante, terrible. Et pourtant, il lui fallut l'endurer quand il s'obligea à rester immobile, regardant Davie se lancer à la poursuite de Francesca.

*

* *

— Bon sang, comment as-tu réussi à faire ça, Davie ? demanda Francesca à son ami quand ce dernier la rattrapa finalement dans l'atelier.

Elle était heureuse que ce fût lui et non Ian. Ce dernier avait brisé les dernières défenses qu'elle possédait encore en commettant ce qu'il avait fait. Comment avait-il su que lui restituer ainsi ses œuvres du passé détruirait toutes les murailles qu'elle avait bâties pour se protéger de lui ?

Davie haussa les épaules et s'avança vers la table où Francesca entreposait ses fournitures de peinture. Il détacha une feuille d'essuie-tout et la lui tendit.

— Ian m'a donné carte blanche pour localiser et acheter un maximum de tes travaux passés. Quand on dispose de ce genre de ressources, ce n'est pas aussi difficile que tu pourrais le penser.

— Quand on dispose d'autant d'argent, tu veux dire, répliqua Francesca en s'essuyant la joue avec le Sopalin.

Davie lui adressa un regard plein d'empathie.

— Je sais que ta relation avec Ian est terminée, comme tu me l'as dit la semaine dernière, mais c'était un projet que nous avions lancé depuis plus longtemps… avant ton voyage à Paris, en fait. Tu m'en veux ?

— Pour avoir comploté avec Ian ? renifla-t-elle avec un pauvre sourire.

— Je n'aurais pas accepté si ça n'avait pas représenté quelque chose d'aussi important pour toi. Tu sais que j'essaie de récupérer une partie de tes anciennes œuvres depuis un bon moment maintenant. C'est parce que je pense que tu es une artiste exceptionnelle que j'ai voulu faire ça, Cesca. C'est pour ça que j'ai accepté d'aider Ian à rassembler les pièces. Pas pour son argent. (L'attention de Davie fut soudain captée par autre chose, et il s'avança vers le tableau.) Tu t'es surpassée, murmura-t-il. C'est la plus belle de toutes tes créations.

— Tu le penses vraiment ? fit-elle en se rapprochant de lui.

Davie hocha solennellement la tête, parcourant des yeux le grand tableau. Il croisa le regard de la jeune femme.

— Je sais que tu as dit que ton… histoire avec lui était finie, Cesca. Mais je ne peux pas m'empêcher de voir que Ian Noble est complètement fou de toi. D'accord, j'ai émis des réserves sur ta relation avec lui par le passé. Mais ce qu'il vient de faire, ce n'était pas seulement grâce à l'argent. Tu ne me croirais pas si je te décrivais les efforts et l'obstination dont il a fait preuve pour retrouver tes toiles.

Elle ne savait pas très bien au juste ce qu'elle devait éprouver. Deux larmes perlèrent au coin de ses paupières.

— Il l'a fait parce qu'il le pouvait, Davie.

— En quoi est-ce mal ? s'enquit le jeune homme d'un air perplexe. Qu'est-ce qui t'intimide autant chez Ian Noble ? Je vois bien que tu es non seulement attirée par lui, mais aussi déchirée. Qu'est-ce qu'il t'a fait ? demanda-t-il avec cette fois une nuance d'inquiétude dans la voix.

— Oh, Davie…, chuchota-t-elle misérablement.

Elle ne lui avait jamais parlé de l'aspect sexuel de sa relation avec Ian… du fait que son amant se définissait comme dominant, et la définissait, elle, comme une soumise.

Elle lui avoua tout en bredouillant, s'empêtrant dans des périphrases comiques en essayant de décrire à Davie une version « soft » de leurs ébats et en s'apercevant que c'était presque impossible.

— Francesca…, commença Davie en la regardant d'un air vaguement gêné. Ce genre de pratiques sexuelles n'a rien de terrible en soi. Je croyais que tu n'avais pas vraiment d'expérience dans…

— Aucune… avant Ian.

— Oui. Mais les gens font ce qu'ils veulent dans leur lit. Tant que c'est entre adultes consentants et que personne ne fait de mal à personne... (Il pâlit brusquement.) Ian ne te fait pas de mal, hein ?

— Non... non, ce n'est pas ça ! s'exclama-t-elle. Je veux dire... j'aime... j'aime la façon dont il me fait l'amour, dit-elle en rougissant comme une pivoine.

Elle n'avait jamais eu ce genre de conversation avec Davie auparavant... avec personne, en fait.

— C'est juste qu'il n'arrête pas de vouloir tout contrôler, reprit-elle. Regarde la façon dont il s'est arrangé avec toi pour faire tout ça dans mon dos ! Il savait que ça me donnerait envie de lui pardonner pour m'avoir quittée sans explication la semaine dernière, alors qu'on commençait à devenir proches.

Davie soupira.

— Non, je te l'ai dit. Ian m'avait déjà demandé bien avant de retrouver tes tableaux. Il ne pouvait pas savoir que vous alliez vous disputer et que ça te pousserait à lui pardonner. Écoute... j'ai passé beaucoup de temps à travailler avec lui, ces dernières semaines, pendant que je négociais le rachat de tes œuvres. Je sais qu'il est autoritaire, mais c'est aussi quelqu'un d'avisé. OK, il est têtu et il essaie toujours d'imposer sa façon de faire. Mais je pouvais difficilement le lui reprocher alors qu'il accomplissait clairement tout ça pour te faire plaisir.

Elle ne répondit pas et dévisagea son ami. Comme elle avait envie de le croire !

— En fait, je ne connais qu'une seule autre personne aussi têtue que lui, reprit Davie d'une voix taquine.

Francesca éclata de rire. Elle savait de qui son ami parlait.

— Si tu mettais les choses au clair avec lui pour définir, une fois pour toutes, qu'il ne peut se montrer dominant avec toi que dans le cadre de vos relations sexuelles, ça irait mieux ?

— Mais il se dévoile tellement peu à moi... C'est comme s'il pouvait m'oublier juste en appuyant sur un interrupteur.

Davie hocha pensivement la tête.

— Eh bien, c'est à toi de voir, bien sûr. Je ne suis pas certain qu'il ait la faculté de t'oublier si facilement. Il reste indéchiffrable la plupart du temps, ça, c'est indéniable, mais ça ne veut pas dire qu'il ne pense pas à toi. Juste qu'il est très bon pour le cacher. Quoi qu'il en soit, je voulais juste que tu saches à quel point il s'est investi pour retrouver tes toiles. Il n'a rien lâché. (Davie jeta un coup d'œil à sa montre.) Il va falloir que j'y aille. C'est moi qui fais la fermeture de la galerie ce soir.

— Merci, Davie, fit-elle en l'étreignant chaleureusement. Pour avoir retrouvé mes tableaux, et pour m'avoir parlé de Ian.

— De rien, répondit-il avec un regard empli d'affection. Je serai toujours là si tu as envie de parler.

Elle hocha tête et le regarda sortir de la pièce, l'abandonnant à ses doutes et à ses espoirs.

*
* *

Dix minutes plus tard, elle frappa doucement à la porte des appartements privés de Ian. Elle entendit un « entrez » distant, et elle pénétra dans la pièce. Il était assis sur le divan dans le coin-salon, sa veste déboutonnée, ses longues jambes pliées devant lui, en train de consulter ses messages sur son téléphone portable. Il leva les yeux vers elle quand elle s'approcha.

— Je suis juste retournée voir les tableaux, dit-elle. Je suis désolée de m'être enfuie comme ça.

— Tu vas bien ? demanda-t-il en posant le téléphone sur le divan.

Elle hocha la tête.

— J'étais... bouleversée.

Un silence pesant se prolongea entre eux tandis qu'il la dévisageait.

— J'ai pensé que ça te rendrait heureuse. Les tableaux.

Les yeux de Francesca la brûlaient, et elle fixait obstinément les motifs du tapis oriental. Bon sang... elle avait cru s'être débarrassée une fois pour toutes de ces larmes gênantes.

— Ils me rendent heureuse. Plus heureuse que je ne puis le dire. (Elle se força à le regarder dans les yeux.) Comment savais-tu que ça me toucherait autant ?

— Je sais à quel point tu es fière de ton travail, répondit-il en se levant. J'imagine que ça a dû être très dur pour toi de te séparer de ces œuvres.

— C'était comme d'abandonner une partie de moi chaque fois, dit-elle en essayant de sourire. (Un tremblement nerveux agitait ses mains. Il s'approcha d'elle, et son regard la cloua sur place.) Je ne sais pas si je pourrai un jour te rembourser cette dette. Je veux dire... Je sais que les toiles t'appartiennent. Tu les as achetées. Mais le simple fait de pouvoir les revoir, c'est extraordinaire. C'est... presque trop, tu ne penses pas ?

— Pourquoi est-ce que ce serait trop ? Tu crois que j'ai fait ça pour te remettre dans mon lit ?

— Non, mais...

— Je l'ai fait parce que tu as un talent exceptionnel. Tu sais à quel point j'apprécie ton art. Je ne jouerais pas les mécènes si tu n'étais pas aussi douée, Francesca.

Elle expira lentement. Comment pouvait-elle argumenter face à une générosité qui semblait aussi sincère ?

— Merci. Merci infiniment d'avoir pensé à moi, Ian.

— Je pense plus à toi que tu ne le crois.

Elle avala péniblement sa salive, se souvenant de ce que lui avait dit Davie un peu plus tôt… « Il est très bon pour le cacher. »

— Je suis désolé de t'avoir bouleversée la semaine dernière. Je devais réellement m'occuper d'une affaire urgente. Je n'essayais pas de t'éviter, s'excusa-t-il. Mes sentiments te concernant sont toujours les mêmes. J'aimerais que tu reconsidères ce que tu m'as dit l'autre jour. Je n'arrête pas de penser à toi, Francesca.

En entendant la façon dont il avait prononcé cette dernière phrase, la jeune femme plongea ses yeux dans les siens.

— Si… si on reprend notre relation là où on l'a laissée, Ian… est-ce que tu peux me promettre que tu essaieras seulement de me contrôler… de me dominer… au lit ? demanda-t-elle d'une voix oppressée.

Prononcer ces mots avait été plus dur pour elle qu'elle ne l'avait prévu. Comme il ne répondait pas aussitôt, elle sentit les battements de son cœur s'accélérer. Le visage de Ian était toujours impassible, mais ses yeux brillaient d'émotion.

— Tu veux dire dans le cadre de nos relations sexuelles ? Parce que je ne peux pas te garantir que je n'aurais jamais envie de toi hors d'une chambre à coucher. Comme tu le sais depuis Paris, le désir peut surgir n'importe où.

— Oh… eh bien, oui. C'est ce que je voulais dire. Je reconnais que j'aime quand tu me… domines sexuellement, mais je ne veux pas que tu essaies de contrôler ma vie.

— Tu penses à la façon dont j'ai essayé de contrôler Elizabeth ?

— Tu m'as dit que tu me faisais plus confiance à moi.

Elle sentit qu'il réfléchissait, et éprouva le besoin de mieux s'expliquer.

— Je tiens vraiment à te remercier pour m'avoir encouragée à prendre davantage le contrôle de ma vie, fit-elle – elle ne voulait pas qu'il pense qu'elle était insensible aux choses positives qu'il lui avait apportées durant leur courte relation. J'ai apprécié que tu fasses cela. Mais je veux être la seule aux commandes de ma vie, Ian. En dehors du sexe, je veux dire, ajouta-t-elle dans un souffle.

Les lèvres serrées de son amant ne formaient qu'une mince ligne.

— Je ne peux pas te garantir que je ne chercherai jamais à contrarier ta nature.

— Mais tu essaieras ?

Il la scruta longuement et soupira.

— Oui. J'essaierai.

Le cœur de la jeune femme bondit dans sa poitrine. Elle s'élança dans ses bras et l'étreignit avec force. Quand elle leva les yeux vers lui quelques instants plus tard, une lueur d'amusement brillait dans ses prunelles. Il avait dû comprendre l'élan de joie qui l'avait submergée en entendant ses mots. « J'essaierai. »

— J'ai une idée, dit-elle. Laisse-moi t'emmener faire un tour en moto.

— Je ne peux pas, répondit-il avec regret en lui caressant la joue.

— Mais Jacob dit que je suis une très bonne conductrice – meilleure qu'en voiture.

Il sourit largement, et elle crut qu'elle allait fondre.

— Ce n'est pas ce que je voulais dire. Je dois retourner au bureau. J'ai énormément de travail.

— Oh..., lâcha-t-elle, déçue.

Elle s'en remit très vite, cependant. Elle comprenait qu'il avait de lourdes responsabilités.

— Mais puisque tu en parles, je t'ai ramené une surprise de Londres, dit-il avec un petit sourire sur sa bouche si ferme.

— Hein ?

Il détacha les mains du corps de la jeune femme et s'avança vers un tiroir. Quand il revint, il portait un casque de moto noir d'une main – une paire de gants de cuir fourrés dans l'ouverture – et dans l'autre main, un cintre où était suspendu un blouson de cuir noir moulant.

— Oh, mon Dieu, je l'adore ! laissa-t-elle échapper en tendant la main vers le vêtement.

Il descendait jusqu'aux hanches, avec une fermeture Éclair en diagonale et des boutons. Elle savait qu'il lui irait à la perfection. Elle caressa doucement le cuir d'un geste appréciateur.

— Je peux l'essayer ? demanda-t-elle à Ian d'une voix vibrante d'excitation.

— Pas de protestation pour le cadeau ? fit-il d'un ton ironique alors qu'elle ôtait hâtivement le blouson du cintre.

Elle sentit le rouge lui monter aux joues.

— J'aurais dû protester... C'est juste que... on dirait qu'ils ont été conçus pour moi, dit-elle en jetant un coup d'œil au casque.

— C'est parce que c'est effectivement le cas, murmura-t-il.

Elle lui adressa un sourire par-dessus son épaule tout en se ruant vers la salle de bains pour contempler son reflet dans le miroir. Comment faisait-il pour toujours trouver le cadeau parfait ? Elle aurait aimé pouvoir lui rendre la pareille. Elle entendit le téléphone de Ian sonner dans la pièce d'à côté alors qu'elle était en train de remonter la fermeture Éclair. Le blouson lui allait réellement à la perfection – moulant, élancé et sexy.

Elle revint dans la chambre à coucher, radieuse. Ian s'était rassis sur le divan et discutait au téléphone. Il haussa les sourcils d'admiration quand elle défila devant lui avec la veste ; ses yeux bleus la détaillaient des pieds à la tête.

— Étudions la possibilité d'émettre des obligations, était-il en train de dire à son interlocuteur.

Elle s'avança vers lui en se sentant ridiculement heureuse de la conversation qu'ils avaient eue tous les deux. Avait-elle fait une erreur en reniant sa promesse de ne plus s'investir sentimentalement avec lui ?

Mais il avait promis qu'il essaierait d'être moins autoritaire. Cela signifiait beaucoup pour elle. Elle savait que les gens ne pouvaient pas changer du jour au lendemain et, dans le cas de Ian, son désir de contrôler tout ce qui l'entourait remontait au plus profond de son enfance, quand il avait été forcé de veiller sur sa mère au lieu d'être protégé par elle.

C'était peut-être pour ça qu'elle n'avait pas protesté devant son cadeau. S'il faisait des efforts pour assouplir son comportement, elle devait en faire également. Bien sûr, l'adorable blouson et le casque représentaient des cadeaux faciles à accepter, reconnut-elle intérieurement en caressant d'une main les lignes fluides du vêtement. Une lueur apparut dans les yeux de son amant quand elle effleura le cuir juste sous la courbe de ses seins.

Quelque chose s'éveilla en elle au même moment, comme si son sang coulait plus vite. Elle s'avança d'un pas vers lui. Il la contempla fixement, les narines légèrement frémissantes. Tout d'un coup, elle se rendit compte à quel point il lui avait manqué – et combien elle avait eu peur, sans se l'avouer, de ne plus jamais pouvoir le toucher.

— Il faut voir les intérêts des obligations et les frais de dossier. On comparera avec les taux bancaires, dit Ian au téléphone.

Un étrange mélange d'audace, de gratitude et de désir envahit la poitrine de Francesca. Il lui avait offert un cadeau d'une valeur inestimable en retrouvant ses tableaux. Il lui avait rendu son passé.

Elle voulait lui donner quelque chose en retour.

L'expression de Ian changea quand elle s'approcha pour lui écarter délicatement les jambes. Il ouvrit grands les yeux lorsqu'elle s'agenouilla devant lui et essaya de lui attraper le poignet quand elle tendit la main vers la boucle en argent de sa ceinture. Elle le regarda dans les yeux, l'implorant silencieusement, et il relâcha son étreinte.

Elle déboucla sa ceinture et déboutonna sa braguette de ses doigts agiles.

— L'émission d'obligation nous donnerait plus de flexibilité pour de futures acquisitions qu'un simple emprunt bancaire, était en train de dire Ian au téléphone.

Les doigts de Francesca caressèrent ses testicules recouverts par le boxer tandis qu'elle essayait de faire descendre son pantalon. Il se racla la gorge pour dissimuler un grognement. Elle lui lança un regard reconnaissant quand il souleva légèrement les hanches de manière à lui permettre de faire descendre le pantalon et le boxer sur ses cuisses.

Puis elle prit son membre en main, l'étudiant avec fascination. Il était toujours aussi doux. Une vague de tendresse et de désir la submergea à cette vision, à cette sensation... à l'odeur mâle de son sexe qui emplissait ses narines. En quelques secondes, elle le vit se raidir, s'épaissir et s'allonger.

Extraordinaire.

Elle ferma les yeux et le prit dans sa bouche ; elle voulait le sentir durcir encore entre ses lèvres. *Oh, que c'est bon,* songea-t-elle à travers le brouillard de désir qui l'enveloppait. Comme elle l'avait introduit dans sa bouche avant que l'érection soit totale, elle pouvait l'aspirer plus profondément. Elle commença à osciller la tête d'avant en arrière entre ses genoux, de plus en plus vite. Son sexe se tendit, ce qui étira ses lèvres serrées. Elle frissonna quand il passa la main dans ses cheveux, sur sa nuque. Comme à distance, elle l'entendit dire :

— Euh… tu disais, Michael ? Oui, c'est ça, juste une évaluation des deux options possibles.

Il emplissait totalement la bouche de Francesca, à présent, et elle arrivait tout juste à le contenir. Il la tenait par les cheveux, dans le cou, et l'aidait doucement à trouver le bon rythme. Elle se mit à utiliser sa main en plus de sa bouche, caressant de bas en haut la base de l'épais membre quand il glissait hors de sa bouche.

Il eut un hoquet et toussota.

— Hem… oui. Michael, fais-moi une faveur, et récupère-moi juste l'estimation chiffrée des scénarios pour des obligations à dix ans et à vingt. Je prendrai une décision dès que j'aurai vu les chiffres. Oui, c'est tout pour le moment, merci.

Elle prit vaguement conscience qu'il laissait tomber le téléphone sur les coussins du divan. Elle leva les yeux vers lui alors que son membre turgescent dépassait à moitié de sa bouche.

— Ne me regarde pas avec cet air innocent, murmura-t-il en utilisant sa prise sur ses cheveux pour contrôler ses mouvements. Tu savais exactement ce que tu faisais, n'est-ce pas ? N'est-ce pas ? insista-t-il avec fermeté tout en l'encourageant à accélérer. (Elle hocha la tête et émit un gargarisme sourd de confirmation. Il siffla entre ses dents :) Tu fais tout pour me torturer, Francesca.

Elle le suça avec enthousiasme et secoua légèrement la tête. Il hoqueta.

— N'essaie pas de nier l'évidence, ma beauté, reprit-il d'une voix qui se faisait de plus en plus rauque.

Elle gémit fiévreusement. Lui donner ainsi du plaisir la plongeait dans un état de quasi-transe.

Elle le prit profondément dans sa gorge. Il éructa de plaisir et affermit sa poigne dans sa chevelure, exigeant qu'elle le suce plus vite et plus fort. Elle le masturba avec son poing, avide de le satisfaire, de le voir succomber, de goûter sa semence. Il s'empala totalement en elle et elle le reçut dans sa gorge à nouveau, luttant pour respirer par le nez. Les hanches de Ian s'arquèrent brusquement, et il gronda, de plus en plus fort, en commençant à jouir. Elle le sentit vibrer contre son palais et écarquilla les yeux alors qu'il commençait à se répandre dans sa gorge.

Il se retira partiellement après une seconde ou deux pour se vider complètement sur la langue de la jeune femme.

Au bout d'un moment, il relâcha sa prise et commença à lui masser le cuir chevelu. Son corps puissant s'effondra sur les coussins du divan, et son sexe glissa hors de la bouche de Francesca avec un bruit de succion.

— Tu mérites une bonne fessée pour ça, dit-il en la contemplant entre ses paupières mi-closes tandis qu'elle se léchait les lèvres.

Elle vit un petit sourire apparaître sur sa bouche et le lui rendit. Il n'avait pas franchement l'air furieux – plutôt celui d'un homme repu et satisfait.

— Est-ce que tu vas m'en donner une ? demanda-t-elle, parcourue par un frisson d'excitation.

— Bien entendu. Tu vas avoir droit à une séance de tapette. Je ne peux pas te laisser me distraire pendant que je travaille, Francesca.

Ses gestes démentaient ses mots : il lui caressait les cheveux d'une main, et la joue de l'autre, d'une manière très tendre. Elle ne pouvait s'empêcher de se dire qu'il avait plutôt apprécié d'être distrait dans sa tâche.

— Va dans la salle de bains et mets une robe.

Elle se leva et suivit ses instructions, sentant son pouls battre à ses tempes. Quand elle revint dans la suite quelques minutes plus tard, elle se figea en le voyant. Il l'attendait, torse nu.

— Suis-moi, dit-il en lui prenant la main.

Francesca ouvrit grands les yeux quand elle le vit sortir la clé familière de sa mallette.

— Ce que j'ai fait n'était pas si grave, si ? demanda-t-elle d'un ton inquiet lorsqu'il déverrouilla la porte de la pièce où il lui avait dit qu'elle recevrait ses punitions les plus sévères.

— Tu as compromis mes capacités à réfléchir au moment où je devais prendre une décision professionnelle, dit-il en la faisant pénétrer dans la pièce et en refermant la porte à clé derrière lui.

Il la mena jusqu'au tabouret haut qu'elle avait déjà remarqué lors de sa première visite, celui qui était posé en face de la barre horizontale qui ressemblait à une barre de ballet, avec un dos bizarrement incurvé. De devant, il semblait plutôt ordinaire, avec un contour en demi-cercle. Mais la partie arrière s'incurvait vers l'intérieur, comme si on avait ôté un croissant du disque. Ian conduisit Francesca jusqu'à la commode en bois de cerisier et ouvrit un tiroir. Elle scruta le tabouret, à la fois perplexe et incroyablement excitée. Quand elle vit que Ian avait sorti le pot de stimulant clitoridien et la tapette en cuir noir, sa vulve se contracta violemment.

Il la dévisagea attentivement quelques instants plus tard, pendant qu'il appliquait la crème sur son clitoris.

— Je vais te donner une bonne cinquantaine de coups. Tu mériterais encore plus pour ce que tu as fait.

Les joues de Francesca devinrent brûlantes de désir et de crainte.

— Tu ne t'es pas trop plaint pendant.

Un demi-sourire fendit les lèvres fermes de son amant.

— Assieds-toi sur le tabouret, face au mur, ordonna-t-il.

Elle fit ce qu'il lui disait, s'asseyant sur le rebord du siège pour éviter le croissant manquant à l'arrière.

— Recule de manière à ce que tes fesses dépassent du bord. Penche-toi en avant et pose tes mains sur la barre. Oui, comme ça.

La jeune femme commença à comprendre ce qui allait se passer en se penchant en avant, faisant peser le poids de la partie haute de son corps sur la barre, tandis que son postérieur retombait de l'autre côté, à travers le trou du tabouret. La crème commençait à brûler son clitoris, et elle pouvait voir dans le miroir Ian se déplacer derrière elle, la grande tapette de cuir noir dans la main.

Oh non… Ses fesses étaient terriblement exposées et vulnérables… et parfaitement positionnées pour recevoir les coups.

Whack.

Un gémissement jaillit de sa gorge sous le bref aiguillon et la brûlure cuisante.

— Chhh…, murmura Ian en caressant sa chair avec la fourrure. C'est trop pour toi ?

— Ça va aller, dit-elle dans un souffle.

Il releva le bras et donna un autre coup, puis un autre. Cette fois, il utilisa directement sa main pour apaiser ses fesses, caressant et massant doucement la chair brûlante sous ses paumes.

— Tu n'as pas de chance d'avoir un aussi beau cul, marmonna-t-il tout en la caressant.

— Pourquoi ?

— Peut-être que s'il l'était moins, je n'aurais pas à le punir autant.

Francesca gémit quand il frappa à nouveau, atteignant la courbe inférieure de son postérieur. Elle vit son sexe se dresser sous le tissu de son pantalon. Il souffla fort et empoigna son membre à travers le tissu.

— Je croyais que tu me punissais parce que je t'ai distrait pendant ton travail, dit-elle en le regardant avec des yeux écarquillés se caresser d'une main tout en levant à nouveau la tapette.

— Aïe ! gémit-elle une seconde plus tard quand il toucha une deuxième fois la même zone sensible.

Il aimait vraiment la frapper à cet endroit-là – la courbe inférieure de son postérieur. Malgré la douleur cuisante, elle sentit son clitoris pulser d'excitation.

— Toutes mes excuses…, marmonna-t-il en la frappant cette fois plus haut. Tu es effectivement punie parce que tu m'as distrait. Je voulais juste dire que… un cul aussi splendide est fait pour être puni régulièrement, fit-il avec un petit sourire.

Elle réprima un nouveau cri quand il la frappa à nouveau. Elle pouvait voir dans le miroir que ses fesses commençaient à prendre une jolie couleur rose du côté droit.

Elle ne put retenir un gémissement de pur plaisir quand il déboutonna son pantalon et le fit descendre avec le boxer au-dessous de son membre turgescent.

— Ian..., gémit-elle en voyant son érection.

— Tu vois ce que je veux dire ? demanda-t-il en abattant une nouvelle fois la tapette, faisant sortir tout l'air des poumons de la jeune femme.

Il se caressa et frappa encore. Elle n'arrivait pas à détacher les yeux de sa main en train de monter et descendre sur son sexe rigide.

— Je n'avais pas prévu de te prendre, juste de te punir. Mais ton joli cul m'a fait changer d'avis.

— Oooh, fit-elle en recevant un nouveau coup.

Son postérieur commençait à la brûler sérieusement. Elle serra les dents en voyant Ian élever une nouvelle fois son bras.

— Encore combien ? demanda-t-elle entre ses dents serrées.

— Je ne sais pas. Tu m'as à nouveau déconcentré, répondit-il d'une voix sombre en frappant encore.

Elle vit qu'il caressait son membre de plus en plus vite, le visage grimaçant. Il lui donna un nouveau coup, faisant trembler sa chair. Il poussa un juron étouffé et jeta la tapette sur le divan, à la surprise de Francesca.

— Ma punition est terminée ? demanda-t-elle, décontenancée par cette interruption soudaine.

— Non, fit-il en se dirigeant d'un pas rapide vers la commode pour prendre un préservatif. Ça ne fait que commencer.

Elle le regarda avec une excitation croissante retirer ses vêtements. Il s'approcha derrière elle et déroula le préservatif sur son érection.

— Relève-toi, dit-il.

Elle sentit son clitoris chauffer entre ses jambes pendant qu'elle descendait du tabouret. Ses fesses la brûlaient. Elle résista à l'envie de les masser pour apaiser la chaleur.

— Tiens-toi à la barre et penche-toi en avant, dit-il en la caressant doucement.

Elle s'exécuta. Presque aussitôt qu'elle eut immobilisé l'avant de son corps en s'accrochant à la barre, il écarta les lèvres de sa fente et la pénétra par-derrière.

— Si mouillée... Si docile, lâcha-t-il en contemplant son postérieur.

— Ahhh, gémit-elle, les yeux écarquillés.

— Je t'avais prévenue, murmura-t-il en assurant sa prise sur ses hanches et en commençant à la pilonner. Tu m'as provoqué, Francesca. Tu dois en accepter les conséquences. Je vais te prendre pour mon seul plaisir.

Durant les quelques minutes suivantes, alors qu'il la besognait, elle eut l'impression qu'il faisait trembler l'univers entier par ses coups de reins. Elle le contempla dans le miroir, bouche grande ouverte, alors qu'il s'enfonçait en elle encore et encore ; chaque muscle de son magnifique corps était bandé, et son membre était semblable à un piston bien huilé qui allait et venait dans son fourreau humide à un rythme infernal.

Il avait dit qu'il ne se soucierait pas de son plaisir à elle mais, en le voyant ainsi prendre le sien, avec la tension délicieuse qui s'intensifiait dans son vagin, à l'effet de la crème stimulante... elle ne pouvait pas résister. Elle succomba à l'orgasme, secouée de tremblements et gémissant sans aucune retenue. Il poussa un juron et lui claqua les fesses avant de les empoigner fermement, les collant contre lui pendant qu'il jouissait à son tour.

Ils demeurèrent collés l'un à l'autre pendant un laps de temps qui sembla à Francesca durer plusieurs minutes, bien qu'elle pensât après coup s'être trompée à ce sujet – Ian était toujours très attentif à ce que le sperme ne déborde pas du préservatif. En tout cas, il lui caressa le dos et les hanches tendrement pendant ce qui sembla à Francesca être une délicieuse éternité, jusqu'à ce que leurs respirations s'apaisent.

Enfin, il se retira avec un grognement rauque. Il l'aida à se relever et la prit dans ses bras.

La bouche de Ian se referma sur la sienne. La jeune femme ferma les yeux, s'abandonnant aussi complètement à son baiser qu'elle l'avait fait lorsqu'il lui faisait l'amour.

— Tu sais ce que j'ai envie de faire avec toi ? chuchota-t-il doucement à quelques centimètres de sa bouche un peu plus tard.

Elle passa la langue sur ses lèvres, savourant le goût de la salive de son amant, et leva des yeux ensommeillés vers lui.

— Quoi ? demanda-t-elle d'une voix traînante.

Une lueur étincela dans ses iris bleus, et elle se demanda s'il avait totalement apaisé la flamme qui se consumait en lui. Il secoua la tête, comme pour éclaircir ce point, et lui prit la main. Ils quittèrent la petite pièce confinée, et il referma la porte à clé derrière lui.

— Rhabille-toi et attends-moi, dit-il.

Elle le regarda avec un mélange de perplexité et d'admiration devant son corps divinement sexy et ses fesses nues – un spectacle qu'elle n'avait pas eu l'occasion de voir aussi souvent qu'elle l'aurait voulu. Quand il revint dans la pièce quelques minutes plus tard, elle était déjà habillée. Elle le regarda, agréablement surprise.

Il portait un jean impeccablement ajusté qui descendait bas sur ses hanches et l'un des tee-shirts blancs qu'il mettait parfois à l'escrime, une veste en cuir sur le bras. Le souffle coupé, elle admira son corps souple et musclé. Elle ne se lassait jamais de le regarder.

— Qu'est-ce que tu fais ? demanda-t-elle d'une voix incrédule.

— J'ai changé d'avis.

— Sur quoi ?

— Sur le fait de retourner au bureau. Allons faire un tour à moto. Je veux te voir en action.

Francesca demeura un instant bouche bée avant d'éclater de rire. Elle n'arrivait pas à y croire. Il était en train de prendre une décision sous l'impulsion du moment... de manière spontanée ? Ian ?

Elle mit sa veste en cuir, en proie à une folle excitation, et alla chercher ses nouveaux accessoires.

— Tu viens de t'engager pour une sacrée balade, dit-elle avant de s'avancer vers le seuil.

— Ça, je le sais déjà, répondit-il d'un ton ironique derrière son épaule, la faisant sourire encore plus.

Comment cette journée qui avait commencé de façon si morne et ordinaire pouvait-elle se finir aussi formidablement ? se demanda-t-elle alors qu'elle attendait l'ascenseur avec Ian.

Il était sexy comme un dieu avec son jean et son blouson, le casque posé au creux de son bras. Il remarqua la façon dont elle le regardait et sourit de manière un peu diabolique. L'ascenseur descendit jusqu'à la cave, et les portes s'ouvrirent, interrompant la contemplation de Francesca.

Elle se dirigea vers le parking, familière des lieux depuis ses leçons avec Jacob. Toute une zone était réservée pour les véhicules de son amant. Jacob avait une sorte de bureau non loin, rempli d'outils et de pièces détachées.

La jeune femme s'arrêta quelques secondes plus tard quand Ian enfourcha sa moto noire d'un mouvement fluide.

— Eh bien ? Monte, dit-il d'une voix douce en la voyant fixer la moto qui se trouvait à côté de la sienne.

Elle était un peu plus petite que celle de Ian, mais magnifique à sa propre façon, avec une carrosserie noire brillante ornée de rayures rouges stylisées.

— D'où est-ce qu'elle vient ? demanda-t-elle, estomaquée.

Il haussa les épaules et posa ses pieds bottés à terre, enserrant le deux-roues entre ses cuisses puissantes. Comment pouvait-il avoir l'air aussi naturel sur une moto de voyou que vêtu de ses costumes sur mesure dans un environnement luxueux ? La vision de ses mains recouvertes de cuir noir fit inexplicablement frissonner Francesca.

— Elle est à toi.

— Non ! Je veux dire…

Elle s'interrompit, regrettant sa réponse impulsive. Elle fixa Ian d'un regard implorant. L'après-midi s'était si bien passé… Les tableaux, la mise au point avec Ian pour qu'il n'essaie pas de contrôler sa vie, la veste et le blouson qu'il lui avait offerts, le plaisir qu'elle lui avait donné en retour, la façon dont il l'avait prise… et dont elle avait aimé ça. Elle ne voulait pas tout gâcher en protestant, mais une moto… C'était vraiment beaucoup trop, n'est-ce pas ? Surtout après tout ce qu'il venait de lui offrir.

Avant qu'elle ait le temps de formuler ses objections, Ian la prit de court.

— D'accord. Elle est à moi. J'ai plusieurs motos. Je te la prête pour la durée de ton existence, dit-il en la tançant du regard. Tu peux accepter ça, Francesca ?

Elle sourit et enfourcha la moto. Une vague d'exaltation enfla dans sa poitrine tandis qu'elle s'installait.

Oh oui. Ça, elle pouvait l'accepter.

*
* *

Jacob lui avait dit que Francesca avait un don inné pour la moto quand il l'avait consulté pour savoir quel type de deux-roues lui acheter. Il était heureux de constater à quel point son chauffeur avait vu juste. Voir la jeune femme foncer dans les rues de la ville, prendre des virages serrés et zigzaguer entre les obstacles du parcours était un véritable plaisir. Quand il se rendit compte que le sentiment qui l'envahissait en l'observant était de la fierté, il se moqua de lui-même en son for intérieur. En quoi était-il important qu'il l'ait initiée à une passion qu'il appréciait tant ? Ce qui comptait, c'était le goût qu'elle y prenait... qu'elle ait découvert une autre facette de son extraordinaire palette de talents.

Il jeta un coup d'œil latéral et vit qu'elle se trouvait à son côté ; ils venaient juste de rentrer à Chicago, sur l'avenue qui bordait le lac, et la nuit commençait à tomber. Elle leva le pouce à son intention, et il imagina précisément le sourire qu'elle faisait sous le casque. Quelque chose, dans la conduite à moto, soulignait sa force physique naturelle, la fraîcheur de son énergie vitale... et ses fesses moulées par le jean qui lui donnaient envie de la ramener illico presto à la résidence chaque fois qu'il les contemplait, c'est-à-dire à peu près tout le temps.

D'un geste, il lui fit signe de s'arrêter sur un parking, non loin du parc Millennium. Quelques minutes plus tard, ils ressortaient à pied sur Monroe Street, entre le parc et l'Institut des arts. Les nuages s'étaient dissipés, et la nuit s'annonçait froide et dégagée.

— Où est-ce qu'on va ? lui demanda-t-elle avec un sourire jusqu'aux oreilles, une mèche de cheveux cuivrés lui chatouillant la joue.

Il l'écarta et prit la jeune femme par la main.

— Je me suis dit que j'allais t'emmener dîner.

— Génial.

Son enthousiasme donnait à sa voix un adorable côté essoufflé. Ian dut faire un effort pour détacher les yeux de sa magnifique silhouette balayée par le vent.

— Tu es un pilote fantastique, fit-elle. Tu as l'air tellement à l'aise sur une moto. Tu as commencé à quel âge ?

— Onze ans, je crois, répondit-il en plissant les paupières pour essayer de se remémorer l'événement.

— Si jeune ?

Il opina.

— Quand je suis retourné en Angleterre après la France, j'ai eu du mal à m'acclimater. C'était un monde entièrement nouveau, un mode de vie complètement différent. Ma mère n'était plus là, dit-il avec un pli amer sur les lèvres. Ça a été très dur pour moi. J'avais un cousin nettement plus âgé, que j'ai toujours surnommé « oncle ». Oncle Gérard a découvert un jour que j'adorais la mécanique. Quand j'ai trouvé une vieille moto en panne dans le garage de son domaine – qui se trouvait tout près de celui de mon grand-père – je l'ai supplié de me laisser la réparer. C'est de là que date ma passion pour ces engins. Mon grand-père s'est mis à s'y intéresser aussi, et ça a créé un lien entre nous trois.

— Et tu as commencé à sortir de ta coquille ? demanda Francesca en le dévisageant tandis qu'ils marchaient.

— Oui. Un peu.

Des notes de musique résonnaient dans l'air pur et mordant alors qu'ils atteignaient l'avenue Michigan. Ian remarqua un attroupement sur un trottoir.

— Oh ! Les Naked Thieves jouent ce soir au parc Millennium. Caden et Justin sont quelque part dans la foule, l'informa Francesca.

— Les Naked Thieves ?

Elle le fixa d'un air incrédule.

— Le groupe de rock ? Les Naked Thieves ?

Il haussa les épaules et se sentit un peu stupide, bien qu'il prît soin de ne pas le montrer. D'après l'expression qui se lisait sur le visage juvénile de Francesca, il était définitivement censé savoir qui étaient ces Naked Thieves. Il se concentra sur les lèvres pulpeuses de la jeune femme et oublia très vite son embarras.

— Comment tu peux ne pas connaître ça ? Tu es presque une idole pour les jeunes, mais c'est comme si... (Elle secoua la tête et se mit à rire, un rire qui semblait à la fois triste et incrédule.) C'est comme si tu étais sorti du ventre de ta mère en costume trois-pièces avec ta mallette à la main.

Il accusa le coup. Plus que n'importe qui d'autre, il aurait aimé avoir une vraie enfance – et une adolescence. Passer des après-midi d'été qui s'étiraient à l'infini, sans se soucier du reste du monde ; se rebeller contre des parents qu'on ne pouvait soi-disant pas supporter alors qu'on les aimait plus que tout et qu'on savait être toujours là pour nous... faire le mur pour se rendre à un concert de rock dans un parc avec une fille splendide comme Francesca.

— Qu'est-ce que tu fais ? lui demanda la jeune femme en le voyant sortir son téléphone portable d'une poche de son blouson.

— J'appelle Lin. Tu as envie d'aller à ce concert, et elle pourra nous procurer des places assises de dernière minute.

— Ian, les places assises sont vendues depuis des lustres. Fais-moi confiance – avec Caden, on a essayé de se procurer des entrées.

— On va en trouver, rétorqua-t-il en composant le numéro de Lin.

Il s'interrompit quand Francesca posa la main sur son avant-bras. Le soleil couchant et les reflets dans ses cheveux conféraient une teinte rosée à ses joues et à ses lèvres. Ses yeux sombres brillaient d'une nuance de défi.

— Allons juste nous asseoir sur la pelouse.

— La pelouse, répéta-t-il d'un ton pince-sans-rire.

— Oui ! On ne voit pas grand-chose, mais on entend très bien. Et tout le monde a le droit d'y aller, ajouta-t-elle en l'attrapant par le bras et en le tirant en direction du parc.

— C'est justement le problème, non ?

— Oh, arrête d'être si anglais !

Une repartie cinglante lui vint à l'esprit – une réaction épidermique. Il n'était vraiment pas habitué à ce qu'on lui parle sur un tel ton. Il vit l'excitation qui pétillait dans ses yeux de nymphe et ravala finalement sa réplique. Il pourrait bien s'habituer à être taquiné et subtilement réprimandé – à condition que ce soit par elle.

— Je te gâte vraiment trop, répondit-il finalement en marchant avec elle vers la foule grouillante de jeunes devant eux. Je ne ferais pas ça pour qui que ce soit d'autre, j'espère que tu en es consciente.

Il s'arrêta brusquement quand elle se retourna vers lui, se dressa sur la pointe des pieds, et l'embrassa sur la bouche. Son parfum et son goût le submergèrent. Le doux gémissement qu'elle laissa échapper quand il approfondit le baiser était aussi délicieux que le contact de son corps. La beauté de son visage le frappa lorsqu'elle leva les yeux vers lui, les paupières mi-closes.

— C'est la chose la plus gentille que tu m'aies jamais dite, souffla-t-elle.

Peut-être parce que tu es la plus belle chose qui me soit jamais arrivée.

La pointe de regret qu'il éprouva quand ils arrivèrent sur la pelouse une minute plus tard le surprit.

Il aurait dû dire ces mots à voix haute.

Il n'était pas certain de pouvoir renoncer à ce point à ses défenses, cependant – et admettre cette vérité lui fut plus pénible que jamais.

*
* *

— La. Meilleure. Journée. De. Ma. Vie ! s'exclama-t-elle en insistant sur tous les mots quand ils revinrent dans la suite de Ian quelques heures plus tard. D'abord mes tableaux – merci encore pour ça, Ian, je suis encore sous le choc. Ensuite la balade à moto – cette bécane est géniale – et puis les Naked Thieves dans le parc !

— On ne distinguait quasiment rien pendant le concert. On aurait dit qu'ils hurlaient à la mort ou au meurtre, murmura Ian alors qu'elle tendait les mains vers lui dans l'attente.

Elle se tourna pour qu'il puisse l'aider à retirer son blouson. Malgré ce qu'il venait de dire, elle remarqua le petit sourire sur ses lèvres et sut qu'il n'était pas aussi indifférent à l'expérience qu'il ne le laissait paraître.

— C'est juste parce que tu ne connais pas les chansons, dit-elle en refusant de se laisser aller à la mauvaise humeur.

— C'est comme ça que tu appelles ce bruit ? fit-il d'un ton ironique en déposant son blouson sur le dos d'une chaise.

Francesca se retourna vers lui.

— Tu n'avais pas l'air de passer un si mauvais moment que ça.

Il vit son petit air de défi et secoua la tête. Elle éclata de rire. Elle faisait allusion au fait qu'ils avaient passé la majeure partie du concert dans les bras l'un de l'autre, de plus en plus excités et fébriles, jusqu'à ce que Ian déclare qu'il était temps qu'ils partent s'ils ne voulaient pas être arrêtés pour outrage à la pudeur.

Il lui avait fait une surprise à leur arrivée dans le parc, après qu'ils eurent trouvé l'une des rares parcelles de gazon encore disponibles.

— Attends-moi une seconde, avait-il dit. Ne t'assieds pas tout de suite.

Elle l'avait observé, curieuse et étonnée, alors qu'il s'approchait d'un groupe de jeunes gens particulièrement bien équipés qui pique-niquaient à quelques pas d'eux. Il leur avait parlé et avait désigné quelques objets. De l'argent avait changé de mains. Un moment plus tard, Ian était revenu vers elle. Derrière lui, les jeunes de la petite bande arboraient une expression à la fois éberluée et enchantée. Visiblement, il leur avait offert davantage qu'une petite somme pour son butin – deux couvertures, deux bouteilles d'eau fraîche et une assiette recouverte de papier alu qui renfermait quatre pièces de délicieux poulet frit, découvrit-elle un peu plus tard.

— J'ai bien l'impression que tu as aimé ton premier concert de rock, le taquina-t-elle.

Ce n'était que la pure vérité. Il avait apprécié de passer la soirée allongé à côté d'elle sous l'une des couvertures ; la foule bruyante autour d'eux lui avait semblé à des lieues de leur petit univers intime et privé.

— J'ai aimé être contre toi, répondit-il simplement, la faisant rougir de plaisir. (Il baissa les yeux sur elle.) Tu peux peut-être te préparer pour aller au lit ?

Le son de sa voix grave la fit frissonner, ainsi que la lueur de désir qui brillait dans ses prunelles. Elle se dirigea vers la salle de bains.

— Et... Francesca ?

Elle se retourna vers lui, fronçant les sourcils d'étonnement comme il restait silencieux pendant plusieurs secondes.

— Pour moi aussi, dit-il finalement.

La jeune femme en fut plus perplexe encore.

— La meilleure journée de toute ma vie.

Elle resta plantée là alors qu'il disparaissait dans le dressing. L'incrédulité et un sentiment plus profond devant cet accès de franchise faisaient battre son cœur. Elle détestait l'appréhension qui se mélangeait à l'émerveillement que les paroles de Ian avaient fait naître en elle.

Combien de temps pouvait durer une expérience aussi extraordinaire avec un homme si réticent à se livrer... sachant qu'elle risquait son cœur face à l'énigme de Ian Noble ?

*

* *

Les semaines suivantes défilèrent à toute vitesse, baignées dans la lueur des sentiments de plus en plus profonds qu'elle éprouvait pour Ian. Elle s'habituait peu à peu à ses humeurs, comprenant que lorsqu'il semblait distant, il était en réalité occupé à gérer une somme considérable d'informations, élaborant les stratégies de ses diverses sociétés à de multiples niveaux, prenant des décisions à sa manière, concise et rapide. Il continua à lui donner des leçons dans la chambre à coucher, et Francesca se montra une élève douée. Ian était toujours aussi exigeant avec elle – peut-être encore plus –, mais, à mesure qu'elle était plus à l'aise avec l'idée de soumission sexuelle, elle lui faisait aussi davantage confiance. Leurs rapports physiques se modifièrent subtilement, s'adoucirent d'une certaine manière, devenant de véritables échanges réciproques de pouvoir, d'abandon et de plaisir. Francesca soupçonnait que cet enrichissement était dû à leur degré d'intimité croissant, et se demandait si Ian pensait la même chose qu'elle.

Il lui donna aussi d'autres leçons, l'initiant à l'escrime, qu'elle découvrit avec un vif plaisir. Ils passèrent plusieurs dimanches à travailler sur les notions de base de l'investissement financier, Ian la mettant au défi d'élaborer elle-même un plan de placement pour son argent. Elle lui présenta deux options successives. La première fois, les remarques et objections courtoises de Ian et ses légers froncements de sourcils la renvoyèrent à son ouvrage. La deuxième fois, elle sut en voyant son petit sourire fier qu'elle avait finalement réussi à apprendre les rudiments nécessaires pour gérer son argent. Ainsi, Ian lui donna non seulement des leçons d'amour et de passion, mais lui apprit également quelques principes de base pour maîtriser sa vie.

Francesca ne fut pas la seule à apprendre quelque chose, cependant. Avec l'aide de la jeune femme, Ian apprit à se montrer plus spontané, à profiter du moment présent... à vivre comme un homme de trente ans, au lieu d'un cinquantenaire blasé et fatigué.

Le problème, c'est qu'il ne parvint jamais réellement à lui dire ce qu'il éprouvait pour elle, et qu'elle était trop timide et trop effrayée pour lui révéler qu'elle était tombée amoureuse de lui. N'était-ce pas précisément l'opposé de la façon dont il avait défini leur relation au départ ? Ne la prendrait-il pas pour une idiote qui confondait le désir et l'obsession avec quelque chose de plus profond ?

Cette pensée la hantait. Elle la repoussait en permanence quand elle était avec lui, désireuse de ne pas gâcher les moments qu'ils avaient, craignant de ruiner le présent en ressassant des angoisses concernant le futur. Elle se sentait un peu comme une funambule, luttant en permanence pour garder l'équilibre sur la corde raide de leur histoire passionnée, redoutant de trop s'attacher à lui… ou qu'il la fuie du jour au lendemain.

Un soir froid de la fin d'automne, c'est ce qui arriva.

Francesca travaillait dans l'atelier de l'appartement, essayant de finaliser les derniers détails du tableau. Elle releva le pinceau de la toile, retenant son souffle, et contempla la minuscule silhouette sombre qu'elle venait de peindre – un homme vêtu d'un imperméable gris, marchant le long du fleuve, tête baissée contre le vent froid du lac Michigan.

Ian remarquerait-il qu'elle l'avait de nouveau représenté dans l'un de ses tableaux ? Ça avait du sens pour elle, d'une certaine façon, se dit-elle en essuyant son pinceau. Il était désormais inextricablement lié à presque chaque élément de sa vie.

Alors qu'elle observait son œuvre, son cœur se mit à battre plus vite.

Terminé.

Traditionnellement, chaque fois que ce mot s'imprimait dans son cerveau avec cette impression définitive, elle ne posait plus jamais le pinceau sur la toile d'un tableau. Tout excitée, elle se rua hors de l'atelier et partit à la recherche de Ian. C'était un dimanche, et il avait choisi de rester travailler dans la bibliothèque de la résidence.

Elle était sur le point de bifurquer à l'angle du corridor central quand elle entendit une porte s'ouvrir et les bribes d'une conversation à voix basse – un homme et une femme.

— ... raison de plus pour agir rapidement, Julia, disait l'homme d'affaires.

— J'insiste sur le fait qu'il n'y a aucune garantie, Ian. L'amélioration que nous constatons en ce moment n'est peut-être que transitoire, même si nous sommes raisonnablement optimistes à l'Institut..., fit-elle avec un accent britannique marqué.

À mesure qu'elle et Ian se dirigeaient vers la porte d'entrée, Francesca ne parvint plus à distinguer leurs voix. Elle aperçut toutefois le visage de la femme. C'était l'élégante inconnue avec laquelle il avait petit-déjeuné à Paris, celle qu'il avait désignée comme une proche de sa famille. Le cœur de Francesca se serra une nouvelle fois quand elle perçut la lourde tension qui régnait entre eux, similaire à celle qu'elle avait déjà constatée dans le hall de l'hôtel parisien. Comme la fois précédente, elle battit en retraite et retourna furtivement à l'atelier.

Elle ne savait pas au juste comment elle le savait, mais elle était certaine que Ian n'aurait pas voulu qu'elle le voie... qu'elle lui pose des questions... qu'elle essaie de le réconforter.

Même si c'était ce qu'elle désirait le plus au monde en cet instant précis.

Elle passa plus de temps que nécessaire à l'atelier, remettant minutieusement de l'ordre dans son espace de travail, pour laisser Ian se remettre tout seul et en douceur. Enfin, elle décida de partir à sa recherche, mais ne le trouva pas.

Elle tomba sur Mme Hanson dans la cuisine, qui nettoyait les plans de travail.

— Je cherchais Ian, dit la jeune femme. J'ai terminé le tableau.

— Oh ! C'est formidable ! (L'excitation qui se lisait sur le visage de la gouvernante s'effaça rapidement.) Mais je crains que Ian se soit absenté. Il a dû quitter Chicago pour un moment. Une affaire urgente.

Francesca eut l'impression de recevoir un coup de poing dans l'estomac.

— Mais... je ne comprends pas. Il était juste là. Je l'ai vu avec cette femme...

— Le Dr Eptstein ? Vous l'avez vu arriver ? s'enquit la vieille dame d'un air surpris.

Dr Julia Epstein. Bien. Elle connaissait enfin son nom.

— Je les ai vus partir. C'était quoi cette urgence ? Est-ce que Ian va bien ?

— Oh oui, très bien. Ne vous en faites pas pour ça.

— Où est-il parti ? demanda Francesca d'une voix tremblante.

Profondément blessée, elle n'arrivait pas à croire que Ian était parti une nouvelle fois sans la prévenir, sans même prendre la peine de passer à l'atelier et de lui dire au revoir.

Mme Hanson évita son regard et recommença à frotter les carreaux de la cuisine.

— Je n'en suis pas très sûre...

— Vous l'ignorez vraiment, ou vous me dites ça parce que Ian vous l'a demandé ?

La gouvernante lui jeta un regard interdit, que Francesca soutint sans ciller.

— Je l'ignore réellement, Francesca. Je suis désolée. Il existe une petite partie de la vie de Ian qu'il garde farouchement pour lui, même vis-à-vis de moi, alors que je connais la moindre de ses petites habitudes.

Francesca passa affectueusement la main sur le bras de la vieille femme.

— Je comprends.

Elle était sincère. Si la vieille dame elle-même ignorait où Ian était parti, ça ne pouvait signifier qu'une chose.

Il s'était envolé pour Londres – l'endroit qui représentait la partie secrète de sa vie, où Jacob ne l'avait jamais accompagné, pas plus que Mme Hanson… et encore moins Francesca. Le Dr Epstein, en revanche… elle savait très certainement ce que Ian allait faire là-bas. Francesca ne pouvait pas s'empêcher de se remémorer encore et encore la voix crispée de son amant, son expression perdue au milieu du hall de l'hôtel.

La femme était médecin ? Est-ce que ça voulait dire que Ian avait des problèmes de santé ? Non, ça n'était pas ça. Bien sûr, elle ne pouvait pas en juger en se basant sur son apparence, mais il lui avait fourni les résultats complets de son dernier check-up pour lui prouver qu'il n'avait pas de maladie sexuellement transmissible.

— Vous connaissez bien le Dr Epstein ? tenta Francesca.

— Non. Je ne l'ai rencontré qu'une ou deux fois, très brièvement, quand Julia Epstein est venue ici à la résidence. Je pense qu'elle exerce quelque part à Londres, mais je n'ai jamais su quelle était sa spécialité, maintenant que j'y pense… Francesca ? Est-ce que tout va bien ? interrogea la gouvernante d'un air inquiet – et Francesca se demanda quelle expression elle avait bien pu lire sur son visage.

— Oui. Ça va. (Elle serra le poignet de la vieille dame pour la rassurer avant de s'écarter et de se diriger vers la porte de la cuisine. Combien pouvait bien coûter un billet d'avion Chicago-Londres ?) Mais je crois que je vais devoir m'absenter pour quelques jours, moi aussi.

Partie VIII

PARCE QUE JE SUIS À TOI

15

Davie lui proposa de l'accompagner à Londres, mais Francesca refusa poliment. Quand elle lui expliqua les raisons de son voyage, elle se montra délibérément vague et imprécise, disant qu'elle avait appris par Mme Hanson que Ian devait gérer une crise familiale, et qu'elle avait décidé de le suivre pour lui offrir son soutien.

La vérité, c'était qu'elle ne voulait pas que Davie se rende compte qu'elle entreprenait ce projet fou sans avoir la moindre idée de l'endroit où elle se rendrait après avoir atterri à l'aéroport d'Heathrow. La seule chose qu'elle savait, c'était que quelles que fussent les raisons de la présence de Ian à Londres, c'était quelque chose qui l'angoissait, et qu'il avait choisi de préserver ses proches de cette douleur.

Si, par miracle, elle réussissait à le localiser, il serait furieux contre elle. Et pourtant, elle ne pouvait pas supporter l'idée qu'il souffrait tout seul, loin d'elle. Elle était de plus en plus convaincue que ces visites « urgentes » en Angleterre étaient liées aux démons qui le hantaient.

Par ailleurs, si ce qu'il faisait là-bas était destiné à détruire à petit feu leur relation dans le futur, n'était-il pas préférable qu'elle découvre de quoi il retournait plutôt que de retarder l'inévitable ?

Ian avait essayé de l'appeler durant le vol de O'Hare à Heathtrow, constata-t-elle après l'atterrissage de son avion. C'était ce qu'elle avait espéré. Cependant, quand elle tenta de le rappeler, elle tomba sur son répondeur.

Découragée, elle s'attarda à l'aéroport, alla faire du change et récupérer ses bagages, espérant qu'une sorte de miracle adviendrait pour lui révéler l'adresse de l'appartement de Ian, ou l'endroit où il se trouvait à ce moment. Comme rien de tel ne se produisait, et qu'elle n'arrivait toujours pas à le joindre, elle prit un taxi et indiqua au chauffeur l'adresse du seul endroit qu'elle savait avoir un lien avec les séjours de Ian à Londres.

— L'Institut de Recherche et de Traitement Génétiques, annonça-t-elle.

Elle se souvint que le Dr Epstein avait mentionné « l'Institut ». Était-il possible qu'il s'agisse de l'hôpital et centre de recherche médicale dont elle avait consulté le site sur la tablette numérique de Ian ? De toute façon, quel autre indice avait-elle ?

Quarante minutes plus tard, le taxi s'arrêta devant les portes vitrées au design ultramoderne du laboratoire, qui était construit au milieu d'un magnifique parc. Francesca aperçut plusieurs silhouettes en train de déambuler sur la pelouse, toujours par deux. Chaque fois, l'une des deux personnes était vêtue d'un uniforme blanc. Des infirmières ou des aides-soignants escortant des patients ?

Elle fut prise d'un terrible doute et resta assise à l'arrière du taxi. Bon sang, qu'était-elle en train de faire ? Quelle folie l'avait poussée à sauter dans un avion et à se rendre dans un hôpital aux confins de Londres, où elle ne connaissait personne et n'avait aucune raison valable à présenter pour justifier sa présence ?

Le chauffeur lui adressa un regard interrogateur.

— Est-ce que vous pourriez m'attendre ici ? lui demanda-t-elle nerveusement tout en lui tendant son règlement.

— Je peux attendre dix minutes maximum, répondit-il sèchement.

— Merci, répondit-elle.

Si ce voyage se révélait être une impasse, elle le saurait très vite.

Elle écarquilla les yeux en pénétrant dans le hall d'accueil un instant plus tard. Il n'était pas exactement semblable à celui de Noble Entreprises à Chicago, mais il y ressemblait fortement – les boiseries sombres et élégantes, le marbre rose-beige et le mobilier de couleur neutre.

— Puis-je vous aider ? fit une femme assise derrière un bureau circulaire quand elle s'approcha.

Pendant quelques secondes, Francesca demeura plantée là sans rien dire. Puis, une idée se fit jour dans son esprit, et elle répondit sans y avoir réellement réfléchi :

— Oui. J'aimerais voir le Dr Epstein, s'il vous plaît.

Son cœur enfla dans sa poitrine durant une fraction de secondes qui lui parut extraordinairement longue, pendant que la femme la regardait avec une expression neutre.

— Certainement. Qui dois-je annoncer ?

Elle soupira de soulagement, mais l'angoisse la reprit aussitôt.

— Francesca Arno. Je suis une amie de Ian Noble.

La femme écarquilla légèrement les yeux.

— Très bien, mademoiselle Arno, dit-elle en décrochant le téléphone.

Francesca patienta, sur des charbons ardents, pendant que la réceptionniste parlait à plusieurs personnes successives, la dernière étant le Dr Epstein lui-même. Que pouvait penser Julia Epstein, informée qu'une étrangère qui affirmait être une amie de Ian Noble venait de se présenter à l'Institut et demandait à la voir ? Malheureusement, Francesca ne put deviner grand-chose à partir de la moitié de conversation qu'elle entendit. La réceptionniste reposa le combiné.

— Le Dr Epstein va venir vous chercher dans le hall. Puis-je vous offrir un rafraîchissement en attendant ?

— Non, merci, répondit Francesca.

Elle ne pensait pas être capable d'avaler quoi que ce soit ; son estomac était trop noué. Elle désigna les confortables fauteuils situés juste derrière elle.

— Je vais juste l'attendre là.

La réceptionniste opina du chef d'un air cordial et retourna à son travail. Cinq – longues et pénibles – minutes plus tard, le Dr Epstein fit son apparition dans le hall. Francesca se releva de son siège aussi vite que si elle était montée sur ressorts quand elle reconnut la femme qu'elle avait aperçue chez Ian. Elle portait une blouse de laboratoire blanc, au-dessus d'une élégante jupe couleur vert d'eau. Une autre femme l'accompagnait, sans blouse médicale mais vêtue avec une élégance et un goût extrêmes. Francesca eut l'impression que, bien que cette dernière fût plus âgée – autour de soixante-dix ans, peut-être –, elle irradiait la santé.

— Francesca Arno ? l'interpella le médecin tout en s'approchant.

Elle tendit la main, et Francesca la saisit.

— Oui ; je suis désolée de débarquer sans prévenir comme ça, mais…

— Tous les amis de Ian sont les bienvenus. (Le timbre de sa voix était chaud, mais Francesca se demanda si c'était de la curiosité ou de la perplexité qu'elle lisait sur son visage.) Je crois comprendre que vous n'avez pas encore rencontré la grand-mère de Ian ? Permettez-moi de vous présenter la comtesse de Stratham, Anne Noble.

Sous le choc, Francesca regarda l'élégante vieille dame. L'espace d'un atroce instant, elle se demanda si elle était censée s'incliner ou faire quelque chose de ce genre. Il existait certainement une étiquette qu'elle ne connaissait pas, et elle craignait d'être cataloguée d'emblée comme une Américaine grossière.

Dieu merci, la comtesse se rendit compte de sa gêne avant qu'elle se mette à bafouiller comme une idiote.

— Je vous en prie, appelez-moi Anne, dit-elle chaleureusement en lui tendant la main à son tour.

Ses yeux lui rappelèrent immédiatement ceux de Ian - un bleu cobalt, acéré et perçant.

— Je suppose que je suis venue au bon endroit, marmonna Francesca en serrant la douce main d'Anne.

— Vous n'en étiez pas sûre ? s'enquit la vieille dame.

— Non, pas entièrement. Je... je cherchais Ian.

— Bien sûr, répondit Anne sans paraître surprise, ce qui fit monter d'un cran l'angoisse et la confusion de Francesca. Il a déjà mentionné votre nom devant moi, mais je n'avais pas compris que vous deviez venir à Londres. Ian est parti faire un tour, et je suis venue vous saluer à sa place.

— Alors Ian est bien ici ? demanda Francesca d'une voix tremblante.

Anne et le Dr Epstein échangèrent un regard.

— Vous ne le saviez *pas* ? fit la comtesse.

Francesca secoua négativement la tête avec l'impression de sombrer sous les eaux.

— Mais vous étiez certainement au courant que ma fille se trouvait ici, en tout cas ?

— Votre… fille ?

La tête de la jeune femme commençait à lui tourner. Le hall d'accueil baigné par la lumière lui sembla soudain trop brillant, projetant un halo surréaliste autour de chaque contour. Mme Hanson ne lui avait-elle pas dit que les grands-parents de Ian n'avaient qu'une fille unique ?

— Oui, ma fille, Helen. La mère de Ian. Ian est parti l'emmener faire une promenade. Grâce au travail acharné de Julia et de l'Institut, ajouta la vieille dame en adressant un regard chaleureux au médecin. Helen traverse une période de lucidité extraordinaire. James, Ian et moi n'en revenons pas.

Les deux femmes dévisagèrent Francesca. Anne tendit la main et lui toucha l'épaule.

— Vous êtes terriblement pâle, ma chère. Je pense qu'il serait mieux que nous permettions à cette jeune femme de s'asseoir plus confortablement ; n'est-ce pas, docteur ?

— Absolument. Nous allons monter dans mon bureau. J'ai du jus d'orange en réserve ; votre taux de sucre est peut-être un peu bas ? Voulez-vous que je vous fasse apporter quelque chose à manger ?

— Non… non, ça va aller. La mère de Ian est *toujours en vie* ? croassa Francesca, le cerveau obnubilé par cette nouvelle information.

Une ombre passa sur le visage d'Anne.

— Oui. Aujourd'hui, elle l'est.

— Mais Mme Hanson… m'a dit que la mère de Ian était morte il y a des années.

La comtesse soupira.

— Oui, c'est ce que croit Eleanor. (Francesca mit quelques secondes à comprendre qu'Eleanor était le prénom de la gouvernante.) Quand Helen est rentrée en Angleterre, James et moi avons décidé qu'il serait peut-être… mieux ou du moins… plus facile… (Anne hésita ; son visage exprimait une tristesse infinie alors qu'elle essayait de trouver les mots justes pour décrire une décision prise une vingtaine d'années plus tôt, au milieu d'une période de stress et d'angoisse.) Qu'il valait mieux que ceux qui avaient connu et aimé Helen gardent le souvenir de ce qu'elle était autrefois, et ne voient pas comment cette maudite maladie l'avait ravagée, l'avait privée de son identité… de son âme. Peut-être avons-nous eu tort. Ou peut-être pas. Ian n'a jamais approuvé le choix que nous avons fait.

— Ian… Il n'avait que dix ans quand Helen est retournée en Angleterre, n'est-ce pas ? demanda Francesca.

— À peu près, répondit Anne. Mais nous ne lui avons pas révélé que sa mère était vivante et soignée dans un institut de l'East Sussex avant qu'il ait vingt ans – un âge où il serait capable de comprendre que nous avions pris cette décision dans le but de le protéger. Ian était persuadé, comme tout le monde, que sa mère était morte.

Le silence bourdonnait dans les oreilles de Francesca.

— Ian a dû être furieux quand il l'a découvert, lâcha-t-elle sans réfléchir à ce qu'elle disait.

— Oh oui, répondit la comtesse d'un ton amer sans paraître se formaliser de l'expression brutale de la jeune femme. Ce fut une période difficile pour Ian, James et moi-même. Ian cessa de nous parler pendant quasiment un an, alors qu'il étudiait aux États-Unis. Mais nous avons fini par nous réconcilier, et nos rapports se sont apaisés. (Elle désigna d'un geste ample le hall d'accueil.) Ensuite, Ian a financé la construction de l'Institut, et nous avons travaillé ensemble pour le développer. Cet endroit nous a permis de pacifier notre relation avec notre petit-fils, aussi bien qu'avec Helen, dit-elle en adressant un regard reconnaissant au Dr Epstein, même si ses yeux demeuraient tristes.

La vieille dame finit par se rasséréner et serra davantage sa main autour du bras de Francesca, l'invitant à marcher à son côté.

— Je vois bien que vous êtes choquée par cette nouvelle. Je pense qu'il serait mieux que ce soit Ian qui vous en parle, compte tenu des circonstances... inhabituelles.

— Ian et Helen vont arriver au grand salon après leur promenade, annonça le Dr Epstein à Anne.

— Nous les y rejoindrons, alors, fit la comtesse à Francesca d'un ton décidé, en se dirigeant vers les ascenseurs. James est déjà là. Je vais pouvoir vous présenter au grand-père de Ian.

Trop sonnée pour protester, Francesca suivit le mouvement, incapable de penser à autre chose qu'au fait que la mère de Ian était toujours en vie, et qu'elle était traitée dans cet hôpital. Son cœur se serrait à l'idée de revoir son amant.

Ils prirent l'ascenseur, et Julia Epstein les quitta à un étage inférieur. Elle leur dit au revoir en sortant de la cabine, les informant qu'elle devait retourner à son laboratoire.

— C'est une scientifique brillante, confia Anne à Francesca alors que les deux femmes traversaient un couloir qui les mena jusqu'à une pièce lumineuse aux nombreuses fenêtres. Maintenant qu'on a décodé le génome humain, le Dr Epstein et ses collègues exploitent ces connaissances pour rechercher de meilleurs traitements contre la schizophrénie. Ian a financé tout son travail. Ça va vraiment être une révolution. L'un des traitements mis au point par le docteur a reçu récemment l'aval de l'Agence européenne des médicaments, et elle nous l'a recommandé pour Helen. Jusqu'à présent, les résultats semblaient mitigés, mais cette semaine, son état s'est amélioré de façon spectaculaire. Ian est fou de joie. Il arrivait souvent à Helen de ne reconnaître ni son fils, ni son père, ni moi, tant sa psychose était sévère, mais *maintenant*... le changement est incroyable. Elle a été autorisée à sortir de l'établissement, une chose qui n'avait jamais été possible depuis les six années qu'elle est internée ici.

— C'est merveilleux, dit Francesca en parcourant du regard la pièce que le médecin avait désignée comme étant le « grand salon ».

De vastes fenêtres offraient une vue charmante sur le parc et le petit bois. Des patients, des soignants et des visiteurs étaient éparpillés dans la confortable pièce, certains jouant à des jeux de plateau, d'autres bavardant simplement et profitant de la vue. Francesca supposa que les patients qu'elle voyait ici faisaient partie des plus chanceux, ceux dont les symptômes étaient temporairement sous contrôle. Ils semblaient tout à fait autonomes et vaquaient d'eux-mêmes à leurs activités, sans soignants pour les accompagner.

Un vieil homme d'aspect robuste se leva à l'approche des deux femmes. Sa silhouette haute et digne rappela Ian à Francesca.

— Francesca Arno, j'aimerais vous présenter mon mari, James.

— Je suis enchanté de vous rencontrer, dit ce dernier en lui tendant la main. Ian nous a parlé de vous hier - ce qui nous a marqués, car, à notre grand regret, il mentionne très rarement une femme devant nous. (Une lueur brillait dans les yeux du vieil homme.) Nous étions en train de discuter avec le

Dr Epstein quand elle a eu la nouvelle de votre arrivée. Nous n'avions pas compris que vous deviez venir en Angleterre.

— C'est parce que je me suis décidée sur un coup de tête.

— Ian ne sait pas que vous êtes là ? demanda James d'un air perplexe tout en restant poli.

— Non, répondit Francesca.

Peut-être le vieil homme remarqua-t-il son trouble, car il lui tapota gentiment l'épaule, tout en jetant un coup d'œil par l'une des fenêtres.

— Eh bien, il l'apprendra très vite. Je le vois en train de s'approcher avec Helen. Oh, mon Dieu…

Francesca sentit les doigts du vieil homme se resserrer un instant autour de son épaule. Elle suivit son regard à travers la fenêtre et se figea elle-même en découvrant la scène. Ian marchait à côté d'une femme à l'allure fragile, vêtue d'une robe bleue qui flottait sur son corps trop frêle. Pendant que James parlait, la femme s'était brusquement tournée vers Ian et l'avait frappé d'un coup de poing à l'abdomen. Elle avait trébuché et failli tomber, mais Ian l'avait rattrapée à bras-le-corps. Cependant, ses efforts pour tenter de calmer sa mère se révélèrent vains, et Helen se débattit de toutes ses forces comme si elle craignait pour sa vie entre les mains de son fils.

— Appelez le Dr Epstein, ordonna sèchement James à l'un des aides-soignants qui avait également remarqué ce qui se passait.

Accompagné de trois autres infirmiers, il se rua vers la porte qui conduisait au parc pour porter assistance à Ian.

— Oh non. Pas encore, se lamenta Anne d'une voix étranglée en observant la scène avec Francesca.

Helen battait désespérément des bras et des jambes pour se libérer de l'étreinte de son fils. Elle le gifla avec force à la mâchoire. Francesca crut que son cœur allait s'arrêter quand elle vit l'expression affligée de Ian. Combien de fois son amant avait-il vu sa mère se comporter ainsi ? Combien de fois sa mère douce et aimante avait-elle disparu pour laisser place à cette harpie violente et effrayante ? On entendait à présent un cri perçant résonner à travers le parc – le bruit de la peur d'Helen Noble, et de sa folie renaissante.

— Attendez, fit Anne d'un ton autoritaire en empoignant Francesca par le coude alors qu'elle s'apprêtait à se ruer vers Ian, incapable de rester sans rien faire devant la détresse de l'homme qu'elle aimait. Ils l'ont maîtrisée.

Les deux femmes demeurèrent côte à côte, impuissantes, observant les trois infirmiers immobiliser la psychotique en plein délire avant de la soulever et de la porter vers la clinique. Lorsqu'ils passèrent devant Anne et Francesca dans le grand salon, se dirigeant rapidement vers le hall, la jeune femme distingua pour la première fois le visage d'Helen – sa bouche déformée par une grimace, son front dégoulinant de sueur, ses yeux bleus écarquillés et exorbités, qui semblaient focalisés sur une vision de cauchemar qu'elle seule pouvait voir.

Non, songea Francesca. Ce n'était pas Helen Noble. Pas réellement.

Une infirmière traversa le couloir en courant, suivie par le Dr Epstein. Les infirmiers déposèrent précautionneusement la femme gémissante sur le sol, et l'infirmière lui fit une injection.

Anne se mit à pleurer en silence quand ils emportèrent sa fille loin d'elle.

Francesca passa un bras autour des épaules de la vieille dame, sans trouver quoi dire, elle-même sous le choc.

— Ian ! s'exclama-t-elle en le voyant marcher vers eux accompagné par son grand-père.

Elle ne l'avait jamais vu si pâle. Tous les muscles de son visage étaient crispés.

Le regard qu'il lui jeta fut glacial.

— Comment as-tu osé venir ici ? fit-il en s'avançant vers elle, bougeant à peine les lèvres tant sa mâchoire était serrée.

Francesca crut défaillir. Elle ne l'avait jamais vu dans un tel état… si désespéré, si furieux, si vulnérable. Elle n'arrivait pas à trouver quoi répondre. Il ne lui pardonnerait jamais pour être venue sans avoir été invitée, pour l'avoir vu dans ce qui resterait peut-être l'un des moments les plus misérables de sa vie.

— Ian…

Mais il l'interrompit en se dirigeant à grands pas dans la direction où sa mère avait été emmenée. James adressa à son épouse un regard triste avant de suivre son petit-fils.

Anne prit Francesca par la main et la mena vers une chaise. Elle s'assit à son côté ; toute l'énergie que Francesca avait remarquée en elle lors de leur rencontre semblait l'avoir abandonnée.

— Ne soyez pas en colère contre Ian, dit-elle d'une voix atone. Avec Helen, ils ont partagé un merveilleux moment ce matin, et maintenant… tout est gâché à nouveau. Il est bouleversé, c'est une évidence.

— Je peux comprendre pourquoi, répondit Francesca. Je n'aurais pas dû venir. Je n'avais pas la moindre idée de…

La comtesse lui tapota distraitement le bras.

— C'est une maladie terrible. Brutale. Ça a été dur pour nous tous, mais c'est encore plus rude pour Ian. Depuis son plus jeune âge, il a été obligé de prendre soin d'Helen. Après s'être installé chez nous, quand il a commencé à s'ouvrir un peu, il m'a dit qu'il devait la surveiller en permanence, de peur que les voisins ne se rendent compte de la gravité de son état – il craignait d'être envoyé à l'orphelinat si sa mère était internée de force. Il vivait dans la crainte quotidienne qu'elle se fasse du mal ou qu'on les sépare. Il n'a presque jamais pu aller à l'école comme les autres enfants, parce qu'il lui fallait prendre soin d'Helen. Le village où ma fille a échoué – nous n'avons jamais su comment – était très isolé et un peu arriéré. Je suis certaine que les services de protection de l'enfance auraient été alertés sur la faible assiduité scolaire de Ian s'il s'était trouvé dans un endroit moins reculé. Mais il a réussi à garder secrète la maladie de sa mère. Il a découvert l'endroit où elle cachait ses réserves d'argent et a géré frugalement leurs dépenses, gagnant de l'argent en rendant de menus services dans le village et, plus tard, quand les gens se sont rendu compte qu'il avait le génie de l'électronique et de la mécanique en effectuant de petits travaux de réparation. Il faisait toutes les courses, le ménage et la cuisine pour eux deux, gardant aussi propre que possible leur petite maisonnette et sécurisant au maximum les lieux pour éviter que sa mère se blesse lors d'un accès de violence psychotique… comme celui auquel vous venez d'assister. (Anne se tut un instant et poussa un profond soupir.) Tout cela, alors que, lorsque nous avons fini par les retrouver tous les deux, Ian n'avait même pas atteint son dixième anniversaire.

Francesca frémit d'émotion. Pas étonnant que Ian soit si obsédé par le contrôle. Oh, Dieu, quel pauvre petit garçon… Et comme il avait dû se sentir seul ! Cela avait dû être terrible pour lui de connaître l'amour de sa mère durant ses périodes de lucidité, pour le perdre brutalement quand la maladie reprenait le dessus… comme elle venait de le faire.

Brusquement, Francesca se souvint d'une expression qui transparaissait parfois sur le visage de son amant et lui crevait le cœur, celle d'un homme qui avait non seulement connu l'abandon et la solitude, mais qui savait aussi avec certitude qu'il serait rejeté à nouveau.

— Je suis tellement désolée, Anne, fit-elle en ayant conscience de l'inadéquation – de la dérisoire petitesse – de ses paroles.

— Le Dr Epstein nous avait mis en garde contre tout optimisme excessif. Mais c'est si dur de ne pas espérer, et Helen faisait de tels progrès... Nous l'avons vue, trop brièvement, nous avons pu lui parler – à elle, notre Helen. Notre douce et très chère Helen. (Elle laissa échapper un profond soupir.) Eh bien, il y a d'autres traitements en cours d'expérimentation. Peut-être bien qu'un jour...

Francesca ne pouvait pas s'empêcher de penser, cependant, en entendant le timbre morne de sa voix et en voyant son expression figée, que la vieille dame n'était pas loin de renoncer à tout espoir de voir sa fille aller mieux. Elle se demanda combien de fois les Noble avaient cru voir l'état de leur fille s'améliorer pour voir leurs espoirs réduits en miettes encore et encore quand la folie reprenait le dessus.

La jeune femme se releva en tremblant plusieurs minutes plus tard, quand Ian refit irruption dans le grand salon.

— Elle dort, dit-il à sa grand-mère en évitant consciencieusement Francesca du regard. Julia a suspendu le traitement. Maman va reprendre ses anciens médicaments. Au moins, ils parvenaient à la stabiliser.

— Si par « stabiliser » tu veux dire « abrutir », je suppose que tu as raison, répondit Anne.

Ian fit une grimace en entendant ces mots.

— C'est le seul choix que nous ayons. Au moins, elle n'essayait pas de s'automutiler. (Il regarda Francesca. Elle se recroquevilla intérieurement sous son regard glacial.) Nous partons, lui dit-il. J'ai appelé mon pilote, et il tient l'avion prêt à décoller pour Chicago.

— D'accord, répondit Francesca.

Une fois qu'ils seraient dans l'avion, elle pourrait au moins essayer de lui expliquer pourquoi elle était venue à Londres. Elle s'excuserait de s'être mêlée de ce qui ne la regardait pas. Peut-être qu'elle arriverait à lui faire comprendre...

Mais chaque fois qu'elle repensait à l'état de faiblesse et de vulnérabilité dans lequel elle l'avait vu... elle frémissait et se disait qu'il ne pourrait jamais lui pardonner.

*
* *

Il lui adressa à peine la parole durant le trajet vers l'aéroport, conduisant en regardant droit devant lui, les articulations blanches à force de serrer le volant. Quand elle essaya de briser le silence en bafouillant des excuses, il la coupa sèchement.

— Comment savais-tu où j'étais ?

— Je t'avais vu deux fois avec le Dr Epstein... une fois à Paris, et la deuxième fois à la résidence. Je l'ai entendu mentionner un « Institut », et Mme Hanson m'a dit qu'elle était médecin.

Il lui jeta un regard furieux.

— Ce n'est pas une explication, Francesca.

Elle se recroquevilla sur le siège passager.

— J'ai... j'ai vu que tu allais régulièrement sur le site de l'Institut de Recherche et de Traitement

Génétique quand tu m'as prêté ta tablette pour que je révise le code de la route.

En voyant son regard offensé, elle se fit encore plus petite.

— Tu as consulté mon historique de navigation ?

— Oui, admit-elle d'une voix misérable. Je suis désolée. J'étais curieuse… Je me demandais pourquoi tu avais disparu si brusquement. Jacob m'a dit ensuite que tu ne l'emmenais jamais à Londres, et j'ai commencé à rassembler les pièces du puzzle.

— Eh bien, je ne peux en tout cas pas te reprocher d'être une idiote, lâcha-t-il en crispant encore davantage les doigts sur le volant. Tu dois être fière de tes talents de détective.

— Non. Je me sens minable. Je suis vraiment désolée, Ian.

Il ne répondit rien, mais elle vit qu'il serrait les dents, et que sa peau semblait particulièrement pâle, par contraste avec ses cheveux sombres. Elle renonça à toute tentative de communiquer avec lui jusqu'à ce qu'ils aient embarqué à bord de l'avion.

La voix du pilote grésilla dans le haut-parleur, annonçant qu'ils avaient l'autorisation de décoller.

— Assieds-toi et boucle ta ceinture, fit-il d'un ton brusque en désignant d'un hochement du menton le fauteuil où elle s'installait d'habitude. Mais une fois qu'on aura décollé, je te veux dans la chambre à coucher.

Elle demeura interdite. Quelque chose dans le timbre de sa voix lui disait exactement quelles étaient ses intentions. Elle attacha sa ceinture en tremblant.

— Ian, ça ne va pas t'aider à te sentir mieux d'essayer de me contrôler parce que tu te sens tellement…

Elle laissa sa phrase en suspens lorsqu'elle vit ses yeux flamboyer d'une colère à peine contenue.

— Tu te trompes. Je vais prendre un pied fantastique à te faire chauffer le cul au rouge et à te baiser sans ménagement. Ça fait assez longtemps que tu prends la pilule. Je vais te prendre à nu et jouir si profondément en toi que tu sentiras mon sperme s'écouler pendant des jours.

Elle tressaillit, non à cause de ses mots crus – en d'autres circonstances, elle aurait pu trouver excitant ce langage grossier –, mais parce qu'il était en train de lui dire qu'il avait l'intention de lui faire *réellement* mal pour avoir eu l'audace de le surprendre dans un moment de faiblesse.

— Tu as voulu voir à quoi ressemblait ma vie privée, soit. Sache seulement que tu n'aimeras pas forcément ce que tu peux y découvrir.

— Rien de ce que j'ai vu aujourd'hui ne détériore l'image que j'ai de toi, répliqua-t-elle d'un ton enflammé. S'il faut absolument que ça fasse une différence, c'est que je te comprends cent fois mieux maintenant… et que je t'aime mille fois plus.

L'expression de Ian se figea, et son visage devint plus pâle encore. Francesca sentit les battements de son pouls lui marteler les tempes au milieu du silence qui s'ensuivit. Pourquoi ne parlait-il pas ? Elle remarqua à peine que l'avion avait quitté le sol. Elle n'arrivait pas à croire qu'elle venait de laisser échapper la vérité qu'elle avait tant essayé de lui cacher.

Le silence sembla durer une éternité, rendu pire encore par la chute de pression qui suivit le décollage, et provoqua des bourdonnements dans les oreilles de Francesca.

— Tu n'es vraiment qu'une gamine, dit-il finalement en desserrant à peine les dents. Je t'ai dit dès le début que cette relation était uniquement sexuelle.

— Oui, mais j'ai pensé… ces dernières semaines, j'ai eu l'impression que les choses avaient évolué, fit-elle d'une toute petite voix.

Elle eut l'impression que son cœur se fissurait quand elle le vit secouer lentement la tête, sans la quitter un instant du regard. Il détacha sa ceinture de sécurité.

— Je veux te posséder, Francesca. Te dominer. Voir ce caractère obstiné en toi abdiquer devant le plaisir... devant moi. C'est ça que je t'ai proposé. Tu as absolument voulu voir à quoi ressemblait mon monde, et tu peux arrêter maintenant de te complaire dans tes rêves de jeune fille. C'est *tout* ce que je peux t'offrir, ajouta-t-il en désignant du doigt la porte de la chambre. Maintenant, rentre dans cette pièce, enlève tous tes vêtements, et attends-moi.

Pendant quelques secondes, elle resta immobile et le regarda, encore sous le choc de la blessure que ses mots lui avaient infligée. Elle était sur le point de refuser quand elle songea à la douleur aiguë et intense qu'elle avait aperçue sur son visage quand sa mère l'avait frappé. Les blessures de Ian étaient tellement plus profondes que les siennes. Peut-être que ça l'aiderait, d'avoir l'impression de retrouver le contrôle après avoir traversé une expérience si terrible ? Est-ce que le sexe ne servait pas à ça ? À exorciser les douleurs en utilisant les puissantes sensations physiques à l'œuvre pour reprendre pied au milieu du chaos ?

Oui. Elle pouvait aider Ian de cette façon. Elle comprenait que sa colère était liée au sentiment de vulnérabilité, de faiblesse, qu'il éprouvait à présent devant elle.

Elle détacha lentement sa ceinture.

— Très bien. Mais je fais ça seulement parce que je suis tombée amoureuse de toi. Et je ne suis pas une petite fille naïve. Je pense que tu m'aimes en retour, et que tu es juste trop fier, trop têtu – et trop blessé par ce qui s'est passé avec ta mère ce matin – pour le reconnaître.

Une vague de souffrance passa fugitivement sur les traits rudes du visage de son amant avant de disparaître aussitôt. Il demeura silencieux quand elle se leva et se dirigea vers la chambre.

16

Ian pénétra dans la chambre dix minutes plus tard. Un puissant désir l'envahit instantanément quand il distingua la jeune femme assise nue à l'extrémité du lit. Elle avait épinglé en chignon ses splendides cheveux. Ses tétons roses étaient déjà dressés à vous en mettre l'eau à la bouche – pas d'excitation, soupçonnait-il, mais à cause du froid. Il savait qu'il n'y avait pas de peignoir dans la salle de bains. Il n'aurait pas dû la faire attendre nue par cette température. Malgré tout, quelque chose dans son corps pâle l'excita et le troubla douloureusement.

— Lève-toi, fit-il sèchement, refusant de se laisser adoucir par l'exquise vision qu'elle offrait.

Rencontrerait-il un jour une femme aussi belle ?

Serait-il un jour *touché* par une autre femme, comme il l'avait été par Francesca ? Un millier d'émotions s'était mis à bouillir en lui lorsqu'elle avait prononcé ces mots incendiaires.

... « et que je t'aime mille fois plus. »

C'était plus qu'il n'en pouvait supporter. Il était déjà dévasté par les nouvelles que James lui avait confiées juste après que les infirmiers eurent emmené sa mère rugissante, alors que Francesca se trouvait dans le grand salon… dévasté que la jeune femme ait assisté à tout cela.

Il éprouvait un besoin irrépressible de la punir, non seulement parce qu'elle avait vu sa mère dans un état de terrible vulnérabilité, mais aussi parce qu'elle l'avait vu lui. Il avait passé la majeure partie de sa vie à préserver Helen des regards emplis de pitié et d'horreur. Étrangement, savoir que Francesca avait été témoin de la folie de sa mère dans toute sa gravité était beaucoup plus douloureux que quand il s'agissait d'étrangers.

*
* *

Il s'approcha du secrétaire et déverrouilla un tiroir. Quand il vit la jeune femme écarquiller les yeux devant l'objet qu'il tenait, un éclair de désir le traversa.

— Oui. Je garde quelques accessoires en réserve dans l'avion, et pas de ceux que tu connais déjà. On va commencer par ta punition, et on passera ensuite à d'autres moyens de te faire crier.

Les joues de la jeune femme virèrent au pourpre, mais il ignorait si c'était causé par l'excitation ou la colère. La seule chose qu'il savait, c'était qu'il voulait *vraiment* l'entendre crier, songea-t-il en prenant la sangle en élastique noir. Il voulait voir Francesca se tordre de remords et de plaisir ; il voulait qu'elle le supplie avec ses lèvres roses qui hantaient ses rêves… il voulait qu'elle lui dise encore qu'elle l'aimait.

Cette pensée disparut aussi vite qu'elle était venue. Il déplaça le banc rembourré qui se trouvait au pied du lit vers le centre de la pièce.

— Mets tes pieds là-dedans, dit-il à Francesca en s'approchant avec le harnais noir. (Si près d'elle, il pouvait sentir le parfum fruité de son shampooing.) Appuie-toi sur mes épaules pour te tenir debout.

— Qu'est-ce que c'est ? l'interrogea-t-elle en s'agrippant à ses épaules.

Il essaya d'ignorer la douceur de son corps contre sa chemise.

— C'est une sangle qui va enserrer tes jambes pendant que je te punirai, et restreindre tes mouvements. Ça sera peut-être un peu inconfortable, mais ça me donnera beaucoup de plaisir.

— Je ne vois pas comment, répondit-elle en grimaçant alors qu'il resserrait la large bande noire et la faisait remonter le long de ses jambes jusqu'à la courbe inférieure de ses fesses. L'accessoire collait étroitement les cuisses de la jeune femme l'une contre l'autre et faisait rebondir son postérieur, exposant la chair pulpeuse aux paumes de Ian et à la tapette. Il tendit la main et pétrit l'un des globes de chair entre ses doigts. Son sexe se dressa.

— Tu comprends maintenant ? dit-il en écartant la main avec réticence.

L'élastique noir était conçu sur le même principe qu'un bustier, en faisant ressortir pleinement la croupe de la jeune femme, tout en lui attachant les jambes.

— Ian ! s'exclama-t-elle quand il la souleva dans les airs pour la porter vers le banc.

— Il faut que je te porte, puisque tes jambes sont attachées, fit-il en déposant la jeune femme à genoux sur le banc. Reste comme ça pour le moment. Ne bouge pas.

Quand il s'approcha à nouveau de Francesca, il tenait une paire de menottes. Contrairement à celles en cuir doux qu'il utilisait habituellement sur elle pour ne pas abîmer sa peau sensible, celles-ci étaient en métal.

— Joins les mains dans le dos, dit-il. (Il fronça les sourcils après avoir fixé les menottes à ses poignets.) Je ne veux pas que tu essaies de te libérer de ces liens, Francesca. Tu pourrais te blesser.

— D'a... d'accord, l'entendit-il dire.

Il croisa son regard, semblable à un puits sombre et velouté. Une puissante vague d'émotions le submergea – du désir, de la concupiscence brute, de la colère – lorsqu'il reconnut la lueur qui brillait dans ses iris.

— Pourquoi est-ce que tu me regardes avec tant de confiance ? fit-il d'une voix dure.

— Parce que j'ai confiance en toi.

— C'est stupide. (Il la guida en la prenant par le coude.) Reste à genoux. Penche-toi en avant. Colle tes seins contre tes cuisses. Appuie le front sur le coussin et garde cette position jusqu'à la fin de ta punition. Et ne me *regarde pas,* ou je te châtierai plus durement.

La jeune femme était vraiment une nymphe ; ses yeux avaient une sorte de pouvoir magique sur lui. S'il les regardait assez longtemps, il finissait toujours par avoir l'impression qu'ils brillaient comme un phare inébranlable et éternel.

Il alla chercher la tapette. Il savait pourquoi Francesca avait ouvert grands les yeux quand elle l'avait vue. Elle était en bois vernis, longue et étroite – seulement dix centimètres de large. C'était un instrument de punition corporelle bien plus sérieux que la tapette en cuir noir qu'il utilisait ordinairement sur elle.

Il était déterminé à lui faire payer sa décision impulsive de le suivre à Londres. À la châtier pour avoir déclenché une telle tempête d'émotions en lui.

Il réprima un grognement en contemplant la vision qu'elle offrait. La sangle élastique faisait ressortir son postérieur sculptural de manière extrêmement excitante. Il caressa une fesse, puis l'autre, soulevant la chair au maximum au-dessus de la sangle pour pouvoir profiter de chaque parcelle de peau blanche et délicate.

Elle sursauta quand il frappa avec la tapette sur la courbe inférieure de ses fesses, et il sentit qu'elle avait retenu un cri. Cette réserve lui plaisait.

Comme tout en elle lui plaisait...

Tout sauf son caractère impulsif, tout sauf son entêtement et sa naïveté à se croire amoureuse de moi.

Tout chez elle. En particulier sa spontanéité et sa sagesse innocente qui doivent être chéries, pas blessées.

Il lui donna trois coups rapides, en écartant ces pensées troublantes de son esprit. Son sexe se durcit encore contre le tissu du boxer. Oui, c'était de ça dont il avait besoin. La luxure lui permettrait d'oublier les sentiments dérangeants qu'il éprouvait.

C'était à ça que servait le sexe.

Elle ne parvint pas à se retenir de crier cette fois, et il interrompit la punition pour apaiser la peau brûlante et satinée d'une caresse de ses doigts.

— Je n'arrive pas à croire que tu m'aies suivi à Londres, dit-il d'une voix qui vibrait de colère.

— Je serais allée plus loin pour te retrouver.

Il se figea, et son visage se crispa quand il perçut le tremblement dans la voix de Francesca.

— Est-ce que tu pleures ? demanda-t-il d'un ton cassant en contemplant la nuque de la jeune femme.

— Non.

— Est-ce que je te fais trop mal ?

— Non.

Il serra le manche de la tapette et frappa à deux reprises.

— C'est la première fois que je te punis sans utiliser la crème stimulante. La douleur surpasse peut-être le plaisir, fit-il en abattant une nouvelle fois la tapette.

Il grogna d'extase devant la vision érotique de la chair blanche frémissant sous les coups, et empoigna en grimaçant son membre dressé à travers le tissu de son pantalon.

— Non, ce n'est pas ça, souffla-t-elle d'une voix étouffée.

Elle sursauta légèrement quand il frappa à nouveau.

Brûlant d'en avoir le cœur net, Ian introduisit les doigts dans son entrecuisse, juste au-dessus de l'élastique noir. Quand il le retira, un fluide luisant recouvrait son majeur. Sans faire de commentaire, il leva la main et lâcha plusieurs coups successifs.

Il n'arriverait *jamais* à la contrôler réellement, parce qu'elle le tourmentait chaque fois qu'il essayait.

Quand il eut terminé, le postérieur de la jeune femme était rouge et brûlant sous ses doigts. Lorsqu'il la prit dans ses bras pour la soulever du banc et la remettre debout, elle haletait doucement, et ses joues étaient teintées de rose. Il s'agenouilla devant elle pour faire redescendre l'élastique noir le long de ses cuisses et de ses chevilles.

Il détacha les menottes. Elle laissa échapper un petit cri de surprise quand il fit passer la sangle élastique autour de son cou et commença à faire descendre la bande sous ses seins. Ce fut un peu laborieux, mais quand il eut terminé, ses magnifiques seins plantureux étaient exposés et offerts de façon aussi érotique que ses fesses l'avaient été. Il lâcha un grognement de satisfaction et lui attacha de nouveau les mains dans le dos.

— Qu'est-ce que tu vas faire ? lui demanda-t-elle d'une voix mal assurée quand il s'empara d'un fouet en cuir noir.

Il était constitué d'une lanière souple, conçue davantage pour aviver et aiguillonner la chair que pour flageller et causer de la douleur. Il comprit la nuance de peur qui perçait dans la voix de la jeune femme. Il n'avait jamais utilisé ce fouet-là sur elle.

— Ta punition n'est pas finie. Regarde ce fouet. (Il le souleva devant elle de manière à ce qu'elle puisse examiner la mince lanière d'environ trente centimètres de long attachée à un manche de cuir.) Ne prends pas cette expression si craintive... c'est moins effrayant que ça n'en a l'air. Dans ma main, c'est un instrument tout à fait sûr. Ça va juste te piquer agréablement et éveiller tes nerfs.

Les yeux de Francesca s'agrandirent quand il leva la main, mais elle ne protesta pas lorsqu'il abattit la lanière de cuir sur son sein pâle.

— Voilà. Est-ce que c'est trop pour toi ? fit-il d'un ton bourru, en caressant et pétrissant doucement le ferme globe de chair.

Comme elle ne répondait rien, il la dévisagea. Elle semblait un peu perdue, mais ses yeux brillaient d'excitation. Elle secoua la tête sans dire un mot.

Il réprima un sourire et abattit le fouet sur l'autre sein, puis de nouveau sur le premier, contemplant avec fascination la chair blanche se colorer d'un léger rose et les tétons se durcir, lui donnant l'eau à la bouche.

— Est-ce que ça brûle ? demanda-t-il un moment plus tard en lui massant les seins, après avoir reposé le fouet.

— Oui, souffla-t-elle.

— Tant mieux. Tu l'as mérité, murmura-t-il. (Il pinça doucement ses deux tétons, et elle frémit de plaisir.) Si je n'avais pas autant de scrupules avec toi, je t'aurais fait endurer bien pire pour ce que tu as osé me faire.

— Pour me punir d'être tombée amoureuse de toi ?

Il interrompit son lent massage et plongea les yeux dans les siens. La jeune femme haletait de plus en plus, et ses seins se soulevaient entre les paumes de Ian au rythme de sa respiration.

— Non. Pour avoir fouiné dans mes affaires et t'être mêlée de ma vie.

Pour avoir vu ma mère au moment où elle était le plus vulnérable... pour avoir vu ma douleur.

— Je t'ai dit que j'étais désolée, Ian.

— Je ne pense pas que tu le sois, répondit-il d'une voix de nouveau furieuse.

Il se pencha sur elle et l'embrassa sauvagement. Il ne désirait qu'une chose, plonger son sexe dans sa fente étroite et humide, et se perdre dans l'abîme miséricordieux du plaisir. Quand il relâcha enfin sa bouche, le souffle de Francesca était chaud et doux contre ses lèvres.

— Tu n'arriveras pas à me faire changer d'avis, murmura-t-elle.

Il ferma les yeux, comme pour empêcher la tempête d'émotions qui rugissait en lui de se manifester. Il se sentait de plus en plus désespéré.

— Nous verrons, fit-il en passant derrière elle pour lui ôter les menottes.

Son regard s'attarda sur les fesses toujours rougies de la jeune femme. Il l'avait frappée plus durement qu'il ne l'avait jamais fait, songea-t-il avec une pointe de regret. Pourtant elle ne s'était pas plainte, alors qu'il lui en avait donné la possibilité. Et sa fente trempée de désir, quand il avait passé la main entre ses cuisses, révélait clairement qu'elle avait ressenti plus de plaisir que de souffrance.

— Tourne-toi et agenouille-toi au pied du lit. Appuie-toi sur le rebord pour te tenir.

Elle suivit ses instructions sans aucune hésitation, arquant le dos et croisant les bras sur le lit. Elle ne regarda pas de côté quand il s'approcha derrière elle, mais Ian sentit la curiosité et l'appréhension monter en elle.

Douce et confiante Francesca.

— N'aie pas peur, murmura-t-il. Cette fois, c'est au plaisir que je vais te soumettre, pas à la douleur.

Il mit en marche le vibromasseur en forme de lapin et le régla à une faible intensité. Son sexe se dressa avec force quand il vit à quel point son petit orifice était luisant, et sa vulve trempée.

Il introduisit le sex-toy profondément dans le vagin de la jeune femme. Elle hoqueta et sursauta brusquement quand les oreilles du lapin se mirent à tourner et à stimuler énergiquement son clitoris.

— Oh !

— C'est agréable ? demanda-t-il en tirant l'objet de sa fente avant de le replonger aussitôt. Les muscles de son vagin se resserrèrent instantanément autour de la silicone comme une petite bouche avide. Seigneur, il voulait la prendre tout de suite... mais il attendrait. Il obtiendrait d'abord la soumission de Francesca... elle le supplierait.

Pourquoi ressentait-il ce besoin aussi impérieux ? Cela demeurait un mystère pour lui, mais il ne pouvait pas étouffer ce désir.

Il joua avec les réglages du vibromasseur, caressant le sexe de la jeune femme, laissant les oreilles du lapin stimuler son clitoris, savourant les gémissements, les hoquets et les petits cris de la jeune femme. Quand la respiration de Francesca devint chaotique, il désactiva le masseur clitoridien et se concentra sur l'entrée du sexe de la jeune femme.

— Oooh, s'il te plaît..., gémit-elle au bout d'un moment.

Il savait qu'elle avait failli atteindre l'orgasme, et qu'elle réclamait le retour des oreilles du lapin sur son clitoris.

— Ton clitoris est trop sensible. Je ne veux pas que tu jouisses tout de suite.

— Je t'en prie, Ian..., insista-t-elle d'une voix égarée en s'agrippant au rebord du lit et en commençant à bouger les hanches pour accompagner les va-et-vient du sex-toy.

Il abattit une claque cuisante sur ses fesses. Elle cessa ses mouvements frénétiques du bassin.

— Dis-moi, qui commande ici ? fit-il calmement.

— Toi, chuchota-t-elle après un instant d'hésitation.

— Alors tiens-toi tranquille, ordonna-t-il avant de recommencer à faire aller et venir le vibromasseur dans son vagin, laissant le tube fuselé et l'anneau rotatif faire leur travail.

Au bout d'un moment, elle lâcha un gémissement rauque et désespéré. Il se laissa fléchir et augmenta la vibration du sex-toy.

— Oooh, gémit-elle. Oh, Ian... laisse-moi bouger.

— Reste tranquille, ordonna-t-il en plongeant le vibromasseur profondément en elle, jusqu'à sentir la chaleur et la moiteur de son sexe sur ses doigts.

Il plissa les paupières en regardant le manche de silicone entrer et sortir de son étroite fente. Les gémissements d'excitation de la jeune femme emplissaient ses oreilles. Il la tourmenta, la maintenant juste sur le fil de la jouissance, savourant son pouvoir sur elle.

— Je t'en supplie... laisse-moi jouir, implora-t-elle.

Il cessa de faire bouger le vibromasseur en entendant la voix brisée de la jeune femme. Il avait à la fois envie de lui refuser l'accès au plaisir, et de lui donner tout ce qu'elle voulait... et même davantage.

Ce conflit intérieur le déchirait. Il retira le vibromasseur et le jeta sur le lit.

— Relève-toi, dit-il d'un ton plus brusque qu'il ne l'aurait voulu.

Quand elle se retourna vers lui, il vit que ses joues avaient encore rosi. Son front et sa lèvre supérieure luisaient de sueur. Elle était belle à en couper le souffle. Il plongea le majeur dans la crevasse humide de son sexe. Elle suffoqua, mais il ne bougea pas la main.

— Si tu veux jouir, montre-le-moi, dit-il.

Elle leva vers lui des yeux brillants d'excitation, mais il perçut sa confusion.

— Tu peux jouir contre ma main, mais tu dois me prouver que tu le veux. Je ne bougerai pas.

Elle se mordit la lèvre inférieure, et il céda presque. Presque.

— Allez, l'encouragea-t-il.

Elle ferma les yeux, comme pour se protéger de son regard, et commença à cambrer son bassin contre la main de Ian. Un gémissement franchit ses lèvres. Il la contempla, captivé, en maintenant son bras immobile, mais sans la caresser, laissant la jeune femme faire tout le travail.

— C'est ça. Montre-moi que tu n'as pas honte. Montre-moi que tu peux te soumettre au désir, murmura-t-il.

Elle arqua le bassin plus franchement, se frottant contre sa main… cherchant désespérément le plaisir. Elle laissa échapper un cri aigu de frustration, et Ian se laissa presque fléchir.

Non.

— Ouvre les yeux, Francesca. Regarde-moi, exigea-t-il d'une voix rauque.

Elle entrouvrit lentement les paupières tout en continuant ses mouvements. Il vit son désespoir, sa détresse, sa peur que son désir surpasse sa fierté.

— Tu n'as pas à avoir peur, chuchota-t-il. Tu es plus belle pour moi que tu ne l'as jamais été. Maintenant, jouis contre ma main.

Il fléchit le biceps pour accentuer la pression de sa main contre le sexe de Francesca, lui accordant ce qu'elle désirait désespérément, et méritait. Il ferma un instant les yeux en sentant son liquide tiède recouvrir ses doigts tandis qu'elle jouissait.

Quelques instants plus tard, l'esprit embrumé par le désir, il tourna la jeune femme vers lui et lui demanda d'une voix rauque de se pencher à nouveau sur le rebord du lit. Il écarquilla brusquement les yeux en plongeant enfin son membre durci dans la chaleur douce du fourreau de la jeune femme. C'était comme s'il pénétrait une femme pour la première fois – non, c'était même infiniment meilleur, comme un monde qui s'ouvrait devant lui, une expérience entièrement nouvelle d'une intensité effrayante.

Il se perdit en elle, et tout devint noir autour de lui à mesure que le plaisir le submergeait, étouffant son champ de conscience. Il lui donna de sauvages coups de reins, le souffle brûlant, les muscles crispés, le sexe presque douloureux… l'âme dévastée.

— Francesca, gronda-t-il d'une voix pleine de rage, bien que sa colère l'eût quitté.

Il empoigna des deux mains son torse délicat et l'obligea à se redresser de manière à ce qu'elle se tienne debout devant lui, légèrement penchée en avant. Il continua à la baiser, sentant son cœur battre à toute allure sous ses paumes, les tremblements de plaisir qui secouaient sa chair, les contractions musculaires de son vagin autour de son érection conquérante.

Sans même y penser, il repoussa le corps de la jeune femme en avant et l'agrippa par les hanches, accélérant le rythme et la force de ses coups de boutoir et grimaçant de plaisir. Il se cabra derrière elle, les muscles tellement crispés qu'il la souleva légèrement au-dessus du sol.

L'orgasme le foudroya littéralement. Il poussa un grondement d'agonie bienheureuse en se répandant au plus profond de Francesca. Un désir violent et primitif s'empara de lui, même au milieu de la tourmente – le désir d'imprimer sa marque en elle, de la posséder totalement… de la faire sienne.

Il retira brusquement son pénis luisant et gonflé de ce délicieux paradis et éjacula par à-coups sur le dos et les fesses de la jeune femme, jusqu'à ce que sa peau fût recouverte du liquide blanc.

Durant une minute entière après la fin de cet ouragan de jouissance, il resta debout, immobile, la main crispée sur son sexe, essayant de reprendre son souffle, les yeux fixés sur le corps nu de Francesca dégoulinant de sa semence. Il songea à la dureté de la punition qu'il lui avait infligée, à la façon dont il l'avait forcée à ravaler sa fierté pour jouir contre sa main, à la sauvagerie dont il avait fait preuve en lui faisant l'amour.

Une vague de regret déferla en lui.

Il aida la jeune femme à se relever, et alla chercher un mouchoir à la salle de bains. Il essuya doucement la peau de Francesca et ôta sa chemise pour lui couvrir les épaules. Il n'aurait pas dû la laisser si exposée au froid.

Il lui fallut un immense effort pour soutenir le regard solennel de la jeune femme tandis qu'il reboutonnait la chemise sur son torse, couvrant la peau douce qu'il avait tellement envie de caresser encore… de vénérer. Il ouvrit la bouche pour parler, mais que pouvait-il dire ? Il s'était comporté de manière dure, égoïste, et elle ne lui pardonnerait sans doute jamais.

Il avait voulu démontrer à Francesca qu'elle était stupide de se croire amoureuse de lui, mais à présent qu'il avait réussi, il ne ressentait qu'un profond regret.

Incapable de supporter plus longtemps les deux puits sombres qui le scrutaient, il se détourna et quitta la pièce.

*
* *

Dix jours plus tard, Davie se tenait devant le placard de Francesca, vêtu d'un smoking. Il faisait glisser les cintres sur la tringle pendant que Francesca le regardait d'un air absent, assise sur son lit.

— Et celle-là ? demanda Davie en sortant une robe du placard.

Elle cligna les yeux en reconnaissant la robe style bohème chic qu'elle avait fait le choix stupide de porter au cocktail chez *Fusion* quelques mois plus tôt – la soirée où elle avait rencontré Ian. Elle n'arrivait pas à croire que sa vie avait changé de façon aussi radicale en un aussi court laps de temps. Qu'elle était tombée aussi profondément amoureuse, et qu'elle avait gâché cet amour comme elle savait si bien le faire. Mais finalement, quand on regardait les choses dans leur ensemble, il y avait une sorte de logique.

Davie remarqua son manque d'enthousiasme évident pour la robe. Il la souleva et la détailla.

— Qu'est-ce qui ne va pas ? Elle est très jolie.

— Je ne viens pas, Davie, dit-elle d'une voix rauque à force de ne plus servir.

— Si, tu viens, rétorqua Davie en lui adressant un regard inhabituellement noir. Tu ne vas pas rester enfermée dans ta chambre pendant toutes les vacances d'automne.

— Et pourquoi pas ? C'est mes vacances, répondit-elle d'un ton morne en tripotant les pompons d'un coussin décoratif. J'ai fini tout ce que j'étais censée faire. Je n'ai pas le droit de traîner dans ma chambre, si j'en ai envie ?

— Ah… la vérité éclate enfin. Francesca Arno est du genre à se morfondre dans sa chambre et à refuser de s'alimenter après une rupture, exactement comme les filles qu'elle méprisait avant.

— Ian et moi, on n'a pas rompu. C'est juste qu'on ne s'est pas parlé depuis une semaine et demie.

Elle repensa à la façon dont il l'avait regardée avant de quitter la chambre à coucher de l'avion – son expression de regret, de confusion… de désespoir. Elle avait cru qu'il pouvait lui offrir davantage que du sexe, mais elle s'était trompée. Et toute relation n'impliquait-elle pas deux personnes ? Qu'est-ce que ça pouvait faire, qu'elle croie dur comme fer à leur amour, si lui en doutait ?

— En plus, continua-t-elle, pour qu'il y ait eu rupture, il faudrait d'abord qu'on ait été ensemble, et ce n'est pas le cas. Pas au sens qu'on donne à ce mot.

— Est-ce que tu as essayé de le contacter ? fit Davie en allant suspendre la robe dans la salle de bains.

— Non. Je peux encore sentir sa colère. C'est comme si elle irradiait dans tout Chicago.

— Ce n'est pas de la colère, marmonna son ami.

— Hein ?

— C'est ton imagination, Cesca. Pourquoi ne l'appelles-tu pas ?

— Parce que. Ça ne changerait rien.

Davie soupira.

— Vous êtes tous les deux des têtes de mule. Tu ne pourras pas l'éviter éternellement.

— Je ne l'évite pas.

— Oh, je vois. Tu as complètement abandonné, alors.

Pour la première fois depuis des jours, Francesca sentit de la colère se mêler à son désespoir. Elle jeta un regard irrité à Davie, et il sourit, en lui tendant la main.

— Allez. Justin et Caden nous attendent. En plus, on a une surprise pour toi.

Elle poussa un soupir de frustration, mais se leva du lit.

— Je n'ai pas envie qu'on me console. Et même si j'en avais envie, à quoi ça rime de me traîner à une stupide soirée pour célibataires guindés – avec en prime costume-cravate exigé pour les hommes ? Tu sais très bien que je n'ai rien de correct à me mettre. Et que je déteste ce genre de soirées. Il me semblait que toi aussi, d'ailleurs.

— J'ai changé d'avis. C'est pour une bonne cause, dit-il alors qu'elle se dirigeait vers la salle de bains.

— Quoi, sauver mon petit cœur brisé ?

— Pour commencer, juste te faire sortir de cette maison, répondit Davie sans paraître se formaliser du ton sarcastique de la jeune femme.

*

* *

La soirée pour célibataires avait lieu dans un nouveau club branché du quartier North Wabash, dans le centre-ville. Caden et Justin étaient au meilleur de leur forme dans la voiture, survoltés et beaux à tomber par terre dans leurs smokings tout neufs. Francesca, de son côté, mourait déjà d'envie de rentrer, avant même qu'ils soient arrivés. Des souvenirs merveilleux et terribles s'étaient mis à défiler dans sa tête quand elle avait enfilé la robe bohème ; tous les détails de la soirée où elle l'avait portée pour la dernière fois lui étaient revenus en mémoire d'un seul coup.

« Une femme doit savoir faire oublier ses vêtements, Francesca. Pas l'inverse. C'est la première leçon que je vous enseignerai. »

Le souvenir de la voix douce et grave de Ian la fit frissonner. Il lui manquait... C'était comme un gouffre béant dans sa poitrine, un gouffre qu'elle n'arriverait jamais à combler.

Davie avait du mal à trouver une place de parking proche de leur destination, et ils tournaient en rond depuis un moment. Elle regarda par la fenêtre de la voiture quand ils traversèrent le fleuve Chicago, et vit la tour de Noble Enterprises qui se dressait à quelques blocs de là.

Était-elle vraiment la naïve jeune femme présente au cocktail en son honneur donné quelques semaines plus tôt ? Si fragile, si peu sûre d'elle-même... si pleine de crainte que quelqu'un d'autre le remarque ? Était-ce vraiment elle qui avait pénétré dans la résidence de Ian, plus émerveillée par la présence à côté d'elle de cet homme séduisant et énigmatique que par la splendeur de cet appartement, ses œuvres d'art et... sa vue étourdissante ?

« Ils sont vivants... les gratte-ciel... certains plus que d'autres. Je veux dire, ils ont l'air vivants. C'est ce que je me suis toujours dit. Ils ont chacun une âme. La nuit, en particulier... Je peux le sentir.

— Je sais que vous en êtes capable. C'est pour ça que je vous ai choisie.

— Pas à cause des lignes parfaitement droites de ma composition et de la précision de mes reproductions ?

— Non. À cause de cela. »

Elle sentit ses yeux se remplir de larmes. Il avait si bien su lire en elle, même au tout début, voyant des choses qu'elle ne voyait pas. Il avait chéri ces choses en elle, l'avait encouragée à les cultiver, jusqu'à ce que…

Non. La réponse était non. Elle n'était plus cette jeune femme.

Davie gara la voiture dans un parking payant sur Wacker Drive, au sud du fleuve, assez loin de leur destination finale. Francesca ne put s'empêcher de frissonner quand le vent du fleuve pénétra son épais manteau de laine alors qu'ils traversaient le pont. Davie le remarqua et lui entoura les épaules. Justin l'imita aussitôt et se plaça de l'autre côté de la jeune femme, faisant barrage de son corps contre le vent. Caden les rejoignit très vite, au grand amusement de Francesca, crochetant son bras avec celui de Justin pour obstruer au maximum la bise glaciale venue du lac. Ils la serraient de si près en l'escortant sur le trottoir que Francesca finit par trébucher après qu'ils eurent passé le pont.

— Les garçons, je ne vois plus rien !

— Mais tu es au chaud, non ? fit Justin d'une voix enjouée.

— Oui, mais…

Soudain, Justin et Caden la poussèrent vers une porte tournante qui bordait le trottoir. Francesca ouvrit grands les yeux quand elle comprit où ses amis la conduisaient. Elle résista, mais Justin poussait derrière elle, et elle n'avait pas d'autre choix que de pénétrer dans le hall de Noble Enterprises.

Elle regarda autour d'elle, éberluée de se retrouver sur le territoire de Ian de manière si inattendue… si brutalement.

Plusieurs douzaines d'yeux se retournèrent vers elle devant cette arrivée peu discrète. Elle vit le visage familier et souriant de Lin, celui de Lucien, de Zoe... et – elle tressaillit – Anne et James Noble un peu plus loin. Quant à cet homme élégant aux cheveux poivre et sel qui leva vers elle sa coupe de champagne au milieu du silence général, n'était-ce pas M. Garrond, le conservateur du musée Saint-Germain que Ian lui avait présenté à Paris ? Non. C'était impossible.

Ses yeux s'agrandirent encore d'incrédulité quand elle vit ses parents qui se tenaient mal à l'aise à côté d'une plante verte. Son père avait la mâchoire serrée, mais sa mère faisait de son mieux pour afficher un grand sourire.

— Pourquoi est-ce que tout le monde me regarde ? murmura-t-elle à Justin quand il s'avança à côté d'elle.

Une vague de panique envahit sa poitrine à la vue de cette scène surréaliste. Justin l'embrassa chaleureusement sur la joue.

— C'est une surprise. Regarde, Francesca. Tout ça est pour toi. Félicitations.

Elle fixa l'endroit qu'il désignait du doigt, le pan de mur autrefois vide qui dominait le hall d'accueil. Son tableau avait été encadré et accroché. Il était stupéfiant... parfait...

Comme elle restait bouche bée devant le grand mur central, Justin lui détourna gentiment le menton, pour lui montrer ce qui se trouvait d'autre dans la pièce. Tous ses tableaux étaient présentés dans le hall, encadrés et exposés sur des chevalets. Les gens déambulaient autour en costumes de soirée, sirotant leur champagne, et semblaient admirer son travail. Un petit quatuor à cordes jouait le concerto brandebourgeois n° 2 de Bach.

Elle adressa un regard éberlué à Davie. Ce dernier eut un sourire rassurant.

— Ian a organisé ça, dit-il tranquillement. Des collectionneurs, des critiques d'art renommés, des propriétaires de galerie et des conservateurs de musée parmi les plus influents de la planète sont là ce soir. Ce cocktail est en ton honneur, Francesca… une chance pour le monde de découvrir la grandeur de ton talent.

Elle était horriblement mal à l'aise. *Oh, Seigneur. Tous ces gens regardent vraiment mon travail ?* Mais aucun visage ne semblait moqueur, ni même perplexe, en tout cas, se dit-elle en regardant alentour.

— Je ne comprends pas. Est-ce que Ian avait prévu tout ça avant Londres ?

— Non. Il m'a contacté un jour ou deux après ton retour, et m'a demandé de l'aider à mettre en place cette exposition. J'ai fait encadrer tous les tableaux. On a même réussi à en retrouver quatre autres à ajouter à la collection. Ian était impatient que tu les voies.

Une intuition soudaine frappa Francesca, et elle parcourut la foule des yeux.

Ian se tenait à côté de ses grands-parents. Il avait l'air sombre, impérial, et extraordinairement séduisant, en smoking noir et nœud papillon. Il la fixait d'un regard intense… flamboyant. Seule Francesca, qui le connaissait à présent si bien, pouvait distinguer l'ombre d'angoisse sur ses traits, là où d'autres n'auraient vu que froideur et impassibilité.

Elle crut que son cœur s'arrêtait de battre, et serra les bras autour de sa poitrine.

— Pourquoi est-ce qu'il a fait ça ? souffla-t-elle.

— Je crois que c'est sa façon à lui de te dire qu'il est désolé, répondit Davie. Certains hommes envoient des fleurs, Ian…

— Envoie le monde, murmura Francesca entre ses lèvres engourdies.

Ian s'avança vers elle, et elle marcha dans sa direction, se déplaçant comme une morte vivante vers l'homme dont elle ne pouvait détacher les yeux, et dont elle désirait la présence plus que tout au monde.

— Bonsoir, fit-il d'une voix calme quand ils se retrouvèrent.

— Salut. C'est plutôt une surprise, réussit-elle à dire.

Elle avait l'impression que son cœur qui battait à tout rompre envahissait sa poitrine, comprimant ses poumons. Elle prit conscience que des dizaines d'yeux étaient sans doute fixés sur eux, mais elle ne voyait plus que ceux de Ian – et l'espoir fou qu'elle y lisait.

— Est-ce que la façon dont je l'ai accroché te plaît ? demanda-t-il.

Elle comprit qu'il parlait du tableau.

— Oui. C'est parfait.

Comme chaque fois qu'il souriait, elle sentit son cœur bondir dans sa poitrine. Il tendit la main. Reconnaissant ce geste familier, elle commença à déboutonner son manteau. Après qu'il l'eut aidée à ôter le pardessus, elle se tourna vers lui, la tête droite, le menton haut – oui, même dans la robe bohème. Il la contempla, et elle vit qu'il reconnaissait la robe. Son sourire se communiqua à ses yeux. Il prit deux coupes de champagne sur le plateau d'un serveur qui passait et murmura quelque chose à l'oreille de l'employé avant de lui tendre le pardessus.

Quelques instants plus tard, il lui tendit une flûte de champagne et s'avança plus près d'elle. Francesca eut l'impression que les autres convives de la soirée faisaient leur possible pour reprendre leurs conversations et leur laisser un peu d'intimité. Ian fit tinter sa flûte contre la sienne.

— À toi, Francesca. Puisse la vie t'offrir tout ce dont tu rêves, car personne ne le mérite plus que toi.

— Merci, murmura-t-elle en trempant les lèvres dans son champagne avec réticence, peu sûre de ce qu'elle était censée ressentir dans des circonstances aussi surprenantes.

— Accepterais-tu de passer la soirée avec moi, maintenant - il embrassa du regard le hall d'accueil bondé - et plus tard ? Il y a certaines choses que j'aimerais te dire en privé. J'espère que tu les écouteras.

La jeune femme sentit sa gorge se nouer en essayant d'imaginer ce que ces « choses » pouvaient être. La perspective de passer les prochaines heures à se poser la question lui semblait insupportable. Une petite voix intérieure lui disait qu'elle devrait refuser pour protéger son cœur blessé. Mais elle dévisagea Ian, et sa décision fut prise.

— Oui. J'écouterai.

Il sourit, la prit par la main et l'escorta vers la foule.

*

* *

Il était minuit passé quand Ian ouvrit la porte de la suite et l'invita à entrer. Elle pénétra dans la superbe chambre où régnait une lumière tamisée.

— J'ai pensé que je ne reverrais peut-être jamais cette chambre, souffla-t-elle en regardant autour d'elle, chérissant tous les détails du sanctuaire de son amant comme elle ne l'avait jamais fait auparavant.

Ils avaient passé toute la soirée ensemble, sans que Ian ne la quitte une seule fois. Il l'avait présentée à des acteurs majeurs du monde de l'art contemporain, lui avait désigné les quatre derniers tableaux qu'il avait retrouvés, l'avait entraînée dans des conversations avec sa famille et ses amis. Mais l'attention de Francesca était restée focalisée sur lui. Elle n'avait pas cessé une seconde de se demander à quoi il pensait... de s'interroger sur ce qu'il avait l'intention de lui dire quand ils seraient seuls.

Trois galeristes en vogue lui avaient proposé d'intégrer leurs futures collections, et on lui avait demandé de participer à une exposition prévue au musée d'Art contemporain de Barcelone. Elle avait questionné Ian à ce sujet, car c'était lui le propriétaire de ces toiles, et il lui avait répondu simplement que c'était à elle de décider. Quatre collectionneurs avaient fait des offres sur ses œuvres, mais Ian avait refusé tout net. Pour couronner le tout, l'une de ces offres avait été faite par l'entreprise dans laquelle travaillait le père de la jeune femme, qui avait pâli en entendant la somme proposée. De manière générale, Ian avait eu sur ses parents un effet spectaculaire. Ils s'étaient montrés si avenants et désireux de lui plaire qu'elle était presque sûre que Ian penserait qu'elle avait menti à leur sujet. Cette soumission servile de leur part la décevait un peu, mais elle était avant tout soulagée.

Ian referma la porte derrière lui et s'adossa contre le battant. Elle se tourna vers lui.

— Merci, Ian, souffla-t-elle. J'ai eu l'impression d'être la reine du bal.

— Je suis juste heureux que tu sois venue.

— Je pense que je ne l'aurais pas fait si Davie et les autres ne m'avaient pas menée en bateau. Je pensais que tu ne voulais plus me voir depuis Londres... depuis tout ce qui s'est passé là-bas. Tu étais tellement en colère.

— Je l'étais, oui. Mais je ne le suis plus depuis un bon moment.

— Vraiment ?

Il secoua la tête, sans cesser de soutenir son regard.

— Vraiment. Mais j'avais foutrement du mal à savoir ce que je ressentais *au juste.* Il ne m'a pas fallu beaucoup de temps pour le comprendre, mais je devais trouver un moyen de te le dire sans que tu t'enfuies aussitôt. Je te présente mes excuses pour le tour que je t'ai joué ce soir. (Sa bouche dessina un pli amer.) Je suis désolé, de manière générale.

Elle tressaillit devant cette déclaration inattendue.

— Désolé pour quoi ?

— Pour tout. Depuis les premiers mots désobligeants et arrogants que j'ai pu t'adresser, jusqu'à mes derniers actes égoïstes. Je suis désolé, Francesca.

Elle avala péniblement sa salive et ne put s'empêcher de détourner les yeux. Même si elle savait que cette discussion était nécessaire, après tout ce qui s'était passé entre eux, ça lui semblait soudain secondaire par rapport aux événements de Londres.

— Comment va ta mère ? demanda-t-elle d'un ton calme.

— Son état est stabilisé, répondit-il, toujours adossé contre la porte. (Il expira lentement au bout de quelques secondes et fit un pas vers elle. Elle garda les yeux fixés sur lui tandis qu'il ôtait sa veste de smoking et la déposait sur le dossier d'une chaise, hypnotisée par sa mâle beauté.) Il y a peu d'espoir qu'elle fasse des progrès avec ce traitement, mais ça n'empirera pas. C'est mieux que rien.

— Oui. C'est mieux que rien. Je sais que tu ne veux pas de ma pitié, Ian. Je comprends cela. Je ne suis pas venue à Londres pour te montrer ma compassion.

— Pourquoi es-tu venue, alors ? s'enquit-il d'une voix calme qui s'accordait à la solennité du moment.

— Pour t'offrir mon soutien. Je savais que ce qui se passait là-bas était une cause de douleur pour toi, même si je n'avais aucune idée de ce que j'allais y trouver précisément. Je voulais juste être là pour toi. C'est tout.

Il sourit faiblement.

— Tu en parles comme si c'était une simple chose sans importance... Non. C'est *moi* qui ai réagi comme si ça n'avait pas d'importance. J'ai pris ton acte de gentillesse et de sollicitude, et je te l'ai jeté au visage, dit-il en serrant la mâchoire.

— Je sais que tu t'es senti vulnérable. Je suis désolée.

— Ça fait tellement longtemps que je suis obligé de la protéger..., dit-il brusquement après un long silence.

— Je sais. Anne m'en a parlé, répondit-elle en comprenant qu'il parlait de sa mère.

Il fronça les sourcils.

— C'est grand-mère qui m'a dit que je me comportais comme un sale crétin égoïste. Elle a refusé de me parler pendant presque une semaine quand je lui ai avoué une partie des choses que je t'avais dites après ton incursion à l'Institut. Je ne l'avais jamais vue faire ça, dit-il d'un air perplexe comme s'il ne savait toujours pas comment prendre la chose.

Francesca ne put s'empêcher de sourire en son for intérieur en imaginant l'élégante vieille dame traiter son petit-fils adoré de sale crétin. Elle était surprise et reconnaissante qu'Anne ait pris sa défense.

— Je n'étais pas là pour porter un jugement. Et même si ça avait été le cas, je n'ai rien vu d'autre qu'une femme très malade et son fils aimant qui se bat pour elle contre vents et marées.

Il détourna les yeux, fixant le mur opposé.

— Je t'ai traitée injustement... cruellement. J'aime te donner des punitions parce que ça m'excite sexuellement, mais mon but n'est jamais de te faire vraiment mal. Sauf ce jour-là, dans l'avion... c'est ce que j'ai fait. Pas complètement, mais une *partie* de moi avait envie de...

— ... de me faire souffrir autant que tu souffrais ?

Un éclair de culpabilité traversa le regard de Ian quand il la scruta de nouveau.

— Oui.

— Je comprends, Ian, dit-elle doucement. Ce n'est pas ce qui s'est passé dans la chambre de l'avion qui m'a bouleversée. Tu ne m'as pas fait mal, et tu savais forcément que j'y prenais du plaisir. C'est le moment où tu t'es détourné de moi après.

Elle sentit qu'il se crispait.

— J'avais honte. De ma mère. Du fait que tu l'aies vue. De moi, parce que j'éprouvais toujours ce maudit besoin de la dissimuler au monde extérieur. *Qu'est-ce que ça peut bien faire, maintenant ?*

Il avait lâché ces derniers mots d'un ton amer, et ils demeurèrent suspendus dans l'air – comme s'il avait craché un poison, une pensée refoulée enfouie profondément dans son esprit depuis toujours. Peut-être les mots les plus puissants, les plus cruciaux, qu'il ait jamais dits à Francesca... à personne.

La jeune femme s'avança vers lui et entoura sa poitrine de ses bras, pressant la joue contre sa chemise blanche. Respirant son parfum mâle unique, elle le serra très fort contre elle. Elle baissa les paupières tandis que l'émotion la submergeait. Elle comprenait combien il lui avait été difficile de prononcer ces mots, lui qui faisait tout pour dissimuler le moindre signe de vulnérabilité, qui demeurait stoïque et fort parce qu'il croyait ne pas avoir d'autre choix.

— Je t'aime, lui avoua-t-elle.

Il lui souleva le menton, rapprocha son visage du sien et lui caressa la joue. Elle vit qu'il fronçait les sourcils.

— Qu'est-ce qui ne va pas ? murmura-t-elle.

— Je ne me suis pas donné l'autorisation de tomber amoureux de toi.

Elle rit doucement en entendant ces mots. C'était tellement typique de Ian. L'amour gonfla dans sa poitrine, si grand et si pur qu'il prit le pas sur la douleur.

— Tu ne peux pas tout contrôler, Ian, et ça encore moins que le reste. Est-ce que ça veut dire que c'est vrai ? Que tu m'aimes ?

— Je crois que je t'aimais avant même notre rencontre, depuis que j'ai compris que c'était toi qui avais capturé mon image dans le tableau... toi qui avais saisi ma douleur avec tant de lucidité. Tu es trop bien pour moi, dit-il durement. Et je ne suis pas sûr de te mériter. Mais tu es mienne, Francesca. Et, pour ce que ça vaut... je suis tien. Aussi longtemps que tu voudras de moi.

Ces mots firent vaciller et trembler l'univers de Francesca, lui faisant perdre l'équilibre. Mais il posa ses lèvres sur les siennes, et elle trouva son centre de gravité.

Composition
NORD COMPO

Achevé d'imprimer en Espagne
par BLACKPRINT CPI
le 20 mai 2013.

Dépôt légal mai 2013.
EAN 9782290072066
L21EDDN000484N001

ÉDITIONS J'AI LU
87, quai Panhard-et-Levassor, 75013 Paris

Diffusion France et étranger : Flammarion